デモクラシーの現在地

アメリカの断層から

青山直篤
Aoyama Naoatsu

みすず書房

目次

第3章　超大国の蹉跌——コロナ危機　95

第4章　物語を取り戻す——グローバル化と民主主義　135

第5章　半導体と空気調節——国家の復権　177

第6章　咆哮と興奮——日米の虚脱を超えて　223

終　章　ひび割れる世界に湧く泉　261

・登場人物の所属や年齢などは取材時のもので、敬称は略した。
・本文中の写真はすべて朝日新聞社提供。

著者が訪ねたおもな土地

（＊州名と地名は登場順）

Ⓐフロリダ州
Ⓑノースダコタ州
Ⓒミズーリ州
Ⓓノースカロライナ州
Ⓔサウスカロライナ州
Ⓕコロラド州
Ⓖサウスダコタ州
Ⓗアイオワ州
Ⓘウェストバージニア州
Ⓙテネシー州
Ⓚカンザス州
Ⓛミネソタ州
Ⓜアラバマ州
Ⓝニューハンプシャー州
Ⓞワシントン州
Ⓟペンシルベニア州
Ⓠイリノイ州
Ⓡオハイオ州
Ⓢマサチューセッツ州

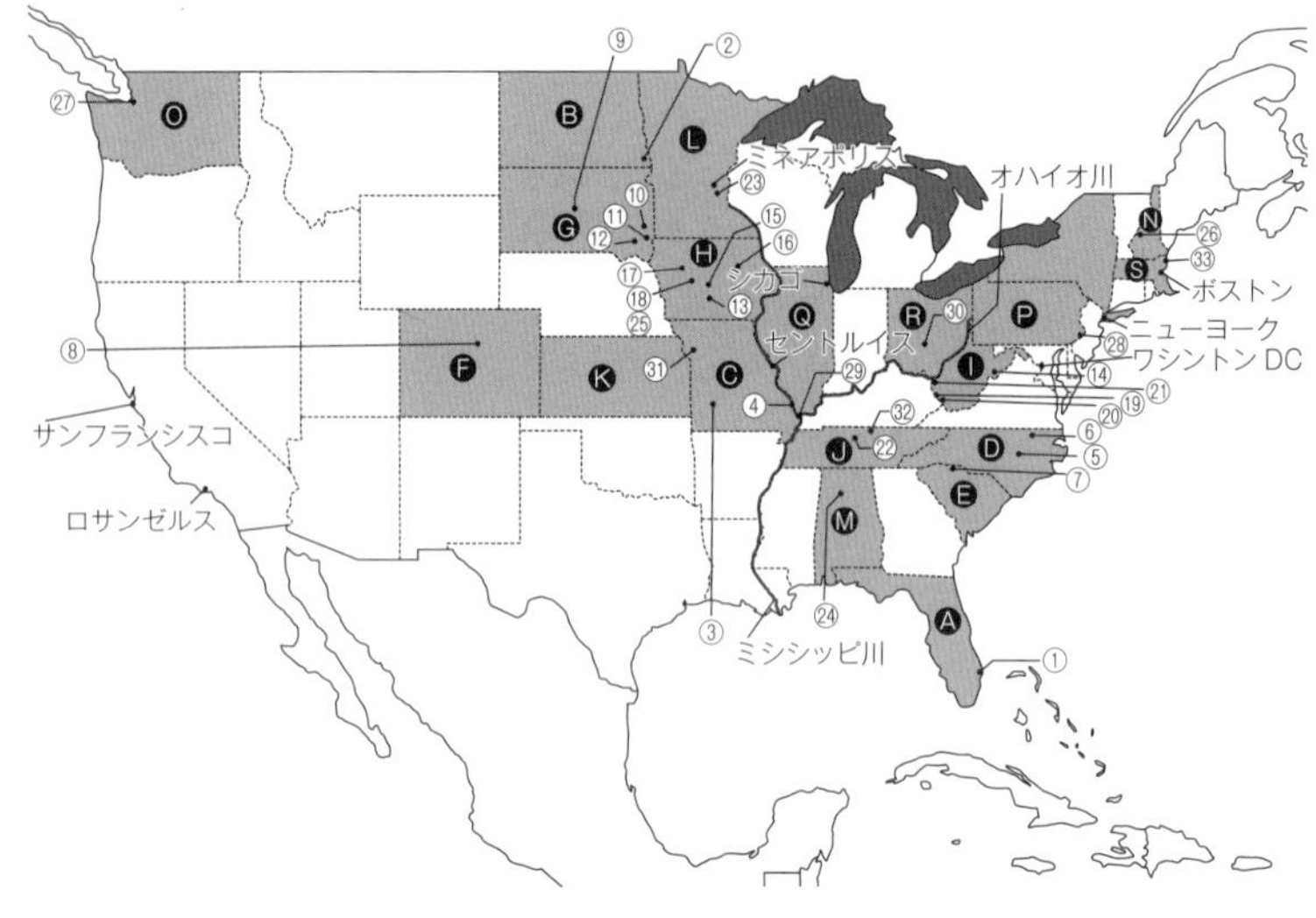

①パームビーチ
②リッチランド郡
③ポーク郡
④ケープジラード
⑤ミドルセックス
⑥エンフィールド
⑦ガフニー
⑧デンバー
⑨ピア
⑩スーフォールズ
⑪カントン
⑫センタービル
⑬ウォーレン郡
⑭ペンドルトン郡
⑮デモイン
⑯ペリー
⑰ストームレイク
⑱ジェファーソン
⑲ウィリアムソン
⑳メイトワン
㉑ハンティントン
㉒ナッシュビル
㉓ブルーミントン
㉔カルマン郡
㉕グリーン郡
㉖ハノーバー
㉗シアトル
㉘フィラデルフィア
㉙ケアロ
㉚サークルビル
㉛レイ郡
㉜バーズタウン
㉝グロースター

序　章　マール・ア・ラーゴの王

マール・ア・ラーゴに掲げられた巨大な星条旗
＝2016年11月27日、フロリダ州パームビーチ

2022年8月8日、米連邦捜査局（ＦＢＩ）は、フロリダ州パームビーチにあるドナルド・トランプ前大統領の自宅「マール・ア・ラーゴ」を家宅捜索した。大統領退任時に機密文書を持ち出し、スパイ防止法などに反して保持し続けている疑いがもたれている。「私の美しい家が、ＦＢＩの集団によって包囲され、急襲され、占領された」。トランプは声明で強く反発した。あけすけな自己賛美と、自らを被害者であるかのように演出するＰＲ術は、何ら変わっていない。捜索を伝えるニュースを見ながら、約4年前のトランプの姿を思い出していた。

18年4月18日、「マール・ア・ラーゴ」で、日米首脳会談後の記者会見が開かれるのを待っていた。経済・通商分野を主に担当する朝日新聞の特派員としてワシントンに赴任し、1カ月が経とうとしていた。

赴任した直後から、トランプは制裁関税を使った中国などとの「貿易戦争」を本格化させていた。トランプが巻き起こすニュースの旋風に追いまくられる日々が続く。記者会見までの数時間は、赴任以来、初めて落ち着いてものを考えたひとときだったように思う。

1920年代に女性企業家マージョリー・メリウェザー・ポストが建てたこのスペイン風の建物を、不動産王トランプは1985年に買い取り、大がかりな改修を加えた。「マール・ア・ラーゴ」とトランプの関係を詳述した本の著者ローレンス・リーマーは、「トランプがトランプでいられる、心のふるさとである」と書いている。[1] この別荘が発散するかぎりない俗悪さに、私は圧倒されていた。部屋には欧州の宮殿を模したような、白と金を基調としたけばけばしい装飾がほどこされている。若い国アメリカの気負いと劣等感がにじみ、土地に根差さないまがいものの印象がぬぐえない。トイレに立つと、手を拭く紙に「ＴＲＵＭＰ」の文字と、王家の紋章のようなものが刻印されていた。

トイレの手拭き紙1枚1枚に名を刻む、底知れない自己顕示欲。それは、例えばトランプが80年代に書いた『トランプ自伝』を読めば、ある程度は想像できることかもしれない。トランプは語る。

「宣伝の最後の仕上げははったりである。人びとの夢をかきたてるのだ。人は自分では大きく考えないかもしれないが、大きく考える人を見ると興奮する。だからある程度の誇張は望ましい。これ以上大きく、豪華で、素晴らしいものはない、と人びとは思いたいのだ。私はこれを真実の誇張と呼ぶ」[2]

それまでの数日、米メディアは、トランプと不倫関係にあった元ポルノ女優に対する「口止め料」をめぐる報道で一色になっていた。こうしたニュースがほとんど週替わりで生み出されるが、トランプには一向に打撃を与えない。そのような強欲と虚栄、虚偽に満ちた男であることは、ほとんど周知の事実なのである。指導者としての徳とは無縁の人間だが、あまりにあけすけであるだけに、偽善はない。「偽善のなさ」は、トランプが人々を強力に引き寄せる武器である。多くのアメリカ国民は、きれいごとを言うエリートの偽善と腐敗に倦んでいる。そして、この「武器」は、「人間とは所詮、その程度のもの」という乾いた認識を突き詰めた、徹底したニヒリズムや虚無と裏腹である。ここに、トランプの底知れない不気味さがあった。

アメリカはかつて王制に打ち勝ち、理想の共和国を目指した。だがリーマーの本によれば、トランプは自らを「パームビーチの王」と語った。多くのアメリカ国民にとって、トランプはあたかも王を僭称しようとするかのような民主主義の破壊者である。一方で、別の多くの国民が、民主主義を取り戻す救世主としてトランプを迎えていることも確かだ。

「この獣にはまた、大言と冒瀆の言葉を吐く口が与えられ、四十二か月の間、活動する権威が与えられた」(『ヨハネの黙示録』13章5節［聖書協会新共同訳］)。トランプの「大言と冒瀆」の背後にあるものとは何なのだろうか。

トランプが安倍晋三首相と「マール・ア・ラーゴ」の会見場に入ってきた。トランプを間近で目にしたのはこのときが初めてだった。2日間にわたった日米首脳会談の焦点は通商問題である。

トランプほど、貿易にこだわり続けた大統領はいないだろう。冷戦終結後、世界は貿易・投資の自由化（グローバル化）に向けて突き進み、その傾向は金融やＩＴの技術革新と一体となって加速した。生み出された膨大な富は一部に偏り、古くからの工業地帯や農村部などの地域社会に打撃を与えた。トランプはそうした地域の有権者を「忘れられた人々」という範疇にまとめ、可視化した。トランプはその支持を背景に、大統領就任の直後、オバマ前政権が日本を含む計12カ国でまとめた環太平洋経済連携協定（ＴＰＰ）から、公約通りに離脱した。

トランプは安倍との共同会見で、しばらくの間、用意されていた演説原稿を棒読みした。「アメリカと日本は、貿易不均衡を是正し、アメリカからの輸出に対する障壁を取り除くことにより、経済連携をより発展させるべく努力する。アメリカが強い決意で取り組むのは、自由で、公正で、相互的な貿易……」。ここで言葉を止めると、人さし指を立てて強調した。

「相互的な（reciprocal）……これがものすごく大事な言葉だ」

トランプは第2次世界大戦後の世界を、日独などの同盟国や中国にアメリカが「ぼったくられてきた」「食い物にされてきた」歩みとしてとらえる。まず「被害者」の立場に立つ。そして、制裁関税などの「脅し」を突きつけ、落とし前として一方的な譲歩を迫る。人間や国家の交際を、不動産取引のような商売の「ディール」の枠組みでとらえ、そこでは、相手を出し抜くことがすなわち自らの勝利となる。これが、その後も繰り返されることになるトランプ外交の基本型である。

『トランプ自伝』に付けられた副題は「交渉術（*The Art of the Deal*）」である。そこにはこんなフレーズもある。「日本人はめったに笑顔を見せないし、まじめ一点張りなので取引をしていても楽しくない。……残念なのは、日本が何十年もの間、主として利己的な貿易政策でアメリカを圧迫することによって、富を蓄えてきた点だ。アメリカの政治指導者は日本のこのやり方を十分に理解することも、それにうまく対処することもできずにいる[3]」

トランプがこれを書いてから30年。日本の凋落（ちょうらく）に伴い、主な矛先（ほこさき）は中国へと変わったが、トランプの世界観は一貫している。そして、日米関係の核心を肌感覚で理解している。相互性（reciprocity）の欠如である。それは日本にとって対米関係の問題であると同時に、自らの拠って立つ民主主義の問題でもある。

日本の第2次世界大戦後の民主主義は、アメリカへの屈服から始まった。占領支配は戦前の旧弊を打ち破る原動力となる一方、日本人ひとりひとりが、民主主義を自得する当事者としての感覚をはぐくむのを難しくした。その後、東西冷戦のもとでアメリカは自らの国内市場を比較的寛大に開放し、製造業が主導する日本経済の発展を支えた。米軍の前方展開や国際機構の運営を通じ、自由貿易の基盤となるリベラルな国際経済秩序も主導してきた。

民主主義の根幹である安全保障や、それを支える経済構造において、日本がいまもなおアメリカに多くを依存し、従属していることは否定できない。在日米軍基地の利用で米側が大きな戦略的利益を得てきたことも確かだが、それをもって日米関係が相互的であるとはとうてい言えないだろう。そして、日本が全体としてアメリカに依存・従属する一方で、地上戦で塗炭の苦しみをなめた沖縄に重い基地負担を負わせ続けている。アメリカとの関係の非対称性は、日本国内の構造的な不公正の問題ともつながっている。

トランプは、期せずしてその非対称の構造を問題にしている。自らの強みを「レバレッジ（てこ）」として使い、相手の弱みに付け込む「ディール」を重ねてきたビジネスマンとしての直観からである。トランプの問題提起には、日本人が真摯に受け止めるべきものが含まれていた。

トランプの発言が終わると、続いて安倍が、「北朝鮮情勢は、史上初の米朝首脳会談というトランプ大統領の大英断によって歴史的な転換点を迎えている」などと、虚栄心をくすぐる言葉をちりばめながら、日米の蜜月ぶりを演出した。安倍がこの首脳会談で、アメリカが日本にも発動していた鉄鋼・アルミ製品への追加関税の撤回を勝ち取れなかったことは、「トランプへの追従外交の限界についての明確な警告」（英紙フィナンシャル・タイムズ）などとも指摘された。[4] その批判は間違いではないが、ことは明らかに、首相ひとりの責任を超えた、戦後の日米関係の構造に根差す問題だった。

日本側が恐れていたのは、TPPを離脱したトランプ政権が、日本と二国間の包括的な自由貿易協定（FTA）交渉を求め、一方的な譲歩を迫ってくることだった。首脳会談では、当面、「自由で公正かつ相互的な貿易取引のための協議（Talks for Free, Fair and Reciprocal Trade Deals＝FFR）」なる枠組みをつくることを決め、時間稼ぎに成功した。安倍の「交渉術」は、トランプの気まぐれから日本経済や安全保障の混乱を防ぐ当座の防御策としては、うまく機能した。結果的に1期で終わったトランプ政権は、日米関係においては、その「実害」は意外なほど少なかった。ただ、だからこそ、「相互性」をめぐる本質的な議論は深まらなかった。好機を逸した、ともいえるだろう。

かつて日本が鎖国から開国への激動を歩んだ時代、貿易立国を唱えた福沢諭吉（1834～1901）は『学問のすゝめ』で封建社会の「悪風俗」に触れ、こう述べている。

「かかる悪風俗の起こりし由縁を尋ぬるに、その本は人間同等の大趣意を誤りて、貧富強弱の有様を悪しき道具に用い、政府富強の勢いをもって貧弱なる人民の権理通義を妨ぐるの場合に至りたるなり。ゆえに人たる者は常に同位同等の趣意を忘るべからず。人間世界に最も大切なることなり。西洋の言葉にてこれを『レシプロシチ』または『エクウヲリチ』と言う」[5]

福沢が『学問のすゝめ』を書いた明治初頭は、数十年を要した不平等条約の改正交渉が始まったころだ。「政府富強の勢いをもって貧弱なる人民の権理通義を妨ぐる」のが常態だった帝国主義の時代に、福沢はレシプロシチ（reciprocity ＝相互性）の重要性を説いたのだ。

トランプが日米関係に見ていたものの本質は、福沢が「人間世界に最も大切なること」と説いたこの「レシプロシチ」の課題であった。アメリカの覇権の衰えと、中国の台頭という現実のなかで、戦後の日米関係に一貫してつきまとう相互性の欠如という問題はあらためて急激に切迫感を増した。その現実をトランプは体現していたのだ。

アメリカが日本について「ただ乗り」を決め込む同盟国と見なし、それに対して日本が堂々と反論できない。この構図が戦後これほど長く続いたことには、日米双方に責任がある。だが、未来永劫、そのようないびつな関係を宿命的に背負い続けなければならないのだろうか。日米は世界の平和と安定に向け、より成熟した相互理解と信頼を積み上げられるはずだ。

サンタモニカ

私は昭和生まれの最後の世代に属する。物心ついたころに冷戦が終わった。以来、生きてきた時代の日本は、世界に誇れるような偉大なものを生み出せなかった国だった。

この時代を振り返るとき、偉大さとは無縁の卑俗なもののなかに、なつかしく心ひかれるものが多い。新聞記者として20代の最後を山口県で過ごした。そのころ、写真家下瀬信雄（しもせのぶお）が「山口県美術展大賞」を受け、取材したことがある。下瀬は幼少時に満州から引き揚げ、萩市で写真館を営んできた。受賞した写真の主題は、2本の大きな渦巻きが突き出たソフトクリーム売り場だった。後ろには、日本の田舎の風景が広がる。店の看板に堂々と掲げられた店名は場違いな「サンタモニカ」。米カリフォルニア州の都市サンタモニカのことだろう。

この手の、脈絡のない、安っぽい、日本の土俗とアメリカ風の文化との混淆が、戦後日本の基層をなしている。下瀬は、こうした「陳腐なもの」にいとおしさを感じると語っていた。私もけっきょく、この言葉に強く共感する。戦後の日本が築いた豊かさと平和のもと、日本人が生み出してきた陳腐なものに愛着を持つ。しかし、その根底には、戦後の混乱と虚脱をいまだに引きずった、なにか空疎なものがあることを認めざるを得ない。日本人の過去、現在、未来をつなぐ「脈絡」を欠いているために、どこかはかない享楽主義の気配がつきまとうためかもしれない。

トランプと安倍の会見以来、4年に及んだ特派員生活で繰り返し読み返したのが、大岡昇平の『俘虜記』だった。大岡は第2次世界大戦で米軍に囚われ、過ごしたフィリピンの捕虜収容所を、戦後の日本社会の縮図とみた。捕虜を支配したのは、虚脱であり、力ある者に対する「阿諛(あゆ)」であった。その感情は、支配者であり保護者でもあった米軍にも向けられた。捕虜が最初に抱くのは羞恥心だが、大岡は「羞恥は永続する感情ではない」という。いつのまにか「阿諛」に慣れてしまう、と。[6]

私の世代にとっては、アメリカの「捕虜収容所」としての日本社会は所与のものだった。三島由紀夫が予言した「無機的な、からっぽな、ニュートラルな、中間色の、富裕な、抜目がない、或る経済的大国」は、すでに現実であった。[7] かつて日本人が取り返しのつかない戦略的失敗を犯し、アメリカが無条件降伏を求めたことが生み出した、一つの必然である。

しかし、羞恥を忘れた時代も永続はしない。羞恥は、何らかの価値への献身を前提としている。その価値にそむいたと恥じる感情が羞恥である。ひとりの人間であれ、それが集まった国民であれ、信じるに足る価値を喪失したまま、虚脱に耐えて漂流を続けていかれるものだろうか。

戦後の日本人は虚脱を埋め合わせるかのように、経済的繁栄の夢を追求した。ただ、成功体験として根を下ろした高度経済成長は、米ソ冷戦下で生まれた東西陣営の力の均衡という、国際環境の幸運に支えられていた。バブル崩壊でそれが潰えた後、虚脱はさらに根を広げ、存在していることすら意識されないほどに日本社会に浸潤しているかのようだ。

しかし、日本はどうあれ、世界は刻々と変化する。アメリカは深刻な社会の分断に苦しみ、圧倒的な覇権を失いつつある。中国はグローバル化が生み出した異形の資本主義大国として、民主主義をとらないまま富と権力の追求を続けている。22年2月、ロシアによるウクライナ侵攻は、冷戦終結後の国際秩序の終わりを告げた。国際環境の幸運と核の傘に守られ、強く富裕なアメリカに追従していればよかった時代は明らかに終わった。日本の民主主義がブラックホールのような吸引力を持つ虚脱を抜けだし、歩むべき針路を探ることは、これからの世代の義務である。

三島由紀夫は「全くのアメリカのデモクラシー、日本の風土に何も根ざさないやうな外国から来たデモクラシーを、何で守らなきゃならんのだ」と言った。[8] だが、我々はそもそも、「アメリカのデモクラシー」の実像をどこまで知っているのだろうか。「日本の風土に根ざした民主主義」を前に進めていくためには、等身大のアメリカを知らなければならない。「マール・ア・ラーゴ」から始まったアメリカ特派員としての経験を通じ、その手がかりを見いだしたいと考えた。

18年春にワシントンに赴任してからの4年間は、世界史的な激動を目の当たりにすることになった。トランプ政権は、制裁関税を使った「貿易戦争」で中国との覇権争いを激化させた。20年3月に新型コロナウイルス危機が起き、世界は大恐慌以来の同時不況に突入する。取材した識者らはコロナ禍をちゅうちょなく「戦争」にたとえた。トランプは大統領選に敗れ、21年1月、ジョー・バイデンが新大統領に就く。白人警官による黒人男性死亡事件をきっかけとした人種差別反対運動や、トランプ支持者による連邦議会襲撃事件など、アメリカ社会の大きな地殻変動が次々に刻まれた時期であった。赴任最終盤の22年2月には、ロシアがウクライナに侵攻し、現実の戦争が始まる。貿易戦争、コロナ戦争、ウクライナ戦争という3つの「戦争」は、冷戦終結後続いていた「戦間期」が終幕を迎えたことを示しているように思えた。

トクヴィルの導き

生起するできごとに圧倒されたときは、1830年代のアメリカを歩き、その特質を分析したフランスの思想家アレクシ・ド・トクヴィル（1805～59）の『アメリカのデモクラシー』を読み返していた。「アメリカの中にアメリカを超えるものを見た」と記したトクヴィルが教えるのは、真摯なまなざしを投げかける外国人に、この国は驚くほど率直に実像を現すということである。アメリカの独立革命に大きな影響を受け、自らも共和制革命へとなだれ込んでいったフランス。第2次世界大戦での破滅的な敗北のあと、アメリカへの降伏が戦後の民主主義の起点となった日本。こうした、存在の根幹にアメリカが深く関わる国の人間には、アメリカ人が持ち得ない観察者としての強みがある。「アメリカのデモクラシー」の観察を通じ、自国の民主主義について考察する可能性がひらかれているのだ。

福沢諭吉も明治10年（1877年）ころ、『アメリカのデモクラシー』の一部を小幡篤次郎の翻訳や英訳版で読んでいる。福沢とみられる論者は「トクヴィールガ米人ノ義気ヲ論スル一篇ヲ読ムニ及ンデ大ニ感スル所アリ」と記し、「パブリックスピリット」（public spirit）とルビを振った「我邦人ノ義気」を「振興」する方法を探ろうとした。[9] 戦前・戦中・戦後を通じて日本のアメリカ研究を先導した高木八尺もこの本について、「トックヴィルが、祖国における革命と反革命の潮流の中間に棹さし、荒れ狂う混乱の中に、自由と秩序との調整を齎す民主政の基礎づけとせんとした名著」だとし、「敗戦後やや似通った難問に直面する日本は、真剣に再吟味すべきである」と述べた。[10]

膨大なニュースの報道に追いまくられるなか、その喧噪とは裏腹の、アメリカ社会に漂うふしぎな虚無と郷愁の感覚を知るようにもなった。敗戦国の日本だけでなく、アメリカもまた、その内奥に深刻な空虚を抱えていた。トランプに潜むニヒリズムはその表出であり、症状に過ぎないように思われる。アメリカのデモクラシーの病原は何なのか。アメリカ各地を訪ね歩き、草の根の人々と対話することでその手がかりを探ってみたい。その「草」からの視点を、知識人のインタビューを通じた「鳥」の視点と組み合わせ、「病原」と治癒の方法を浮き上がらせよう。そう考えた。

　こうした問題意識のもと、特派員として執筆した記事や連載をあらためて整理し、加筆してまとめたのが本書である。トランプを生み出した冷戦終結後のグローバル化とは何だったのか。日本の民主主義の針路はどうあるべきか。それを探る上でカギを握るのが、トランプが「貿易戦争」を戦った中国である。中国はグローバル化の波に巧みに乗り、経済通商政策と軍事政策を一体化させた手法で急激な台頭を続けた。民主化しないどころか専制色を強める中国への反発は、トランプを大統領に押し上げる追い風になった。本書の第1章と第2章では、貿易と中国に焦点を当てて掘り下げている。米中通商協議の「第1段階の合意」が終わるとまもなく始まったコロナ危機は、冷戦終結後のグローバル化の明確な転機を告げた。その過程を取材するうち、グローバル資本主義と民主主義との関係をどのように持続可能なものにしていけばよいのか、手がかりが少しずつ見えてきた。第3章から第5章はその報告であり、第6章で、日米関係とその民主主義のありようにかかわる取材をまとめている。全体を通じて大きな柱となったのは、朝日新聞デジタルで連載し、紙面でも短縮版を掲載した「断層探訪　米国の足元」という連載である。企画の紹介文ではこう書いていた。

「冷戦終結後、世界はグローバル化をひた走り、企業はサプライチェーンの効率化を前提として経済成長を追求してきた。膨大な富が生まれる一方、格差の拡大や地域社会の弱体化は、民主主義を弱めた。新型コロナウイルスがもたらした危機は、時代の転機を告げている。ただ、一国に閉じこもる保護主義も答えにはならない。激動する市場と、統制色を強める国家とが織りなす『コロナ後』の世界。動揺するサプライチェーンの『断層』で針路を探る人々を訪ね、報告する」

取材を通じ、トランプが「忘れられた人々」と形容する米内陸部の人々と出会い、学んだことは計り知れない。「自由と秩序との調整を齎す民主政の基礎」を固めるには何が必要なのか。本書でも紹介する経済学者ラグラム・ラジャンが定式化したように、国家と市場とに対置される「第3の支柱」としての地域社会・共同体（コミュニティー）の再建が急務である。アメリカの地域社会は、覇権争いを生き抜こうとする国民国家の論理と、グローバル化を推し進める市場経済の論理とのはざまで揺らぎ、弱っている。ただ、そこに生きるひとりひとりの民衆は、国家に庇護され、市場が生み出す商品やサービスであやされるだけの受動的存在ではない。その内面に分け入ることで、国家と市場という二つの論理だけに支配されることを拒む「対抗原理」の輪郭が浮き上がってきた。

人は、ぬくもりや息づかいを感じられる距離感で他者や自然と交流を重ねるうち、共感や情愛、謙抑といった価値を学ぶ。限りある自分の生に謙虚になり、視線を現時点の「足元」の利益だけではなく、自分の死後も見据えるような「遠く」に置いて、将来に対する責任や公共性の感覚を育むことができる。地域社会は、そのためのゆりかごのようなものなのである。

ラジャンは「コミュニティー」という言葉について「どのような規模であれ、成員が特定の地域に住み、統治を共有し、共通の文化的・歴史的遺産を持っていることが多い社会的集団」という定義を用いている。[11] 本書では国家や市場に対置する概念として「地域社会」という用語を用いることが多いが、私は、終章で紹介する農の思想家・宇根豊が使う「在所」という言葉も好きだ。人の気配や生き物がうごめく自然を感じながら、自らが何かに生かされて在る、区切られた居場所のことである。「在所の義気」の再興が、アメリカのデモクラシーにとっても、日本の民主主義にとっても、重要なカギを握っている。

日米はかつて太平洋で死闘を重ね、沖縄戦や各地の空襲、広島・長崎への原子爆弾投下という凄惨な痛みの記憶が双方に刻まれた。戦後も、冷戦終結後も、日米関係にはいびつなものが残り、「日米両国は、その歴史上かつてないほど強固で深いパートナーシップを確認している」（22年5月の日米首脳共同声明）といった決まり文句の裏腹で、いまもどこか脆弱さをはらんでいる。もちろん、日米関係は強固で深くあるべきだ。だが、「相互性」を欠いたまま、日米が国家と市場の論理で推し進めようとしたグローバル化の陰で、アメリカの地域社会は弱り、日本の在所のエネルギーは損なわれ、それぞれの国の民主主義を脅かしている。福沢のいう「同位同等の趣意」を欠く日米関係と、「在所の義気」の再興という問題は地続きなのだ。

冷戦終結後の「戦間期」の終わりを画するウクライナ戦争で、国際秩序は再び混沌の時代に入った。過去数十年間のグローバル化のありようや「アメリカのデモクラシー」の実像について理解を深め、日米両国が「民主政の基礎」を固める必要性はかつてないほど高まっている。

アメリカの国民詩人ホイットマンに、「わたしの敵」だった南軍兵士を思って詠じた「和解（Reconciliation）」という詩がある。

万物の上の言葉、空のように美しい、
美しいのは戦争とそのあらゆる殺戮（さつりく）の行為がいずれは完全に消えさるにちがいないこと、
《死》と《夜》という姉妹の手がこの汚れた世界をたえず優しくくりかえしくりかえし洗うこと、
わたしの敵が死に、わたしじしんと同じほど神聖な男が息絶えたので、
わたしは、白い顔をしてその男が棺のなかで身動きひとつせず横たわるところを見る——わたしは近づく、

身をかがめる、棺のなかのその白い顔にわたしは唇でそっと触れる。[12]

手元の『アメリカ地名辞典』（井上謙治・藤井基精編、研究社出版）によると、米サンタモニカの市のモットーは“Populus felix in urbe felici”（ラテン語で「幸せな土地に幸せな人」の意）」だという。人は生まれ落ちた土地の制約のなかで生き、共感の可能性を探り、自由と秩序との調整を図る。《死》と《夜》という姉妹の手が洗うまで——。ひび割れる世界で動揺しながらも前へと進むアメリカ。その報告を通じ、日本の針路を探る手がかりを示したい。

第１章　３月の砲声

――米中貿易戦争

朝日新聞との単独会見に応じるライトハイザー米通商代表（右。左が著者）
＝2020年8月25日、ワシントンの米通商代表部

広大な畑で大豆を栽培するスコット・ゴースロー＝2018年7月31日、ノースダコタ州リッチランド郡（著者撮影）

怒りと寂寥

２０１８年７月６日、トランプ政権は中国に対する制裁関税の「第１弾」を発動した。中国は直ちに同規模の報復関税で応じる。予告していた報復の標的が、アメリカ産の大豆であった。輸出先として中国市場への依存度が高く、中国側の関税による打撃が大きい。11月の米中間選挙に向け、トランプ大統領への支持が厚い農業地帯を狙い撃ちにして、トランプ政権を揺さぶる中国側の戦略だった。

ノースダコタ州は、米中西部の広大な穀倉地帯の北辺に位置する。大豆畑は見渡す限り、地平線まで続いている。この風景じたい、中国市場の存在なしには考えられなかったものだ。ノースダコタの大豆は１９８０年代初頭まで生産量はわずかだったが、中国市場が開かれ始めた90年代から飛躍的に伸び、２０１７年には90年比で約20倍まで増えた。

「ほかにいい言葉がないから言うんだけど……」。大豆農家のスコット・ゴースロー（38）は、取材に訪れた私にそう、語り始めた。「『戦争』には犠牲者がつきもの。それは知っている。でも悔しい。良い関係を築いてきただけにね」。父のデーブ（63）と2人で、日本の農家の平均耕地面積の300倍をこえる2500エーカー（約1000ヘクタール）の農地を経営し、その半分を大豆が占めている。

9月の収穫時期を迎えると、刈り取られた大豆は各地のカントリーエレベーターに集められる。アメリカの穀倉地帯に点在する、穀類の巨大な貯蔵用サイロと搬入用エレベーターを連結した施設だ。大豆はそこから網の目のように張り巡らされた鉄道で4〜5日間かけて運ばれ、ロッキー山脈を越えてアメリカ西海岸の港へ着き、中国へ向かう。州内で生産される大豆の7割が中国向けだ。

スコットも中国を3回訪れ、現地の加工場などでアメリカ産大豆のよさを訴えてきた。中国にわたった大豆は、中華料理に欠かせない食用油や家畜のえさになる。経済成長に伴って肉類の消費も増え、中国側にとっても米国産大豆は重要な輸入品だ。関税で輸入がしづらくなれば中国の消費者にとっても痛手だが、中国側はその得失を計算した上で、大豆を報復関税の対象とした。中国の国外で需要がだぶつくことを折り込み、大豆の国際価格の指標は一時、暴落した。

驚かされたのは、それでも農家のトランプ人気が底堅いことだ。大統領選でトランプを支持した父のデーブは、「関税は交渉の道具として使っているだけだ。自分が知る農家のほとんどは、まだ忍耐を続ける気だ」と話した。

アメリカの農村を訪ねると、見渡す限り広がる大地を耕し、その地に根差して暮らす人々の姿に、畏敬の念が湧いてくる。取材に応じてくれるのは、質実、勤勉で信仰心のあつい人々だ。金銭や女性絡みの乱脈ぶりがこれでもかと伝えられるトランプとは、似ても似つかない。大規模生産で輸出競争力の強いアメリカの農業は、トランプの通商政策からは特段の利益を得られないばかりか、中国などからの報復関税でむしろ打撃を受ける。トランプを支持するのは、合理的選択ではない。

その非合理な選択を支えるのは、都市とそこに住む人々への静かな怒りだ。ミズーリ州ポーク郡で、大豆やトウモロコシを扱う農家のトレント・ドレーク（41）を取材していた時のことだ。大豆畑のあぜ道を歩きながら、ドレークは言った。

「みんなワシントンに飽き飽きしている。トランプはワシントンの政治家らしくないから、みんな支持しているんだ」

ドレークの反感は首都ワシントンの既成政治だけでなく、「都市」全体に向かう。ミズーリ州選出の民主党上院議員のことを「ふるさとに根付いた政治家だと装っているが、実はすごくセントルイッシュだ」と批判した。ミズーリ州の代表的都市セントルイスに、「〜じみた」という意味の接尾語ｉｓｈ（イッシュ）を合成した形容詞を、初めて聞いた。沿岸部の大都市から見れば、ポーク郡もセントルイスも同じミズーリ州だが、ドレークに言わせると全く違う。「セントルイスの住人たちは、（地方に住む）我々と同じ価値観を持っていない」と言い切った。

有力シンクタンク、ブルッキングス研究所副所長のダレル・ウェストは、米中西部オハイオ州の保守的な酪農農家に生まれ、リベラルな東部の名門ブラウン大学で教えた。別の国のようになってしまった米都市部と農村部との双方を知る研究者として、アメリカ社会の分断について分析した著作がある。[1]

「米農村部は数十年間、荒廃が続いてきた。私自身、子供のころ、寒い日も暑い日も搾乳や牧草運びの重労働に追われる毎日が嫌で、農場にとどまっても未来がないと思った」。ウェストは取材にそう振り返った。「共和党も民主党も何もしない。グローバル化で地方に工場がなくなり、仕事がなくなったことも荒廃につながった。高齢化が進み、人々は21世紀の経済に必要なスキルを持っていない。現状が受け入れがたく、それを壊してくれる存在として、トランプが現れた」

日本から見れば、アメリカ農業は巨大な規模と効率性を背景に、圧倒的な競争力でグローバル市場を席巻する自由貿易の勝者である。しかし、それを担うひとりひとりの農家はさまざまな苦境に直面し、

「何かがおかしい」と感じている。ウェストの高校時代の友人の多くは地元に残ったが、工場に勤めても何度も解雇されたり、麻薬や酒におぼれたりした人が多い。「あらゆる社会問題が降りかかったような状況で、友人たちの心は宗教に向かった。驚くほど信心深くなり、キリスト教原理主義者のようだ」。家族のなかにも分断がある。地元の農家と結婚したウェストの姉2人はきわめて信仰厚く、かつ熱心なトランプの支持者だ。一方、ウェストやウェストの兄は、トランプを支持していない。兄は同性愛者だが、「保守的な母は決してそれを認めなかった」とウェストは言う。

米農村部の信仰厚い人々が、なぜ敬虔(けいけん)とはかけ離れたトランプを受け入れられるのか。ウェストから返ってきた答えには驚かされた。『神は良い目的のために悪い人間を使われることがある』。故郷の人々はそう言う」。多くのトランプ支持者は、トランプの悪を理解していないわけではない。それでも、「神は良い目的のために悪い人間を使われることがある」と自らに言い聞かせているのだ。

18年11月6日の米中間選挙の前夜、トランプが選挙前の最後の演説の舞台として選んだミズーリ州ケープジラードも、米内陸部の農業地帯にある小さな町だった。強い雨が降るなか、大勢の人々が何時間も前から列をなし、開場を待っていた。

トランプの集会は、こうした田舎町で開かれることが多い。サーカスや格闘技の興行の雰囲気だ。大音響のポップスが鳴り響くなか、聴衆はトランプの登場をひたすら待つ。フランク・シナトラの「マイ・ウェイ」などの懐メロが定番だ。期待が最高潮に達したところで現れたトランプは、聴衆の反応をみながら、移民や貿易など得意のテーマを当意即妙に繰り出した。「中国に莫大な関税をかけてやった。アメリカの製鉄所もアルミ工場も生き返ったぞ」。そううなり、群衆から大喝采を浴びた。

集会の取材が終わった後も、雨はやんでいなかった。冷え込んだ暗闇のなかを、演説に熱狂していた人々が列をつくり、黙々と帰っていく。町に漂う寂寥感が、心に深く焼き付けられた。

小さな町を群衆が一斉に車で帰るため、会場となった小さな大学への道路は大渋滞になった。配車サービスの車を待つ時間をつぶそうと、会場前のガソリンスタンドの店舗でコーヒーを買った。そこでたまたま向かいの席に座っていたのが、グウェン・サドラー（51）だった。サドラーも息子と一緒に集会に参加し、夫が車で迎えに来るのを待っており、思いがけず話し込んだ。

サドラーの母親はフィリピン系、父親は米軍人で、西海岸カリフォルニア州カラバサスの富裕な地域で育った。ロサンゼルス近郊のリベラル色の強い町で、「保守的なことを言えば友だちからも避けられる」文化だったという。

だが、サドラーが目にしていたのは、高給を取り、口ではきれいごとを言いながら、中南米からの使用人を安い賃金でこき使おうとする隣人たちの「ひどい偽善」だった。その後、ミズーリに引っ越すと、カリフォルニアでは「人種差別的」などとレッテルを貼られていたこの土地で、教会が地域に根付き、助け合いの文化があることに驚いたという。「ミズーリの人々のほうがずっと親切で誠実だった。私自身がここに引っ越してこなければ、そのことを信じられなかったと思う」

集会で、トランプは「エリートたちは賢くなくて憎しみを心に抱いている。あなた方、我々こそが『スーパーエリート』だ」と訴えていた。分断をあおるトランプのレトリックは醜悪である。ただ、自らの能力を誇示し、世界を飛び回って活躍する都市部の「エリート」たちが必ずしも賢いわけではなく、市井で慎ましく生きる人々のなかに豊かな英知が眠っていることがあるのは、事実だ。

トランプは、2度に及ぶ弾劾訴追や米連邦議会議事堂の襲撃扇動などの例を挙げるまでもなく、公的な立場にある者として決して許されない行状を重ねた。ただ、その悪はあたかも漫画の悪役のように、戯画的な、目に見える形でなされ、善や正義を装うことがない。足元の厳しい大地に向き合い、リアルな現実を生きる農村部の農家や労働者たちにとって、悪や愚かさをさらけ出すトランプの率直さが、都市部のエリートの偽善よりはまだましだ、と映ったことは頷ける。偽善がないことがトランプの唯一といっていい「美徳」であるが、そこにトランプの本質的な危険性も潜んでいる。

特派員としての取材を続けるなかで、たびたび、ケープジラードの闇の中を歩く寂しい群衆の姿を思い返すことがあった。トクヴィルが『アメリカのデモクラシー』で観察している「影」を思い起こさせるものだったからかもしれない。

トクヴィルはアメリカで「この上なく自由で最高に開明され、世界でいちばん幸福な境遇にある人たち」を見た。「ところが、彼らの表情にはある種の影がいつもさしているように見えた。娯楽に耽っているときでさえ、彼らは深刻でほとんど悲しげに見えた」。なぜか。身分制から解き放たれたアメリカにおいて「すべてがほぼ平準化するとき、最小の不平等に人は傷つく。平等が大きくなればなるほど、常に、平等の欲求が一層飽くことなき欲求になる」。その結果、「ついに死が訪れて、この歩みを止めるまで、アメリカ人は、常に逃げていく完全なる至福を求めてこの無駄な追求を飽きることなく続ける」ことになる。この歩みはアメリカ人の魂を「一種の絶えざる震え」に置き、その表情は「特有の憂愁」を示す。[2]

この「震え」を落ち着かせる手立てとしてトクヴィルが重視したのが、教育や宗教、地方自治への参加を通じて培われる精神的基盤であった。福沢のいう「義気（パブリック・スピリット）」である。この公共性の感覚が、いまのアメリカでは揺らいでいる。都市部だけでなく、教会などを通じた地域社会のきずなが支えてきた農村部でさえ、その紐帯（ちゅうたい）は弱まっている。

民主主義国家は、税金を集め、その配分を巡り自由に議論することで成り立つ。富の強制的な移転がその本質の一つだ。対話の基盤となる国民の一体感と、公共性の感覚が失われれば成立しない。政治家や企業人、官僚、学者など都市部のアメリカの指導層は、アメリカの国益と米企業の支援を掲げてグローバル化を推進したが、突き詰めれば自らが属する狭い社会層の物質的利益でしかなかった。

そう思わせるのが極端な経済格差だ。カリフォルニア大学のエマニュエル・サエズ教授の研究によると、アメリカの所得階層トップ1％の税引き前所得が全体に占める割合は80年代以降、上昇傾向をたどり、18年は約19％を占めた。過去1世紀を振り返ると、この割合は70年代を「底」としてちょうどU字カーブを描く。1920年代の世界恐慌直前期も20％超と、格差は大きかった。金融資産などの富に限れば足元の格差はさらに顕著で、コロナ危機後の22年には、トップ1％が国全体の3分の1近くを独占する状況に至った。[3]

アメリカのエリート層は、富とともに忍び寄る頽廃や虚栄から逃れられず、自らの世界の外で暮らす人々への想像力と共感を喪失していった。しかもそれを、政治哲学者マイケル・サンデルが指摘するように、「能力主義」の装いで正当化した。[4] だが富や権力は、決して自己ひとりの力によるものではない。指導的立場に立つ人々からその廉恥が失われると、社会のなかで、偽善に対する感度や反発が著しく強まる。トランプはその反発をあおり、便乗して勢いを得た機会主義者であった。

格差が固定化すれば、政治参加を通じて社会を変えられるという前向きな希望が失われる。政治参加が図られなければ、それが自己実現的に、教育や社会保障を通じて富を再分配する議会政治の機能不全を生む。それがまた格差を広げ、社会の分断に拍車をかける……という悪循環に陥る。

トランプ自身が民主主義への脅威である。ただ、アメリカの社会病理に対し、人々が正当な怒りを抱き、その異議申し立てを民主主義への希望とともに託した指導者でもあった。トランプを特徴づけるのはこの両義性であり、人々の怒りはトランプを媒介に、貿易戦争として対外的に放射されたのだ。

中国に対する制裁関税の根拠となったのは、18年3月22日、米通商法301条に基づいてトランプが署名した大統領令である。「貿易は相互的（reciprocal）でなければいけない。世界貿易機関（WTO）はアメリカにとって最悪だった。創設以来、すさまじいカネを支払わされただけだった」。トランプは署名に先立ち、中国との間で巨額の貿易赤字が続いてきた構造について、そう不満をぶちまけた。

米通商法301条は、アメリカが「不公正な通商慣行」を一方的に認定し、貿易相手国を制裁できる規定だ。米通商代表部（USTR）は大統領令にあわせて示した報告書で、軍事に直結するアメリカの知的財産や先端技術を中国が不正に得てきたことへの危機感を強くにじませた。翌3月23日には、米通商拡大法232条という別の枠組みで、安全保障を理由とした鉄鋼・アルミ製品への制裁関税も発動する。「貿易戦争は善で、勝つのは簡単だ（trade wars are good, and easy to win）」。トランプは少し前にツイッターでそう宣言していたが、その宣告通りに「貿易戦争」を始めたのだ。

貿易戦争。その語感が強すぎると感じ、当初、新聞記事での言及はなるべく控えていた。ただ、次第に、「貿易摩擦」といった用語より事態を正確に捉えていると感じるようになった。軍事理論家クラウゼヴィッツは、「戦争は、政治的行為であるばかりでなく、政治の道具であり、彼我両国のあいだの政治的交渉の継続であり、政治におけるとは異なる手段を用いてこの政治的交渉を遂行する行為である」と述べる。[5] トランプ政権が始めたのは、軍事的な危機感を背景に、関税という経済的圧力を用いて追求する中国との政治的交渉であり、その意味で確かに「戦争」であった。

冷戦終結後、アメリカが主導したグローバル化は、貿易を通じて相互依存が深まれば権威主義国家も民主化し、平和につながるという期待に基づいていた。中国の台頭でその幻想は破れた。22年2月に起きたロシアのウクライナ侵攻でも、米欧がロシアに幅広い金融制裁や輸出規制をかけたのに対し、ロシアも欧州が頼るエネルギー資源の禁輸をちらつかせ、経済戦争に改めて注目が集まることになる。そこでは国家が貿易や金融を通じて互いに依存しながらも、相手国が自国に頼る資源を「武器」として使い、自国の意思を強要しようとする。自国企業の力を活用しながら、経済や技術開発と軍事とがないまぜになった競争を戦う。

ジョンズ・ホプキンス大学高等国際関係大学院（SAIS）教授のヘンリー・ファレルらは、この構図を「相互依存の武器化」と名付けた。[6] 相互依存が進めば平和につながるという期待は失敗に終わったのか。ウクライナ侵攻が迫る時期に取材した私の問いに、ファレルは「そう思う」と即答した。「期待はきわめてはかないものだった。自由なグローバル経済による相互依存は利益ももたらすが、たちまち弱点にも転化する。各国はそこを突かれた場合にどう対抗するか、考えるようになる」

冷戦終結後の民主主義国家と権威主義国家の経済の結びつきは、各国内の経済格差や、大国間の覇権争いを増幅させる側面ばかりが目立つようになっていた。国家はもはや、企業の富の追求を後押しするだけの、「市場」の鷹揚な後見人ではいられなくなっている。18年にトランプが始めた貿易戦争は、相互依存が「武器化」された世界における、経済戦争の時代の先駆けという性格も持っていた。

「保護主義」の内実

18年春の異動で朝日新聞アメリカ総局に着任した私がワシントンに着いたのは、トランプが貿易戦争の号砲を鳴らす数日前、3月20日だった。この時期には珍しい、大雪が降っていた。着任後、毎日が目まぐるしく過ぎていったが、この歴史的転機を忘れたくないと思い、職場の本棚の脇に、3月22日付けのワシントン・ポストの1面を貼り付けた。「トランプが関税賦課へ」。1面トップにはそんな見出しが躍っていた。

その後、トランプは大統領令に基づいて3次にわたり、中国からの輸入品に対して通商法301条に基づく制裁関税を発動した。中国もそのつど、米国からの輸入品に同程度の関税をかけて対抗した。また、鉄鋼・アルミ製品への関税は、日本や欧州連合（EU）、カナダといった安全保障上の同盟国も対象となった。貿易戦争は、トランプがツイートしたように、複数形（wars）だった。

6月、カナダのシャルルボワで開かれた主要7カ国首脳会議（G7サミット）は前代未聞の紛糾をみせた。自由と民主主義を奉じるG7諸国は、冷戦が終わるころまで世界の国内総生産（GDP）の7割近くを占めた。すでにそのシェアは5割を切ったうえ、盟主のアメリカが「仲間内」で制裁関税をかける事態にまで至ったのだ。それでも、サミットでは「保護主義と闘い続ける」とうたう首脳宣言をまとめ、議長国カナダのトルドー首相は終了後の記者会見で、「間違いなく成功だった」と強調した。

事態が予想も付かない方向へ展開したのは、トルドーの記者会見を現地で取材し、少しほっとして、バスで宿舎へと戻る帰途だった。トルドーは会見で、「232条」の関税について「カナダを侮辱するもの」と批判していた。トランプは米朝首脳会談のためG7サミットを「早退」し、シンガポールへ向かっていたが、その途上でこのトルドーの発言に気付き、激高したようだ。ツイッターで、「（トルドーは）会談中は従順だったのに私がいなくなった後、『侮辱だ』と言った。不誠実で弱虫だ」と唐突に投稿し、「首脳宣言を承認しないよう指示した」と一方的に通知したのだった。

翌6月10日、朝日新聞朝刊2面の「時々刻々」で私が書いた記事についた見出しは「米孤立、G7に亀裂　トランプ氏、保護主義前面」というものだった。間違っていない。そう思いながらも、この現象を単純に「保護主義」とくくってとらえることに、どこか違和感も覚えていた。

戦後の国際秩序は確かに、行き過ぎた保護主義への反省に立っている。1929年に始まった世界大恐慌は自由貿易や資本主義の失敗と受け止められ、30年、アメリカはスムート・ホーリー関税法を制定し、保護関税政策を強めた。ほかの国々も関税引き上げで応じ、列強によるブロック経済化や、既存の国際秩序を否定するナチスドイツ、スターリンのソ連という全体主義勢力の台頭を促した。この経緯を踏まえ、アメリカ主導の戦後の国際秩序の立役者となったのが、米国務長官コーデル・ハルである。国際連合の創設を主導し、ノーベル平和賞も受けたハルは説く。

「米国民、議会および政府は常に目を見張って、米国が再び危険な孤立政策に戻ることのないようにせねばならない。……われわれが世界に対する義務に背いた最も著しいものは、経済的な孤立主義であった。高関税は、われわれに繁栄をもたらすものではない」[7]。アメリカはハルの意向に沿い、GATT（関税及び貿易に関する一般協定）、国際通貨基金（IMF）などの国際制度や米軍の前方展開を通じて自由貿易のインフラを整え、豊かな国内市場を敵国だった日本や旧西ドイツにも開放した。

ただ、ハルの構想が実現したのは、戦後、アメリカが軍事・経済両面で圧倒的な覇権を保っていたからだ。GATTやIMFを柱とする「ブレトンウッズ体制」のもとでは、貿易自由化を志向しつつ、国際的な資本移動には制限がかかり、東西の経済は切り離されていた。今や、世界市場と深く結びついた中国が先端技術でもアメリカを脅かすまでに成長した一方、アメリカ国内の格差は広がり、社会の分断に拍車をかけている。トランプの貿易戦争はその一つの帰結である。グローバル資本主義や民主主義が直面する課題の根源ではなく、その表出にすぎない。トランプに「保護主義」のレッテルを貼っても、問題の本質を書いたことにはならない。

自由貿易や市場競争は国を富ませ、その存立に欠かせない活力をもたらす。半面で格差を生み、民主主義の土台を揺さぶる。この緊張がもっとも生々しい形で表れるのが農村や辺境だ。ワシントンの政策エリートだけでなく、アメリカの大地に生きるごくふつうの人々の取材を重ねたいと考えた。

綿花地帯（コットンベルト）へ

渡米前の17年3月、日本で自動車産業の担当をしていた際、日産自動車のカルロス・ゴーン会長に記者会見で、トランプの大統領就任が象徴する反グローバル化の機運についてどう考えるか尋ねたことがある。ゴーンは「これまでの行き過ぎへの一時的な調整に過ぎず、世界が一つの市場になる大きな流れは変わらない」と述べた。ゴーンが東京地検特捜部に逮捕されたのは、渡米してからしばらくたった18年11月のことだ。ゴーンの逮捕や、その後の逃亡への評価はひとまず置くとして、「世界が一つの市場になる大きな流れは変わらない」という断定は誤りだった。

本来、貿易や資本移動の自由化（グローバル化）それ自体は善でもないし、また悪でもない。ひとりひとりの人々が生きがいや豊かさを実感できる社会や国家をつくることが目的であり、自由化は、その目的を果たすための一つの政策手段にすぎない。しかし冷戦終結後、アメリカが主導して進められたグローバル化は、それ自体が目的と化したかのようだった。ゴーンが、目の前で起きていたグローバル化について、不可逆的に進む現象だと誤認したのは、そのためでもあっただろう。

アメリカの「グローバル化」の要求は、いまに始まったことではない。19世紀、日本へのペリー来航・開港要求から、その後の中国に対する門戸開放政策、日米貿易摩擦から米中貿易戦争に至るまで、アメリカには「開国」を求める強い衝動がある。一方、自国だけを汚れた旧世界から免れたピュアな例外国家とみなし、対外関与を避けようとする孤立主義の伝統も、伏流水のように流れ続けてきた。

このコントラストは、広大な国土や地勢がもたらす経済構造の多様性も反映している。世界市場との結びつきが有利になる産業とそうでない産業が地域ごとに偏在して立地する。それぞれの地域の利害は連邦議会の民主主義のプロセスを通して衝突し、増幅されていく。[8] 開国と孤立を求める二つのエネルギーは米国内でぶつかり合い、経済のダイナミズムや格差問題などの社会病理を生み出すとともに、折々に米国外へも放出されて、国際秩序に大きなうねりをもたらしてきた。

グローバル化とともに進むアメリカ社会の分断という課題は、米国戦史で最多の死者を出した南北戦争にその原型をみてとれる。南北戦争は、自由貿易を支持する南部と、関税と保護主義を選んだ北部との経済戦争でもあった。南部が自由貿易を求めたのは、輸出競争力が高い綿花が主要産業だったからだ。その「自由」と「競争力」を支えたのは、奴隷貿易で運ばれた黒人とその子孫であった。自由の名の下に、隷従と専制が正当化された。その矛盾は、アメリカをほとんど瓦解の淵にまで導いた。

南部をじっくりと取材したい。そう思っていた私は、フィナンシャル・タイムズの記事[9]で、南部に生産拠点を置く米アパレルメーカー「アメリカン・ジャイアント」について知り、関心を持った。綿花栽培から紡績、織布、縫製まで、全ての供給網を米国内で完結させ、100％の「メイド・イン・USA」を前面に打ち出して、事業を軌道に乗せたという。取材が認められ、最高経営責任者（CEO）のベイヤード・ウィンスロップ（51）が運転する車で工場を巡ったのは、コロナ危機が本格化する直前、20年3月上旬のことだった。

うねる丘陵のはざまに広がる畑と民家が、次々に車窓に映り、消えていく。南部カロライナ地方に典型的な「ローリング・ヒルズ（なだらかな丘陵）」だ。ウィンスロップは私を助手席に乗せ、次の目的地へと車を走らせる。いましがた訪ねた縫製工場で働く労働者トッド・ウィットリー（51）について語り始めると、ウィンスロップの話は止まらなくなった。

「同年代だけど、あいつはかなり若い時に結婚したんだ。奥さんと早くに別れた後、あの仕事をひたすらやりながら1人で息子を育て、大学にやった。本当に頭が下がるよ」

ボディービルダーのような体格のウィットリーが、工場で器用に布を裁っていた姿が目に浮かんだ。同じ工場で10代から30年以上、働いてきた。「単調な仕事に見えるだろうけど、日々新しい挑戦がある。できた服を見るとうれしくてね。『おれの手でつくっているんだ』って」。ウィットリーはそう、誇らし

アメリカン・ジャイアントの縫製工場で話すCEOのベイヤード・ウィンスロップ（中央）とトッド・ウィットリー（右）＝2020年3月5日、ノースカロライナ州ミドルセックス（著者撮影）

げに語ってくれた。

このノースカロライナ州ミドルセックスの工場は、中国との価格競争や08年のリーマン・ショックが重なって経営難に陥っていたが、アメリカン・ジャイアントが13年に買収した。いまでは50人ほどが働き、ミシンの音を響かせる。縫い手を数人のチームに分け、縫製の完成度をチェックし合いながら生産を競わせるなどの仕組みを導入し、生産性を高めてきた。裁断に当たっては、服のパーツ同士に残る布の切れ端をどれだけ少なくできるかがカギを握る。技術革新が進めば、熟練工より、ロボットの方がムダを減らせるようになる時期が来るかもしれない。ウィンスロップも、ウィットリーがいる前で「最終的には、自動裁断に移行する投資が必要になるかもしれない」と話していた。

仮にそうなったら、ウィットリーはどうなるのか――。車の中でウィンスロップにそう聞いた。「絶対に欠かせない仲間だ。彼らも我々が雇用を守ると信じている。彼らを訓練してロボットを操れる能力を身につけてもらう」。ウィンスロップはそう答えた。

アメリカン・ジャイアントは、サンフランシスコに本社を置く。ブランド発信の旗艦店をニューヨークやロサンゼルスにも展開するが、ウェブ販売が基本だ。パーカ1着でも100ドル超と割高だが、12年2月に初めて商品を世に出して以降、「史上最高のパーカ」（オンライン誌『スレート』）などと米メディアで注目を集め、主にウェブ空間を通じて着実にファンを増やした。

21世紀に入り、米百貨店やアパレル大手は米アマゾンによる流通・小売の革命的な変化にのみ込まれ、低価格競争で次々に苦境に陥った。消費者は安く大量の服を買って楽しむが、そこには「ブランドへの愛着」が育たない。ウィンスロップは、「ポスト・アマゾン」の時代には消費者が逆に「ブランドへの情緒的な愛着」を求めるようになる、と読んだ。店舗などの固定費を抑えられる強みを生かしつつ、耐久性やデザインなど品質面へのこだわりを追求した。頑丈な糸を高密度で織り込み、「くつろぎは求めない」の合言葉でマーケティングを進める。パーカを身につけるとやや重量感があり、好みは分かれるかも知れないが、体にフィットして、包まれているような独特の着心地がある。

「安いことはいいことだ——。本当にそうか。もちろん、自由貿易の価値はわかっている。でもその物差しだけで決めていいのか。そればかり考えてきた」。アメリカの有名ブランドの服を含め、18年にアメリカで消費された衣料の97%が、アジアやアフリカなどの労賃の安い国々からの輸入品だ。海外の低賃金労働力を使った膨大な製品が消費され、富が生まれる一方、アメリカ国内の製造業の衰退、地域社会の弱体化や格差の拡大は、民主主義を弱めた。

ウィンスロップは、16年の大統領選でトランプに投票しなかった。しかし、「振り子がグローバル化に振れすぎていた。コロナ危機は、我々がサプライチェーンを過度に海外に広げ、頼り切っていたことを改めて浮き彫りにした」と話す。

ひとと資本の「裂け目」

車はさらに、広大な綿花地帯に入った。かつて、広大な綿花プランテーション（農園）が広がり、黒人の奴隷労働と国際金融市場からのマネーが注ぎ込まれて、産業革命を支えた地だ。

「働かざる者、ここに在るなかれ」

ノースカロライナ州エンフィールドの綿花農家、ジェリー・ハミル（76）の農場に着くと、路傍にそんな看板と、星条旗を描いた看板が掲げられていた。「ここに在る」感覚とはどういうことですか？　私がそう聞くと、「確かに伝わりにくい」と言い、続けた。

「自分がここにいないときも、自分の人生が常にこの地にある。死んだとき、あるいは農業をやめたときに、ここで働き始めたときよりこの地を良くしたい」

ハミルは、米国産の綿花が最高だと自負する。「アメリカン・ジャイアントの起点になっているのが私だ。だから最高の綿花を渡さないといけない」

19世紀、米南部の農場主たちは、綿花の輸出や工業製品の輸入の自由化を求め、関税による工業の保護を求めた北部と対立した。その構図とは逆に、ハミルは中国などに制裁関税を仕掛けたトランプを支持している。「過去の大統領は、何でも外国の言いなりだったからね」。論理というより、心情的な支持だ。関税で輸入と貿易赤字を減らし、移民を排除して、アメリカに雇用を取り戻す――。トランプはそう訴えて人気を得た。しかしアメリカが輸出する側に立つ綿花農家として、トランプの高関税政策で得られる利益はない。

「この辺の若者はこういう仕事はやらないよ」。ハミルは嘆息した。かつて黒人奴隷の膨大な人手を必要とした綿摘みも、巨大な農機で省力化が進んだ。その少ない人手さえ、短期ビザで渡米するメキシコ移民がいなければもはや集まらない。米農業の現場は、「雇用を取り戻す」必要はなく、むしろ雇用はあるのに、人手不足に悩んでいて、外国人に頼らざるを得ない状況なのだ。

米農業は、自由貿易のもとでは他国の農業を破壊しかねないほどの高い生産性を誇る。移民労働者や輸出先の海外市場を含め、グローバル資本主義に依存した存在ではないか。しかし、ハミルの誇りに胸を打たれ、そんな議論を吹っかける気にはなれなかった。ハミルが持つような土地への愛着と、国境を越えて動く資本の論理との間には深い裂け目がある。米農家は一面で、グローバル資本主義に依存する存在ではあるが、ひとりひとりの農家のなかにはどこか、納得できないものが残っている。

ウィンスロップは、ハミルがガンを患っていることを教えてくれた。車で農場を離れながら、ウィンスロップは言った。「トランプ支持者がみな人種差別主義者、みたいな反トランプ側の見方もどれだけ有害かわかるだろう?」

ウィンスロップは1969年、金融界で働く富裕な父のもとに生まれた。両親は早く離婚して母親のもとで育ったが、父の送金を受け東海岸の名門校で学び、80年代のレーガン政権下の「経済と言えば自由至上主義全盛の空気のなかで育った」。父の背中を追って金融界で働くことしか考えず、米投資銀行に就職してからも「自由貿易と開かれた市場、何にも拘束されない資本主義。それが仕事の原則だった」と振り返る。

しかし、ウォール街で仕事を続けるにつれ「金もうけだけ追い続ける」人生に疑問を持つ。「自分の手を動かして働きなさい」と強調し続けた母の言葉も、頭の中に反響していた。ファッション業界に転じ、新興のカバンブランドのトップを務めたが、オーナーと決定的に対立した。「中国へ生産を移し、販売を拡大しようとした。絶対に誤った決断だと思った」。米アマゾンが巻き起こした流通革命で、従来の店舗を中心とした薄利多売のビジネスは行き詰まると確信していた。飲料大手「ペプシコ」の伝説的ＣＥＯとして知られたドナルド・ケンドールの出資を得て、起業に至る。

車はサウスカロライナ州ガフニーに入った。古くからの米繊維産業の中心地の一つだ。最近では動画配信サービス「ネットフリックス」の政治ドラマシリーズ「ハウス・オブ・カード　野望の階段」の主人公の出身地としても知られるようになった。染色や織布を担う「カロライナ・コットン・ワークス（ＣＣＷ）」の工場に着く。色とりどりの布と、ところどころで吹き上がる蒸気が目に入る。

副社長のブライアン・アシュビー（52）は、ウィンスロップと私を迎えると、19年10月に74歳で亡くなった父、ページの思い出話を始めた。

「昨日、アメリカン・ジャイアントを取り上げたＣＢＳの番組を見返していた。ずいぶん久しぶりに父の声を聞いたなあ」。布の品質は、衣料の着心地を決める。創業直後からページらの支えを得たことは、アメリカン・ジャイアントが軌道に乗るうえで大きな追い風となった。ウィンスロップは今春のアメリカン・ジャイアントのカタログに、ページへの弔辞を寄せた。「ものづくりの大切さを教えてくれた。あなたと持てたような人とのつながりは、５０００マイル離れた外国の、訪ねたこともない工場で服をつくっていたら絶対に得られない」

94年の北米自由貿易協定（ＮＡＦＴＡ）発効、01年の中国のＷＴＯ加盟……。冷戦終結後、貿易自由化が進むたびに、米国の繊維産業は中国やメキシコなどに工場を移した。「取引先を増やして何とかしのいできたが、いつも『なぜ米国でつくらないのか』という思いを抱えてきた」。アシュビーはそう振り返る。バングラデシュのような低賃金の国で生産するのは数字の上では合理的だ。ただ、国内でものづくりを維持することには「価格に表しにくい無形の価値がある」と考えてきた。

「我々の仕事はサプライチェーンにつながる無数の企業、従業員とその家族につながっている。税金を支払い、行政サービスも支えている。誰かが何かを自分の手でつくる必要がある」。そんな思いを抱えていたアシュビーにとって、「メイド・イン・USA」のブランド価値を前面に出し、ネットで売る事業モデルを語るウィンスロップとの出会いは運命的だった。「高品質に裏付けられた価値を伝え、愛着を持ってもらう売り方に思いが至っていなかったんだ」

グローバル競争にさらされ続けてきたことで、先進国の製造業の基礎体力が高まり、「国内回帰」の素地が整っていた面もある。ガフニーの紡績工場「パークデール・ミルズ」を訪れると、産業用ロボットによる省力化が徹底的に進み、清潔な環境で熟練労働者が働いていた。

パークデールは原綿から糸をつむぐ紡績を担う、全米有数の企業だ。紡績産業はかつて、戦前日本のルポ『女工哀史』に描かれたような、劣悪な労働環境の犠牲のもとで近代化の原動力となった。しかし、現代の先進民主主義国では、人権や環境基準と生産性を両立できない企業は生き残れない。

運び込まれる原綿は、すべて産地がさかのぼれるようバーコードで管理されている。産地により微妙に特質が異なるため、それを絶妙により合わせ、高品質の糸をつくる。「味わいにむらのないワインをつくるのと全く同じだ」とウィンスロップは言う。

パークデール副社長のデービス・ウォーリック（34）は14歳の時、同社CEOの父アンダーソンに連れられ、パキスタンのカラチにある繊維工場を訪れた。そこで、先進国の消費者が享受している低価格を支えていた実態を知る。

「整えられた視察ルートをたまたま外れた時、自分より小さい子どもが働いているのに出会った。まるで王子様を見るかのような目でこっちを見てきたんだ。すさまじい衝撃だった」

過去数十年、激しい国際競争にさらされた米繊維産業は、私の工場訪問後に本格化したコロナ危機で、新たな大波に襲われることになった。トランプは20年5月5日、マスク増産に入った米航空機器大手ハネウェルの工場を訪れ、「パンデミックはサプライチェーンの国内回帰（リショアリング）の死活的重要性を示した」と宣言した。消費急減でアパレルや小売大手が苦境に立つ一方、トランプ政権は戦時に準じた市場介入を開始する。１９５０年の朝鮮戦争当時につくられた「国防生産法」を発動し、マスクの増産を促した。アメリカン・ジャイアントやＣＣＷ、パークデールなども一斉に、マスクや綿棒、衣料原料の生産を始めることになった。

国家の統制強化はアメリカにとどまらない。ＷＴＯによると、コロナ危機の本格化後、20年４月までに80カ国・地域が貿易統制を強めた。日本も補助金を出し、中国などから国内に工場を戻す企業を後押しした。そもそも、金融バブル崩壊の結果として起きた08年のリーマン・ショック後、貿易の成長は勢いが鈍っていた。貿易の取引を裏打ちするマネーの膨張が限界を迎えていたことや、中国が技術の向上を背景に国内生産に切り替え始めたことなどが背景にある。さらに、トランプの仕掛けた貿易戦争の勃発で、企業にはサプライチェーンを見直す動きが出た。

そこに襲いかかったのがコロナ危機だった。世界一の経済大国アメリカで、マスクのような基本的な医療品が入手しづらくなった危機感は多くの国民に共有された。トランプの通商政策に必ずしも賛同しないウィンスロップも、「戦略的に重要とは思われていなかった衣料分野でも、マスクや白衣など、一定の生産基盤を国内に残すことが必要だと確信した」と語る。

アメリカン・ジャイアントは南部カロライナでのサプライチェーン構築にこだわってきた。ウィンスロップは、従来の米企業の姿勢について「血も涙もなく、安い労働と緩い規制を追求し続けてきた」と指摘する。「その結果生まれたのは、東西両岸に住む金融やＩＴエリートが高給を得ながら、その他大勢が取り残された『分断社会』だ。このままでは、社会も経済も深刻に行き詰まるのは明らかだ」

分断の源流

カロライナで訪れた工場や綿花畑で、フワフワした綿の繊維を手に取りながら、これがアメリカと世界にもたらしたものの不思議さと深刻さを思った。ワタが自生しなかった中世欧州の人々は「羊が生える木」から生まれるのだと夢想したという。白い繊維は人々を魅了し、産業革命や世界的な貿易拡大の原動力となった。

18世紀末、綿の繊維とタネを分離する綿繰り機が発明されると、米南部の黒人奴隷労働や無尽蔵の土地と結びつき、綿花は文字どおり「カネのなる木」と化す。米南部から欧州、アフリカ、インド、日本――。市場をつなぎ、人と商品、資本が躍動するグローバル資本主義を生み出す一方、奴隷制に端を発した人種差別は、いまに至る米国社会の分断、格差の基層をなす。

ハーバード大学教授のスヴェン・ベッカートは、綿と資本主義の研究を続け、大著『綿の帝国』（紀伊國屋書店より邦訳刊行予定）を著した歴史家である。[10] ハーバードの研究室を訪れると、古今東西の綿に関する本や資料が山積みになっていた。ベッカートが綿に関心を持ったきっかけは、「グローバル資本主義の歴史のなかで、類を見ない重要な役割を果たしてきたからだ」という。日本の綿業の中心だった大阪を訪れたこともある。

欧州での産業革命の後、資本主義は19世紀に急激に発達した。中央集権で強大化した国家と、綿工業に携わる資本家がうごめく市場とが結びつき、海外植民地の拡大を追い風として膨張した。ベッカートはこの時期の資本主義の形態を「戦争資本主義」と呼ぶ。そこでは植民地からの暴力的な収奪や、奴隷労働の強要が決定的な役割を果たした。「人類史において資本主義への移行は自然なものではなく、むしろ不自然な、非常に困難な事業だった。激しい抵抗が起こるのが普通で、そこに強要や暴力が起こってしまう余地があった」。『女工哀史』で描かれた近代日本の紡績工場の女性労働者の苦境も、グローバルな現象の一つの発露だったのだ。

伝統的な農村社会では、人々は何世紀にもわたって築いてきた生活様式を簡単には崩そうとはしない。オスマン・トルコやインドの農村でも綿花は作られていたが、英国の資本家が求めるような形で、綿花という単一の商品作物を大量生産することには激しく抵抗したという。「原住民の土地の収奪と黒人の奴隷労働でそれがいくらでも進められる地域があった。それがアメリカ南部だった」

アメリカが特異だったのは、西欧列強がアジアやアフリカなど海外植民地との間で進めた「戦争資本主義」を、一つの国民国家のなかで遂行しようとした点だ。幼い共和国だったアメリカが世界で重要な役割を占める足がかりをつかんだのは、18〜19世紀、グローバル市場への輸出を前提に、米南部で商品作物が大量生産されるようになってからだ。南部のプランテーション経済の支配層は、綿花など農産物を輸出し、そのほかの生活物資を輸入に頼っていたため、強く自由貿易を支持した。この経済構造を支えたのは奴隷制である。アメリカが拠って立つ民主主義の論理との間ではなはだしい矛盾を内包していたが、それがついに破綻し、起きたのが南北戦争であった。

自由貿易が、自由とは裏腹の圧政や隷従と結びつく危険性は、綿花の世界的産地、新疆ウイグル自治区での強制労働の疑いが指摘される中国をはじめ、現代世界でも消えていない。ベッカートは「自由貿易は本来、社会規範や環境などの基準について共通理解を伴うものでなければならない」と語る。

自由貿易は関係国の双方に利益をもたらし、その利益は「勝者」だけでなく「敗者」にも広く及ぶ――。冷戦終結後のグローバル化の局面では、経済学界の主流でこうした考えが唱えられていた。貿易競争で一部の産業が衰退しても、その労働者は別の仕事や地域に移り、社会全体では自由貿易の富を分かち合える、と考えられたからだ。マサチューセッツ工科大学のデビッド・オーター教授らとともにこの「定説」を覆し、01年の中国のWTO加盟以降、アメリカの地域社会を襲った「チャイナ・ショック」

の実態を示したのが、ハーバード大学教授のゴードン・ハンソンである。

ハンソンらの研究によれば、1999〜2011年、対中貿易の結果、米国では約240万人の雇用が失われ、このうち製造業で雇用への打撃は60万〜100万人に上った。家具製造で知られたノースカロライナ州のヒッコリー都市圏は、90年には人口の4割が製造業に携わっていたが、19年までに2割未満に下がった。[11]

中国の輸入品との競争にさらされた産業では雇用が減る。ここまでは経済学の想定内だった。「想定外だったのは、それによって雇用が減った地域から、人々は簡単には移住しなかったことだ」。取材に対し、ハンソンはそう振り返った。研究では、02〜10年の米連邦議会の選挙動向を調べ、対中貿易による打撃を被った地域の住民が、より極端な党派を支持した傾向も実証的に示した。労働組合を通じて民主党を支持していた非大卒の白人労働者が共和党へ移り、減税や規制緩和を柱とした「小さな政府」を奉じるティーパーティー運動が台頭した時期にあたる。

「自由貿易による競争のあおりで製造業の雇用が減り、白人が多数派の地域で共和党右派への支持が高まった。一方、こうした地域で非白人が多数派の場合は、民主党左派への支持が高まった。経済的な不安が政治的な分断を促す傾向は、(ファシズムが台頭した)1930年代の欧州でもみられたことだ」

トランプはウソや誇張ばかり言っているため、支持者以外から見ると、主張のすべてがウソに映る。だが、米国の貿易、とりわけ対中貿易において巨額の貿易赤字が慢性化し、急激な輸入品の流入でアメリカの地域社会が打撃を受けたという指摘は誤りではない。冷戦終結後のアメリカ主導のグローバル化は、アメリカ国内の経済格差を広げ、社会の分断を助長する一方、中国の覇権主義的な台頭を助け、その輸出攻勢がさらにアメリカに環流して地域社会の基盤を弱める悪循環を生んだのだ。

本来、自由な経済活動は「何が公正(フェア)か」という価値観や規律を共有して成り立つ。奴隷制に支えられた自由貿易が破綻し、南北戦争に至ったように、「自由競争」のルールを決める政治体制の問題と完全に切り離すことはできないのだ。２０１０年代に入り、アメリカの対中世論は急激に厳しさを増した。自国民にすら説明責任を負わない中国政府が、自らの不透明な経済・安全保障政策の「公正さ」について、アメリカ国民を納得させることは難しい。民主主義や法の支配といった根本的な価値をめぐる米中の対立は、強い経済的結びつきにもかかわらず、あるいはその結びつきの強さゆえに、覆い隠せないレベルにまで悪化したのだ。

貿易戦争の将軍

トランプはつまるところ、神話や民間伝承に現れる、破壊と創造との両義性を併せ持ついたずら者「トリックスター」のような存在であり、練られた外交戦略などは持っていない。ただ、政権内には、トランプというトリックスターを使い、中国との中長期の覇権争いに勝つための戦略を描く経済高官・軍事官僚らがいた。経済・通商面の競争を軍事力の争いと不可分ととらえ、中国の台頭を押さえ込もうとする政策の潮流は、米議会でも超党派の支持を受け、バイデン政権発足後も引き継がれていく。

そうした勢力の筆頭が、ワシントン・ポストが「貿易戦争の将軍」と呼んだUSTR代表のロバート・ライトハイザーだった。ティラーソン国務長官、マティス国防長官、ボルトン大統領補佐官（国家安全保障担当）ら、重要閣僚がトランプの不興を買って次々に退場するなか、巧みな政治感覚でトランプ政権の終焉まで実権を保ち、中国との交渉の実質的指揮を執った。

18年、米中両政府は累次にわたる制裁関税の応酬を演じたが、18年12月のアルゼンチンでの米中首脳会談の後、トランプが習近平国家主席との直接交渉の「成功」を演出し、貿易戦争はひとまず休戦となっていた。その段階が唐突に終わったのが19年5月5日。日曜日のこの日、トランプが唐突にツイッターに「(交渉の進展が)遅すぎる。ダメだ!」と投稿した。さらに「中国は2000億ドル分に10%の関税を払ってきた。この10%は金曜日(10日)に25%に上がる」と予告し、関税合戦の再開を宣言する。

その後、中国への制裁関税の「第4弾」を正式に発表した5月13日、トランプは言った。「中国がライトハイザーへの約束をたがえた。だから言ってやった。『それなら関税をかけてやれ』って」。猜疑心の強いトランプは、自分よりも前に出ようとする側近を決して信用しない。そのトランプがあえて部下の名前を出した。決して表に出ず、それでいてトランプをうまく使い、中国封じ込めの宿願を果たそうとするライトハイザーの執念をみた思いがした。

制裁関税を使ったトランプの貿易戦争について、関税は経済合理性に合わないとの観点から批判したエコノミストは多かった。教科書的にはもちろん、その通りだ。

訪ね歩いた米国各地の製造業者からも、制裁関税には反対の声が聞かれた。18年9月には、ボストン近郊の3Dプリンター企業「フォームラブズ」を取材した。CEOのマキシム・ロボフスキー(30)らが起業し、急成長した企業だ。トランプの制裁関税で、中国から輸入するプリンター関連商品や樹脂原料などが対象となった。ロボフスキーは「関税はアメリカの最先端技術の発展に役立たない。(中国への関税賦課より)国内のハイテク製造業に、より積極的に投資をするべきだ」と話した。関税で「守り」を固めるより国内投資で「攻め」を、というわけだ。

2カ月後には、ユタ州ローガンの米企業「プリズムビュー」も取材した。プリズムビューの大型LEDディスプレーは、ニューヨークやラスベガスの目抜き通りに欠かせない。米企業が中国でつくるLEDを仕入れて中国でモジュール(複合部品)を製造し、それを米国に輸入して組み立ててきた。そのモジュールが制裁関税の対象となっている。「トランプ大統領のイメージキャラクターになってもいい企業なんだ。それなのに関税の打撃を受けているのは我々だ」。社長のドン・シパニアックは嘆き、断言した。「ＬＥＤを中国でつくっているのに（米中経済の）分断など不可能だ」

こうした企業経営者や、関税を批判する主流派エコノミストの声に賛同できる点は多かった。ただ、経済効率を阻害する、あるいは米国企業に打撃がある、という観点の批判は、ライトハイザーの貿易戦争へ向けられたものとしては、かみ合っていなかった。貿易戦争は経済効率を高めることが目的ではなく、アメリカ企業に打撃があるのはもとより承知で進められていたからである。「将軍」には兵士１０００人を生かして戦争に勝つため、別の兵士１００人を死なせる決断をせざるを得ないことがあるだろう。ライトハイザーが進めようとしたのも、アメリカの覇権国家としての生き残りをかけたそのような戦略的闘争なのだ、と私には映っていた。

コロナ危機が起きて数ヶ月後の20年5月11日、ライトハイザーはニューヨーク・タイムズに「米雇用の海外移転（オフショアリング）の時代は終わった」と題して寄稿し、「ビジネスの成功と経済効率は通商政策の重要な考慮要素ではあるが、もはや最重要目的とはいえない」と断言した。冷戦終結後、ＵＳＴＲや米財務省が米経済界の代理人として自由化を推進した時代であれば、考えられないような発言だ。「パンデミックはトランプ政権の通商政策の正当性を改めて示した。国民は重要な医薬品や医療機器などについて外国に依存しすぎてきたことを、是正するよう求めるだろう」とも強調した。[12]

アメリカに赴任し、ワシントン・ポストの1面を壁に貼ったときから、私はこの強烈な個性を持つ貿易戦争の将軍ライトハイザーに直接、取材することを念願としていた。その要請が認められ、独占インタビューがかなったのは、コロナ危機がようやく最悪期を脱した20年8月25日だった（本章扉参照）。

ランニングやウェートトレーニングを重ねたという老練の交渉官は、堂々とした体格で独特の威圧感があった。ホワイトハウスに近いＵＳＴＲの2階の会議室で、長い机をはさんでライトハイザーと向かい合い、張り詰めた思いで質問を重ねていく。日本メディア初の単独会見で、限られた時間に聞きたい質問が山ほどあった。

「アメリカは本来、もっと早く行動を起こすべきだったのであり、大統領はきわめて賢明なやり方でその行動を取った。関税をかけたからこそ、中国側とも建設的な対話ができたのだ」。ライトハイザーは必ず、「大統領」を主語に話した。緊張がややほぐれたのは、トランプが通商拡大法２３２条による追加関税の脅しをかけてきた、日本からの自動車輸入に話が及んだ時だ。

ライトハイザーは「アメリカは日本の自動車産業と非常に良好な関係を築いてきた」と切り出した。日系メーカーは日米貿易摩擦の苦い経験を経て、現地生産を増やし、時間をかけて住民との信頼関係を高めた。ライトハイザーはトヨタ自動車やホンダ、日産自動車がアメリカで進めた投資を率直に評価し、「良質な、高い給料の雇用を自動車産業に創出することが、大統領が強く支持してきたことだ。だからこそアメリカへの投資を促してきたし、大統領の通商代表である私も同じだ」と強調した。日本車への追加関税の可能性についても、「大統領を代弁することはできないが、少なくとも私の望みは、日本企業による対米投資が増え続けることだ」と、静観の構えを示した。その言葉通り、トランプ政権は結局、日本の輸入車への追加関税導入を見送った。

ライトハイザーの発言で重要なのは、「高い給料の雇用（high-paying jobs）」という言葉だ。冷戦終結後のグローバル化で繰り広げられてきた製造業の競争は「低賃金の競争」という面が大きかった。先進国企業が持つ高度な知的財産やノウハウを中国などの新興国に持ち込み、低賃金の労働者を使うことによってコストは減ったものの、先進国の労働者の賃金も下押し圧力を受けた。

ライトハイザーは名門ジョージタウン大学を卒業後、83年には30代の若さでＵＳＴＲ次席代表として日米貿易交渉を担った国際通商法のエキスパートである。当時、日本側の煮え切らない態度に憤激し、交渉文書を紙飛行機にして投げ返したとの逸話も残る。若くして凄腕の交渉官として名をはせたライトハイザーは、その後USTRを去り、米鉄鋼業界のロビイストとして政策の表舞台からは離れた。90年代以降、党派を問わず自由貿易が推進されていく。ライトハイザーのような主張は、古い業界を背負った保護主義の「利権屋」（別のUSTR元高官）と軽んじられがちになったのだ。

冷戦が終わった1990年代は、ライトハイザーの言葉を使えば「自由貿易という宗教」の時代となった。NAFTAは共和党のブッシュ（父）政権が交渉を進め、93年に民主党のクリントン政権下で米議会が承認法案を可決、大統領が署名して94年に発効した超党派の事業だった。自由化路線を推し進めたクリントンのもと、米国は金融・IT分野主導の経済成長を続け、中国のWTO加盟に向けた米中の二国間交渉も99年、クリントン政権下で合意に至る。クリントンは翌年の演説で「グローバル化は風や水といった自然力のようなもので、止められない」と述べた。

一方、ライトハイザーは99年4月、ニューヨーク・タイムズへの寄稿で、対中関与を深めた当時のクリントン政権の姿勢を強く批判している。中国が不透明な通商産業政策で急成長することに警鐘を鳴らし、「中国の軍事・外交面での攻撃的な動きを阻止するため、経済的手段で圧力を加えることがまさに必要だ」と指摘した[13]。すでにこのころから、中国に対する経済安全保障の重要性を認識し、関税を武器としたトランプ政権の貿易戦争を自ら予見するような主張をしていたのだ。

中国は01年にWTOに加盟し、アメリカ主導の自由な国際通商体制を利用して急成長した。08年のリーマン・ショック後は、習近平体制の下でさらに覇権主義的な性格を現す。南シナ海への軍事進出や少数民族への抑圧、言論封殺など、習政権が国内外で強権を振るうにつれ、2010年代半ば以降、米国では与野党やメディア、経済界まで強硬論が一気に主流になっていった。トランプ政権下の野党民主党上院トップ、シューマー院内総務は19年5月21日、「平均的なアメリカ市民は誰もが、中国にだまされてきたとの見方で一致した。5年前はなかった圧倒的総意だ」と述べた。

ライトハイザーを知る人々への取材を重ねるなかで出会ったのが、兄のジム・ライトハイザー（74）である。民主党の地方政治家を長く務め、南北戦争の古戦場を保全する「米国戦場基金」の理事長に就いていていた。ジムによると、ライトハイザーの原点は「ラストベルト（さびついた工業地帯）」の古い鉄鋼の街、オハイオ州アシュタビュラで育った幼少時代にあった。

「祖父も製鋼所の工員で、父も工員をしながら医学部に通った。級友の親たちはほぼ全員、工場で働く労働者だった。医者の家で比較的恵まれて育ったが、私も弟も、決して自分たちをエリートだと思ったことはない。労働者に親しみを感じて生きてきた」。ワシントンの「米国戦場基金」のオフィスで、少年時代を懐かしみながら、そうジムは語った。冷戦終結後、台頭する中国への警鐘を鳴らし続けたのに、政策の第一線から去っていた弟については聖書の言い回しを使って「『荒野で叫ぶ者』だった」と表現した。

ライトハイザーは80年代、共和党の実力者だったボブ・ドール上院議員の下で首席法律顧問を務め、共和党のレーガン政権のUSTR次席代表だった。経歴だけみると骨の髄まで共和党、という人物のようにみえるが、民主党の地方政治家だった兄のジムは「昔はいまのような共和党と民主党の二極分化はなかった。自分と弟は、政治観がほぼ完全に同じだ」と言う。

ライトハイザーは、トランプ政権の通商代表としての3年の経験を踏まえ、20年夏にフォーリン・アフェアーズに寄稿した。寄稿のタイトルは「How to Make Trade Work for Workers（労働者のために貿易をどう機能させるか）」。表題からして、自由貿易を重視してきた共和党主流派よりも、伝統的には労働組合を基盤としていた民主党に近い主張にみえる。「大学を出ていない人々を含め、大多数の市民が、安定した良い給料の仕事につけるようにするのが正しい通商政策だ[14]」。そう訴える論文は、民主党のなかでも、オバマ政権の副大統領としてTPPを推進していた中道のジョー・バイデンよりもむしろ、トランプからは「極左」と呼ばれる上院議員のバーニー・サンダースやエリザベス・ウォーレンに親和性が強い。

実際、21年1月にトランプがまとめた米中通商協議「第1段階の合意」の署名、NAFTAの再交渉を経た「米・メキシコ・カナダ協定（USMCA）」の発効など、トランプが最大の実績としてアピールする成果は、「労働者のための通商政策」を軸に超党派の合意を集めたライトハイザーの手腕によるところが大きかった。トランプの公約に沿い、保護主義的に修正されたUSMCAの実施法案は上下院とも圧倒的多数で可決した。この際、野党民主党の下院の法律顧問として成立に尽力したのが、後にバイデン政権でライトハイザーを引き継ぎ、通商代表に就くキャサリン・タイだった。

バイデンは、トランプに挑んだ20年の大統領選でも、通商政策を争点化せず、かつて自ら主導したTPPについても具体的な言及を避けた。ライトハイザーの最側近だったジェイミーソン・グリア元USTR首席補佐官は、大統領選前の私の取材に「バイデンが今回の選挙戦で、貿易問題でトランプ路線に接近したようにみえるのは興味深い」と語った。グリアの見方では、ライトハイザーも決して自由貿易を否定したわけではない。『自由貿易か自給自足経済か』という二分法で考えるのは誤りだ。コロナ危機が示したように、医療物資などの分野では、外国製品が充実していても、必要に応じて国内供給を確保できる体制を整えておかなければならない。経済効率だけでなく、どんな社会や経済構造を目指すのかという合意に基づいて、その目標を果たすために最適な通商政策を選ぶべきだ」

自由貿易は目的ではなく、手段にすぎない。ライトハイザーは、この当たり前の原則を確認したリアリストであった。問題は我々がどのような民主主義を目指すのか、という問いなのだ。

貿易戦争は階級闘争か

ライトハイザーの取材を終え、私はその少し前に取材したもう1人の著名な論客トマス・フランクのことを思い出していた。トランプを強く批判してきたリベラル派の政治評論家であり、ライトハイザーとは立場が異なる。ただ、米労働者への配慮を怠り、自由化路線を突き進んだ「クリントニズム（クリントン主義）の偽りの成功」に民主党退潮の要因があった、と主張するフランクと、「クリントニズム」の時代には非主流派だったライトハイザーは、どこか重なり合っていた。

「富裕層の減税を掲げ、労働者のためにならなかったトランプのような愚かなペテン師の言いぐさがなぜ、いまも受け入れられるのか？　民主党がやるべきことをやらなかったからだ」

メリーランド州ベセスダの自宅で、フランクはそう語った。労働者や人民の党だったはずの民主党が変質し、金融界や経営者、学識者に近いエリートの党に変わってしまったことが、労働者の味方を「僭称」するトランプ政権の誕生を生み出したという。そもそもアメリカのエリート層には、農民や労働者など「人民」を恐れ、大衆運動を嫌う伝統があり、それが民主党をむしばんだと指摘する。[15]

再評価するのは、アメリカで19世紀末に起きた「ポピュリズム」と呼ばれる農民中心の改革運動だ。この時期のアメリカでは、農産物価格の下落や巨大企業による独占の強化など、現代にも通じる社会問題が起きていた。そのさなか、「ウォール街」支配への対抗と、貧しい農民や労働者の連帯を唱えた「人民党（ポピュリスツ）」が主導したのがポピュリズムだった。だが、経営者層やメディア、学界などから激しい攻撃を受け、挫折していく。スター政治家としてポピュリズム運動を担い、民主党候補として大統領選に3回挑んだウィリアム・ジェニングス・ブライアンも落選を重ねた。しかし、その急進的な社会改革の精神は、独占禁止や金融規制、米連邦準備制度理事会（FRB）の設立などにつながり、世界恐慌を経て、民主党フランクリン・ルーズベルト大統領の「ニューディール」へと受け継がれていく。

いまの民主党に必要なのは、オバマ元大統領のようなエリート層による指導ではなく、かつてのポピュリズムのような下からの大衆運動を起こす姿勢だ。そうフランクは説く。「ふつうの労働者を大規模に動員することなしに、民主主義など達成できない」。都市のエリートや専門職の党に変質した民主党は、トランプ支持者のような「田舎者」を叱りつける「叱責のユートピア」に安住したと語るのだった。

グローバル化の波は強い「自然力」であり、なすすべはない――。そんな思考停止を揺さぶる知的刺激に満ちた本に出会ったのも、ライトハイザーやフランクを取材したのと同じ20年夏だった。タイトルは『貿易戦争は階級闘争である』[16]。書評で知って読み、中国・北京にいる著者の一人、マイケル・ペティスに連絡をとった。ペティスは米金融界での実務経験を経て、北京大学光華管理学院教授として教鞭を執る。ビデオ会議で取材する約束だったが、中国の通信状況を反映してか通話がしづらく、電話で1時間以上、丁寧に話を聞かせてもらった。

ペティスは、貿易戦争の根底には、各国の内部で広がる経済格差がある、という。

「いまの世界経済は、各国が働き手の賃金を競って引き下げ、輸出競争力を高め、貿易黒字を稼ごうとする構造だ。例えば中国が貿易黒字になるのは、賃金の伸びが低く抑えられてきたためだ。中国からの輸入は米国の賃金水準への引き下げ圧力となって、アメリカの労働者も苦しめている」

ペティスの視点は、21世紀の「長期停滞」とも関連して論じられてきた「グローバル・インバランス（世界的な経常収支の不均衡）」について、一つの説明を与える。ペティスは、主要国の国内の所得分配のゆがみや格差がもたらしたマクロ経済への影響を重視し、それが経常収支の不均衡となって現れたとみる。裕福でない人は、所得の多くを消費に回す。こうした消費性向の高い労働者や中間層の賃金が抑えられ、富裕層や大企業へ富が移転したことで、中国やドイツなどの消費や投資が伸び悩み（貯蓄が増え）、さらにその貯蓄が米国に押し寄せたことで、ドイツなどが恒常的に経常黒字をため込み、アメリカが恒常的な経常赤字を引き受ける構図が生まれた。そうとらえるのだ。

トランプの関心はモノの貿易に集中していたが、現代の貿易不均衡を考えるうえで、より注目すべきなのは国際的な資金移動であるという点には、多くの経済学者が賛同するだろう。ペティスは世界経済の「見取り図」をこう描く。1997年のアジア通貨危機後、中国は人民元の上昇を避けるためドル買い介入を進め、輸出競争力を保った。さらに、国有銀行を通じた融資の金利水準を低く抑えて大企業の借り入れコストを下げ、投資や輸出を拡大する。その結果、企業収益は増えるが、労働者の所得が抑えられたため、中国の消費はGDPに比べ、きわめて低水準で推移した。米国の需要が急減したリーマン・ショック後は経常収支の黒字は縮小したが、補助金を通じた過剰生産の問題は残り、巨大経済圏構想「一帯一路」を通じた国外での需要開拓の試みも、あらたな摩擦を引き起こしている。

米中の労働者層がどちらも貿易戦争の「敗者」なら、「勝者」は誰なのか。

「中国では、低賃金という労働者の犠牲と引き換えに経済全体としては増えた『貯蓄』が、国家統制下の銀行を通じて企業への融資などになり、生産や輸出を支えてきた。利益を得るのは中国の大企業や金融界。米国でも、グローバル化で大きな利益を得たのは大企業と金融界だ。ともに労働者層や中間層が負け、金融界や金融資産を持つ富裕層が勝つ。問題の本質は、それぞれの国内での格差と、それが引き起こす対立構造なのに、国家間の『貿易戦争』として認識されている」

誰かが貯蓄すれば、誰かが貯蓄を取り崩さなければ経済は回らない。その「最後の消費者」の役割を担ってきたのがアメリカだ。過去数十年間、黒字国の資金余剰は米国債の運用などを通じてアメリカへ流れ込み続けた。本来お金が必要な貧しい国ではなく、GDPでみれば世界一豊かなアメリカへ資金が流れ込んだのだ。それは、基軸通貨国としての「途方もない特権」ではなく、「途方もない負担」だったとペティスは論じる。「各国での格差の拡大は、自国内の賃金を抑えることで国内の消費は伸びない一方、海外に売り先を求めて貿易黒字を積み上げる構図となり、米国との間で摩擦を招いている。ドイツも2000年代初頭に進めた労働市場改革を経て、賃金を抑えてきた。労働者の所得が増えず製品を国内で消費しきれないのだから、鎖国状態ならば生産を止めるか、賃金を上げるしかない。実際はそうならなかった。アメリカが常に貿易赤字を抱えつつ、輸入を続けてきたからだ」

低所得層でも、中国などからの安価な輸入品を買えることはグローバル化の「恩恵」とされてきた。しかし、アメリカの低所得層が安価な輸入品を買う構図は、ペティスの見方では、宗主国の国内の格差が拡大し、さばききれなくなった生産余剰を押しつけられた、かつての植民地の住民のような状態なのだ。

「ドイツなどが貿易で稼いだ富は、アメリカへの投資となって株や不動産などに流れ込み、バブルを生んだり銀行の貸し出し基準が緩くなったりする。豊かになったかのように錯覚した米国人は、借金をして輸入品を消費する。だが、リーマン・ショックのような形でバブルが調整されると、低所得層にもはや借金をさせることはできず、大量の失業に直結する。こうした構図を考えれば、アメリカが進んで貿易赤字を受け入れ続けるとみるのは、ばかげている」

ペティスは、各国の投資家が米国の金融資産を買おうとするとき、アメリカが一方的に課税して規制すべきだとさえ主張する。経常黒字国がその余剰を吐き出す受け皿としてアメリカを利用しにくくなり、「国内の格差などの問題を各国自ら解決するように促せるから」だという。

こうした主張に反論があるのは当然だ。教科書的な前提として、経常収支の不均衡とは、国内外のお金の貸し借りを国単位で合計した結果、赤字あるいは黒字になっているということに過ぎない。アメリカも資金を借り、将来の消費や投資を先取りすることで効用が高まるから借りているはずだ。財政支出の水準は米議会が決め、何を買うかも米国民が決めている。アメリカが経常収支を均衡させるには、財政赤字の削減や民間貯蓄率の向上といった、マクロ政策的な対応をとる必要がある――。

こうした「ＩＳバランス（投資・貯蓄バランス）」に基づく議論は、１９８０年代の日米貿易摩擦のころから展開されてきた。ただ、ＩＳバランスに基づくモデルも、貿易不均衡のすべての要因を説明できるわけではない。現実の経済では、アメリカの相対的な内需の強さ、金融市場の開放性がもたらす巨額の投資資金の流入、アメリカ国内の分配構造のゆがみなどが絡み合いながら不均衡が続いてきたと考えられる。ＩＳバランスからは貿易赤字を問題視しない主張が導かれやすい。だが、数十年間も恒常的に続く貿易不均衡が民主主義を揺さぶることが明白になったいま、自由貿易への信頼をつなぎとめるためにも、国際社会が協調して恒常的な不均衡是正に取り組む必要性は高まっている。

ハーバード大学教授のダニ・ロドリックは、ペティスらの『貿易戦争は階級闘争である』を高く評価し、「世界経済に関心を持つ人は誰でも読むべきだ」との賛辞を寄せた。ロドリックは、「グローバル化のトリレンマ」という命題で注目された国際経済学の論客だ。その理論によれば、超グローバル化、国民国家、民主主義の三つを同時に成り立たせることはできない。国民国家を維持しつつ超グローバル化を推進しようとすれば、それぞれの国家はグローバル資本を呼び込むための減税や規制緩和を追求せざるを得ず、各国内の経済的・社会的格差が広がり、民主主義が損なわれる。また、民主主義と超グローバル化を両立させようとすれば、ある種の「世界連邦」を目指す方向になり、国民国家の主権を制約する。最後に、国民国家と民主主義を維持しようとすれば、超グローバル化にはある程度の歯止めをかけざるを得ない。ロドリックが現実的とみるのは最後の選択肢である[17]。

19年1月、ハーバード大学の研究室にロドリックを訪ねた。穏やかな語り口だが、主張は力強かった。ロドリックは、「超グローバル化を進めようとすれば、互いの経済システムを接近させなければならなくなってしまう」という。真に自由な競争環境を保ちつつ、貿易を安定的に進めようとすれば、互いに合意できるルールをつくり、守ることが求められるからである。

米中はいずれも資本主義国家であろうが、その内実は相当に異なる。「中国が豊かになれば米国と同じような経済システムになるという幻想は消え去った。そして、西側の国々は、中国の政治制度を改変させる有効な手段を現実的には持っていない」。好むと好まざるとにかかわらず、中国などの非民主主義国がそれぞれの国家主権に基づく統治を進めるのを認めざるを得ないとすれば、米国や日本などが自らの国民国家と民主主義を守るためにも、超グローバル化に一定の歯止めをかけるべきだ、という方向になる。ロドリックは劣悪な労働条件や人権侵害の疑いのある国の輸出を「社会的ダンピング」と規定することを提唱し、「中核的な価値を侵害する社会的ダンピングには、（関税のような）セーフガード措置を拡大する十分な理由がある」とも語った。

ロドリックはコロナ禍やウクライナ侵攻の後、22年5月の論考でも改めて「90年代以降の超グローバル化の時代は終わったと広く認識された」と強調した。一方、「現在の危機が、これまでより良い形でのグローバル化を生み出す可能性を見落とすべきではない」とも述べている[18]。各国の国内社会の安定に配慮した、よりブレーキをきかせた形でのグローバル化を探る主張には、説得力がある。

「敗軍の将」の勝利宣言

バイデン政権が発足して1カ月ほどが経った21年2月25日、米上院での公聴会を見ながら、私は「既視感」にとらわれていた。米議会で人事承認を求めて答弁していたのは、バイデンがライトハイザーを引き継ぐUSTRの新代表に指名した、キャサリン・タイだった。

「我々は伝統的に、アダム・スミスのいう『見えざる手』が導く自由市場の力で、国民経済も国際競争もうまくいく、と信じてきた。だが、通商政策の様式を見直す必要がある。アメリカが中国のようになるべきだということではないが、（中国の）野心を考慮し、戦略的になるべきだ」

これが、前任者ライトハイザーの発言だと言われても、全く違和感がなかっただろう。いずれも「労働者中心」を掲げた新旧の通商代表の問題意識は、党派は違っても、中核部分でそれほど似通っていた。

タイを指名したバイデンはかつて、オバマ政権の副大統領としてTPPを主導していた。16年秋の寄稿ではTPPについて、アメリカの批准が「最優先事項の一つ」と強調し、こう述べている。「これは経済の問題であると同時に、地政学の問題だ。南シナ海の海洋安全保障にせよ北東アジアの核不拡散にせよ、アメリカがルールを書き、守らせる主導権を握らなければならない」[19]。だが、TPPを通じて中国を牽制するどころか、TPPの自由化路線に対する米国内の反発はトランプへの追い風となった。この苦い教訓を経て、バイデンは大統領就任後もTPPへの関心を封印し、「労働に報いる政策」や産業政策の強化で中国に対抗する戦略を強く打ち出した。

タイの承認公聴会での証言後、ぜひ意見を聞きたいと思ったのが、ライトハイザーの懐刀（ふところがたな）だったスティーブン・ボーン元USTR代表代行だった。大統領選で「敗軍」となったトランプ政権元高官だが、取材で返ってきた答えはやはりと言うべきか、「勝利宣言」だった。「今や党派を超えて、アメリカ人は自国の労働者に利益をもたらす政策を求め、思考の枠組みに現実の変化が起きている」

タイは自由市場への信頼がアメリカの「伝統」だったと述べた。ただその伝統が続いたのは、直近では80年代のレーガン政権以降だろう。アメリカで国家と市場の関係は振り子のように揺れ動いてきた。そもそも、建国の父の一人、初代財務長官のハミルトンが「伝統」とは違った。ハミルトンは、高関税と大規模なインフラ投資でアメリカの製造業を保護育成し、英国に追いつき、追い越そうとした。

ボーンはライトハイザーとともに、自ら認める「ハミルトン主義者」だ。東部のイエール大学法科大学院を出たエリートだが、出身は内陸部ケンタッキー州パドゥーカ。クリーニング業を営む父のもと、工場労働者だった祖父のような「労働者への親愛」をたたき込まれたことが、ハミルトン主義者の原点だ。

「ワシントンとともに独立戦争を戦ったハミルトンは、船舶や弾丸、軍服を自国で供給できない国は他国に依存することになり、真に自由であり続けることはできないと考えた。だから製造業の発展を重視した」。トランプの貿易戦争には、自由貿易を重視するアメリカのグローバル企業も反発したが、ライトハイザーやボーンらハミルトン主義者たちは企業に対抗する国家権力を信奉し、強権的な市場介入も辞さなかった。その大きな流れはバイデン政権に引き継がれた。

グローバル化のかけ声のもと、国家が市場に甘い自由放任の姿勢で臨む時代は転機を迎えた。一方で、政府の規制が行き過ぎれば、企業は魅力的な製品やサービスを生み出さなくなり、非効率や腐敗で社会は壊死してしまう。自由貿易を通じた世界規模の競争は、経済と社会にダイナミズムを生む。公正なグローバル化の模索は依然として重要だが、その過程では、さまざまな要素を踏まえて国家がブレーキを効かせなければならない。考慮すべき要素は人権・労働環境、自然環境の保護、戦略物資の安定調達、安全保障に関わる技術流出の防止……など多岐にわたる。ただ、その中核となるべき視点は、突き詰めれば、ごく普通の人々の暮らしと、その安全網になる地域社会を守ることにある。

ただ、通商や外交には相手がある。その国家としての意思を、自らの思うように変えることは難しい。一党独裁の権威主義体制を維持し、しかも、日本にとっても最大の貿易相手国となった中国をどうとらえればよいのか。アメリカや日本のような民主主義国家が、自らの基盤を踏み固めるうえでも重要な意味をもつこの問題を、次章でさらに掘り下げたい。

第2章　ひび割れる世界

——アメリカと中国

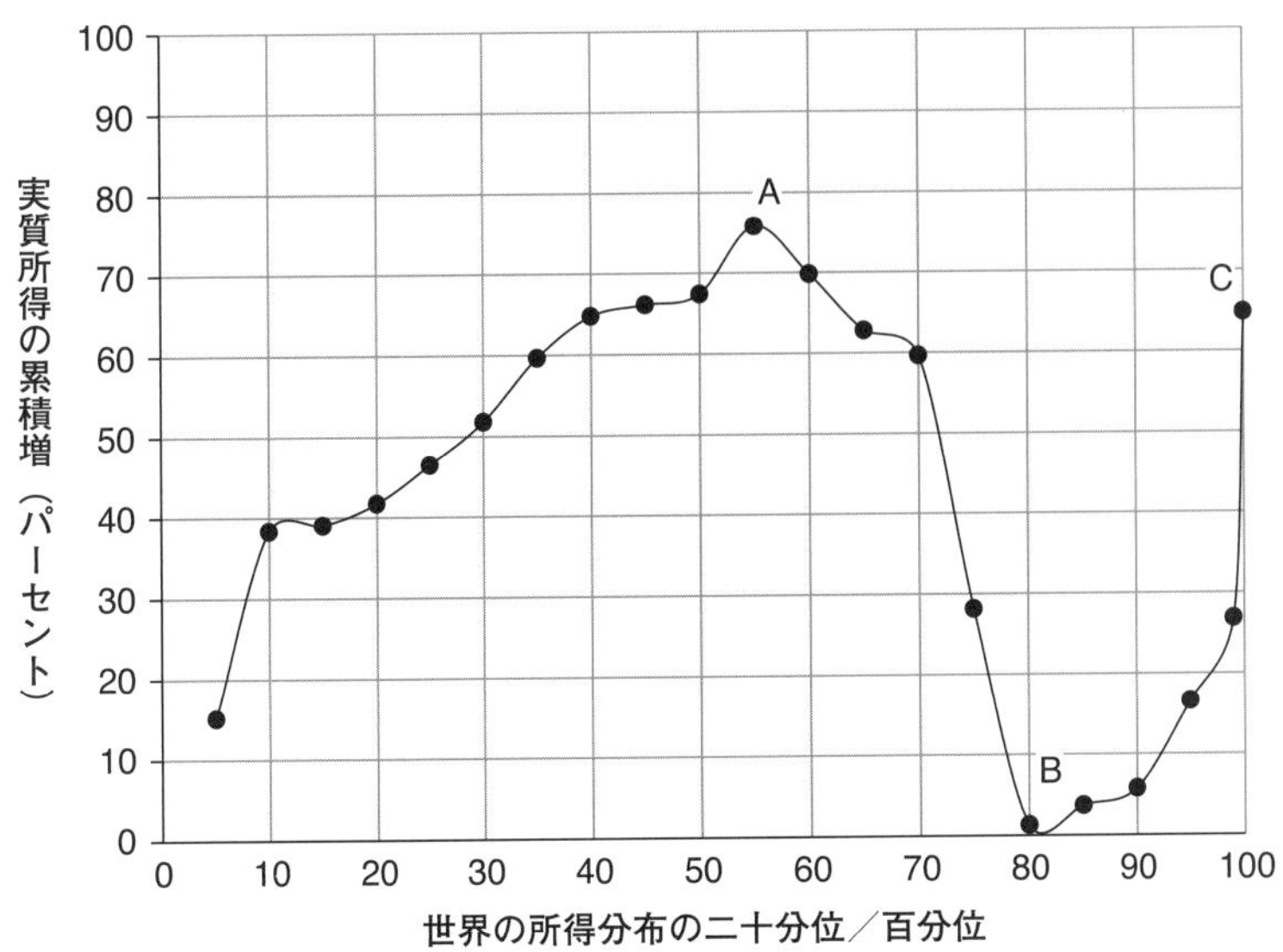

ミラノヴィッチの「エレファントカーブ」＝1人当たりの実質所得の相対的な伸び（1988-2008年の世界の所得水準による）。詳細は本章78頁を参照。
（ブランコ・ミラノヴィッチ『大不平等——エレファントカーブが予測する未来』立木勝訳、みすず書房、2017年、13頁より）

ある外交官との再会

2018年5月24日、首都ワシントンDCのホワイトハウス近くのレストラン「ラファイエット」で、米国の元駐中国大使、ステープルトン・ロイと久しぶりに再会していた。

4年前の14年2月、朝日新聞の特集版GLOBEで、「アメリカと中国　1776-2030」と題して米中関係の歩みをたどった。特集で取り上げたのが、ステープルトンと兄デビッド・ロイの兄弟だった。デビッド・ロイはシカゴ大学名誉教授で、アメリカを代表する中国古典の研究者だ。当時から、筋肉が衰える難病「筋萎縮性側索硬化症（ALS）」に冒されていた。18年に特派員として赴任し、あらためてステープルトンに連絡をとったところ、「デビッドが16年5月に亡くなった」と聞かされたのだ。

トランプ大統領はツイッターでニュースの旋風を巻き起こしながら、中国との貿易戦争を繰り広げていた。デビッドが存命だったら、そんなトランプをどう評しただろうか。ステープルトンは「兄は昔から頭がよく、ライバルになれなかったが、外交は私の意見を尊重してくれたから同じだと思う」と言い、続けた。

「トランプには大統領としての資質がない。トランプが携わってきた不動産業は『ゼロサム』のビジネスだ。買うときはできるだけ安く買いたたき、売るときはできるだけ高く売る。このごり押しのビジネスを外交にも当てはめ、強い立場から法外な要求をすればそれが通ると思っているが、相手も強い圧力をかけて本気で対抗してくれば、引き下がらざるを得なくなる」

トランプ本人は確かに外交の素人であり、大局的な戦略など持ってはいない。ただ、ステープルトンが「ゼロサム」ではなく「ウィンウィン」の道筋を描こうとした米中関係も、明らかに袋小路に入り込んでいた。

ステープルトンが外交官として大きな役割を担った1970～90年代は、72年のニクソン訪中以来、中国に対する「エンゲージメント（関与・取り組み）政策」を基調とした時代だ。冷戦終結後のグローバル化で、中国は最大の受益者となった。改革開放が本格化した1979年から2018年までの間、経済成長率は年平均10%近くに達し、8億人を超える人々が貧困から抜け出た。01年のWTO加盟後は輸出の伸びが加速し、世界の輸出に占めるシェアは、2000年には香港を含め7%ほどだったのが、20年には2割近くまで拡大した。安価な労働力と巨大な投資機会を提供する中国との経済関係の強化は、小売、IT、金融などのサービス業を中心にアメリカ経済の成長にも貢献した。

ただ、アメリカが期待した巨大な中国市場は結局、米国製品の巨大な買い手にはならず、恒常的な米中間の貿易不均衡が続いた。アメリカの大衆は安価な消費財を得た。だが、製品が安くなるということは、それを国内でつくっていた人々が高い付加価値を持つ別の製品やサービスを生み出せるようにならない限り、雇用減や賃金の低下という形で地域社会に打撃をもたらす。教育や職業訓練を含め、広い意味での社会保障を通じてその打撃を和らげる必要があったが、中国へのエンゲージメント政策に基づく経済関係の深化はあまりにもペースが急すぎた。米製造業地帯の不満を追い風に大統領にのし上がったトランプはある意味で、エンゲージメント政策が生み出した意図せざる結果だったともいえる。

エンゲージメント政策の根底には、「アメリカのデモクラシー」の優位性に対する過信があった。中国市場を自由な経済システムのなかに取り込めば、アメリカの覇権を脅かさない範囲で中国が成長を続け、民主化に至るという幻想である。こうした一方的で都合のよい見通しが、世界の平和と安定につながる保証はない。

政策には慣性と惰性が働く。トランプという素人の現状破壊者が現れたことにより、対中外交の修正が一気に容易になった面もあった。トランプの素人外交は、民主主義の外交が持つ不安定性とともに、弾力性を示してもいる。トランプ個人の思惑はどうであれ、エンゲージメント政策を転換し、中国を競争国と位置づけて対抗を図る政策が、アメリカの新しい基本路線となったのである。

ロイ家の物語

アメリカが中国に対して格別の思い入れを抱き、期待に基づく外交を展開するものの、結局は意に沿わない結果を招き、対中外交が反動的に大きく揺れ動く――。そんなパターンは、アメリカ史上、過去にもみられた。その影響を大きく受けてきたのが、日本である。

高校3年の夏に初めてアメリカを訪れ、大学時代に日米学生会議に参加して以来、私は「なぜこのような大国と、日本は戦争しなければならなくなったのか」という疑問にとりつかれてきた。日本が米国と戦争をする必然性は弱かった。日米戦争の主因の一つは、日本の中国への侵略であり、それに伴う中国市場をめぐる競争である。だが、そもそも戦前のアメリカは、中国に具体的な権益を持っていなかった。日本は、ナショナリズムを高めた中国はもちろん、中国市場の権益や勢力圏をめぐってソ連や英国とは戦争をする相当な必然性があった。しかし、もともと中国に権益のないアメリカは、日本にとって間違った敵だった。

ただ、アメリカも、19世紀末から20世紀初頭に国務長官ヘイが打ち出した「門戸開放政策」にみられるように、中国市場への期待感は強かった。第2次世界大戦で日本を完膚なきまでに打倒したことは、アメリカにとっても正しい戦略的判断ではなかった。中国市場をめぐって日本と争ったはずだったのに、大日本帝国の崩壊後にその力の空白を埋めたのは、ソ連と共産中国であり、中国市場は長く閉ざされた。

米中関係をどう見定めるかが、日本の興亡をわける最大のカギだ。「ロイ家の物語」に関心を持ったのも、米中関係の底流にある本質を探り、その中で日本の針路を考えたいと思ったからだ。

ロイ兄弟の兄でシカゴ大名誉教授のデビッドは、シカゴ郊外に住んでいた。13～14年、2度にわたっ

米の元駐中国大使ステープルトン・ロイ＝2014年1月17日（著者撮影）

て訪れたその居宅には、古い家族写真が飾られていた。両親とデビッド、2歳年下の弟ステープルトンが写っており、父アンドリューは爆竹を握っている。1944年、中国内陸の四川省・成都の旧正月。父は中国人にならい爆竹を鳴らし、新年を祝ったのだろう。中国は、1930年にアメリカから中国に渡った宣教師の父アンドリューが夢を追った舞台だった。アメリカのプロテスタント教会は中国での布教や教育に力を入れ、20世紀前半には数千人の米国人宣教師がいた。

37年に日中戦争が起こると、日本軍は一家が暮らす成都をたびたび空襲した。兄弟は戦時下に、中国人の子らと遊びながら育った。41年には太平洋戦争も始まり、米中はともに日本と戦う。「街には貧困の悲しみがあふれていた」とデビッドは回想した。第2次世界大戦で日本が敗れると、国共内戦を経て49年に成立した共産党支配の中国は反米の姿勢をあらわにし、ロイ家の運命も変えていく。50年6月、朝鮮戦争が始まり、冷戦はアジアにも広がった。ロイ兄弟はアメリカに帰国した。

その年の暮れ、中国に残った父アンドリューは異変に気づく。当時教えていた南京の大学で、自分を「帝国主義者」と批判するポスターがあちこちに貼られ始めたのだ。まもなく、アンドリューを糾弾する集会が開かれた。自宅の前の広場で、中国人のかつての友人たちが自分を口汚くののしっていた。アンドリューは中国からの退去を強いられる。追われるように中国を出たロイ家だが、その魅力は一家をとらえ続けた。漢字や中国の歴史にひきつけられていた兄デビッドは、ハーバード大をへてシカゴ大教授となり、古典を通じて中国文明の姿をとらえ直そうとした。弟ステープルトンは国際政治に興味を持ち、プリンストン大を卒業し、外交官になる。

78年6月、ステープルトンは中国に戻った。中ソ対立を契機に72年、ニクソン大統領が訪中し、米中は歴史的な和解へと進む。エンゲージメント政策に向けた大きな流れが生まれようとしていた。ステープルトンは北京の米国連絡事務所のナンバー2として、米中国交の樹立に向け極秘交渉にあたる。当時、アメリカは台湾の中華民国と国交を保ち、軍事支援も続けていた。交渉が明らかになれば、台湾や米国内の台湾支持派の反対で国交樹立は遠のく。「決して誰にも、秘密を知られてはならなかった」。とにかく早く、交渉をまとめなければならない。ステープルトンには重圧がのしかかった。

78年12月。幾度かの失脚を乗り越え、最高権力を握りつつあった鄧小平(とうしょうへい)が、交渉に登場する。「希望が見えた」とステープルトンは感じた。国交樹立という大局的な利益を重くみて、大胆な妥協もいとわない鄧の姿に、ステープルトンは心を動かされた。

79年1月、米中は国交を結ぶ。変わり始める中国。変わらないものは何なのか。80年代に入り、兄デビッドはある中国古典の研究に没頭し始める。明代の奇書『金瓶梅(きんぺいばい)』。性欲、金欲、権勢欲……。あらゆる欲を乾いたユーモアと綿密な構成で描いた小説だ。中国語の原典に初めて出会ったのは50年、南京の古本屋だった。思春期のデビッドは「ポルノだと聞いていて、興味津々だった」という。だが研究を重ねるにつれ、「世界文学史上で屈指の作品だ」と考えるようになる。『金瓶梅』の作者は、中国の歌や劇などから膨大な引用を繰り返しながら、社会を生々しく描いていく。デビッドは現存する最古の版を、注釈付きで初めて英語で完訳することを決め、82年に着手した。「米中は、ともに自らの文明が最高で、世界の中心にいると考える傾向がある」。中国人の暮らしや歴史、文化を凝縮した『金瓶梅』を通して、中国のありのままの姿をアメリカ人に伝えたかった。93年、デビッドは翻訳第1巻を出版する。

そのころ、米中関係は再び壁にぶち当たっていた。89年6月、北京の天安門広場で盛り上がった民主化運動を鄧小平が弾圧し、アメリカの世論や議会は激しい怒りを向けた。両国間に不信が残る91年、ステープルトンは大使として中国に赴く。93年1月に発足したクリントン政権はこのころ、中国が人権問題を改善しなければ、貿易の最恵国待遇を更新しない、との公約を掲げていた。だがワシントンからはステープルトンに対し、一向に具体的な交渉条件を伝えてこない。一方、「アメリカを代表する企業の経営者たちが続々と中国を訪れ始めた」。米経済界は対中ビジネスの巨大な可能性を見すえ、エンゲージメント政策の布石を打ち始めていたのだ。

民主化の理想にこだわる立場と、経済交流という利益を重視する立場。「二つが政権内でぶつかり合った結果、私のもとには何の指示もこなかった」。だが、ステープルトンは「結局、勝ったのは経済派だった」と振り返る。94年5月、クリントン政権は最恵国待遇を人権とからめない方針を発表した。これ以降、米中関係は経済優先を軸に、相互依存を深めていく。クリントンは２０００年3月の演説で、中国の民主化への期待を高く掲げた。「経済的変化のプロセスを加速させることにより、中国がより早期に、正しい選択をとる必要性が強まる。中国での人権や政治的自由についても重大な影響を与えるだろう」。翌01年、米国の支持のもと、中国はＷＴＯに加盟した。

この間、兄のデビッドは『金瓶梅』の研究に沈潜した。デビッドは取材に、「私は中国に対し、特に感情的な思い入れを持つことはなかった」とたんたんと語った。人生を文字どおりこの奇書の研究に捧げながら、「思い入れを持たなかった」と語るデビッドには驚かされた。取材の前に『金瓶梅』の岩波文庫版全10巻を読んだが、あまりに即物的な性愛の描写や、権力者の腐敗に対するニヒルな描写に、とらえがたい違和感と、中国文明というものの不可思議さを感じた。その『金瓶梅』を解剖するように丹念に読み解き、中国を根っこから理解しようと努めたデビッド。異なる文明を、その内在的な論理に即して解剖学者のように分析したからこそ、「思い入れ」を持つことがなかったのだろう。

しかし、圧倒的多数のアメリカ人にとって、中国は遠い、幻想のなかの国である。米国民の世論を外交官として背負ったステープルトンは「米国人は中国を理想化しすぎたり、逆に、邪悪だと決めつけたりする傾向があった」と振り返る。アメリカは長く、欧州という「旧世界」から孤立を守ろうとする傾向が強かった。だが中国に対しては、「清教徒がつくった理想の国」という自己イメージを下敷きに、民主主義の理念を訴え、変化を促そうとした。他方、中国を巨大市場ととらえ、経済的な利益を求める声も強かった。20世紀に入り、より積極的に中国へ進出しようとした時も、二つの潮流が影響し合って政策がつくられた。特に力を持ったのが、宣教師とビジネスマンである。

宣教師は帰国すると、信者に中国の姿を伝えた。ノーベル賞作家のパール・バックやタイム誌発行人のヘンリー・ルースは宣教師の家庭に生まれ、中国に深い共感を寄せた。戦前の米国では次第に「日本などの帝国主義国の侵略に苦しむ中国は、米国が助けなければならない」という世論が広がる。ごく限られたメディアの中国特派員も、対中イメージの形成に大きな役割を果たした。36年、外国人記者として初めて中国共産党の拠点、延安に入り、毛沢東と会見したエドガー・スノーは、共産党を好意的に描き、著書『中国の赤い星』はベストセラーになる。日中戦争から国共内戦の時代に中国で活躍した米国人記者たちを描いた『チャイナ・ハンズ』（未邦訳）の著者、ピーター・ランドは、自らの父も中国特派員だった。[1] ボストン近郊の自宅を訪れた私に、ランドは、「父にとって広大な大地が広がる中国は、アメリカ人が憧れる『未開の西部』の延長だった」と振り返った。

49年10月に共産党の中華人民共和国が成立すると、アメリカでは反動のように、中国の「喪失」に対する激しい幻滅が広がる。50年４月の国家安全保障会議文書「ＮＳＣ‐68」は、大幅な軍事力増強でソ連や中国を封じ込める意図を明確にした。上院議員マッカーシーに率いられた極端な反共ヒステリー現象「マッカーシズム」も生み出し、アメリカ社会を席巻した。

ビジネスの論理

一方、冷戦下でも、実利重視で米中を結びつけようとするビジネスの論理が途絶えていたわけではない。その経済界の代表格が、例えば、米企業ＡＩＧを世界最大の保険グループに育てた立志伝中の人、モーリス・グリーンバーグだ。

２０１４年１月、グリーンバーグのニューヨークのオフィスを訪ねると、鄧小平や、温家宝（おんかほう）、朱鎔基（しゅようき）といった中国の指導者と撮った写真がいくつも飾られており、圧倒された。「市場を開こうとするときは、その国の指導者を知ることが肝心だ」とグリーンバーグは語った。

グリーンバーグは朝鮮戦争で兵役についた後、ＡＩＧの母体となった保険会社に入った。１９１９年にアメリカ人が上海で始めた会社に源流を持つ企業だが、共産中国の成立後、ビジネスの機会を失っていた。グリーンバーグは60年代後半、ＡＩＧのトップの座に就く。79年１月に米中の国交が回復すると、ＡＩＧは早くも翌年、北京に最初の事務所を設け、中国人民保険との合弁事業を進めた。中国市場開拓のカギを握るのは人間関係だ――。グリーンバーグがそう実感した一例が、当時は上海市長で後に首相となる朱鎔基との出会いだ。保険で集めた資金をインフラ投資に生かそうと朱に提案したところ、「新しい発想を取り入れる卓越した指導者」（グリーンバーグ）という朱は賛同した。92年、AIGは外国の保険会社として初めて、上海で営業許可を得る。

グリーンバーグは米国内でも人脈を築き、中国との交渉力の支えにした。AIGは、社内の「国際顧問会議」の議長に、ニクソン訪中の立役者キッシンジャー元大統領補佐官を迎えた。冷戦終結期の89～93年に米通商代表を務め、自由貿易を推進したカーラ・ヒルズも、93年から2006年までAIGの役員を務めている。有力シンクタンクに多額の寄付をし、言論界にも影響力を持った。

中国は、権力がきわめて少数の人間に集まる。その要人と親しいアメリカ人が、対中人脈を支えに力をつけ、さらにそれをテコに中国での人脈を広げていく。そんな図式で米中の有力者同士が結びつき、富や権力がエリート層に集中する傾向は、アメリカが掲げる民主主義の価値との間で時に相克を生む。グリーンバーグは、人権問題などで中国に厳しい姿勢を取るべきだ、という立場からは批判も浴びた。そうした批判の声について問うと、グリーンバーグは「米国が、自分の価値基準を押しつけることは許されない」と色をなして反論した。

米国民の対中イメージを形成するメディアの論調は中国への期待や願望に流れ、「経済成長すれば民主化する」「中国はいずれ崩壊する」と、見方が二極化しがちだった。ただ、ロサンゼルス・タイムズの外交記者を務め、米メディア有数の中国専門家として知られるジェームズ・マンは2000年代の時点で、中国について「民主化する」「崩壊する」のいずれでもなく「成長を続けるが民主化はしない」という第3のシナリオを有力視していた。[2] マンは私の取材に対し、「米国人にとって中国はあまりにも遠く、巨大な国であり、理解するのは難しかったということだ」と振り返った。

その後の推移は、マンの慧眼が正しかったことを証明する。中国市場を「フロンティア」に見立て、自らの似姿のように変えられるとみるアメリカの楽観主義は、ふたたび大きな壁にぶち当たった。

こうした対中関係の揺らぎは、戦後の対ソ封じ込め政策を練り上げた外交官ジョージ・ケナンが「国際問題に対する法律家的（リーガリスティック）・道徳家的（モラリスティック）アプローチ」と呼ぶアメリカ外交の基層とも関係している。ケナンは、世紀の境となる1899〜1900年、国務長官ヘイが中国市場の開放を求めて表明した「門戸開放政策」に注目し、こう批判した。「政治的原則としての門戸開放、領土保全主義の難点は、これらの文句が、外交政策の基礎として役立ち得るには明確な意義を欠いているということに外ならなかった」[3]。門戸開放の要求は、誰も反対できない正義の装いをまとってはいたが、外交戦略としての具体的裏付けをもたなかった。アメリカは抽象的な理念のもと、中国市場をめぐって日本と争い、第2次世界大戦に勝利したものの、中国市場は共産中国の成立によって閉ざされた。ケナンは、アメリカのアジア外交は「中国人に対するある種のセンチメンタリティーによって影響されていた」が、それは「米中関係の長期的利益をなんら助けるものでも」なかったと指摘した[4]。感情的に中国に肩入れし過ぎ、共産主義の台頭を許したのは失敗だったと、ケナンは感じていたのだ。

冷戦終結後、世界最大の人口を持つ中国を貧しく巨大な孤島のままにとどめておくことはできなかったし、すべきでもなかった。ただ、アメリカや、それにおおむね追随した日本が進めた中国への「エンゲージメント」は、あまりに性急であり、無防備であった。中長期的な視点で中国との安定的な関係を保つために必要なのは、解剖学者のようなリアリズムとドライな距離感である。

関与政策の挫折

トランプ政権は17年12月、「国家安全保障戦略」（NSS）を発表し、中国やロシアについて、国際秩序の転覆を図る「修正主義国家」と名指ししてこう述べた。「何十年もの間、アメリカの対中政策は、中国の成長と戦後の国際経済秩序への統合をアメリカが支持することにより、中国を自由化できるという信念に基づいていた。この希望とは裏腹に、中国は他国の主権を犠牲にして権力を増強した。さらに、他に類を見ない規模でデータを集め、悪用し、監視や腐敗がつきものの権威主義的な統治システムをまき散らしている」[5]。超党派の米議会の諮問機関「米中経済・安全保障調査委員会（ＵＳＣＣ）」も18年の報告書で、「アメリカの対中政策はこの数十年間、関与を続ければ中国は自由で責任ある国になるとの期待に基づいていたが、期待はムダだった」と結論づけた[6]。

こうしたアメリカ外交の歴史的転換について、ぜひ見方を聞いてみたかった米高官がいた。01～05年に米通商代表、05～06年に国務副長官を務め、対中関与政策の仕上げ段階で中心的役割を担った元世界銀行総裁、ロバート・ゼーリックである。国務副長官だった05年の演説で、中国に「責任ある利害共有者（ステークホルダー）」として国際協調の枠組みに加わるよう求めたことで知られる。14年1月、朝日新聞ＧＬＯＢＥの「アメリカと中国」の取材でも詳しく話を聞いていた。「中国と共有できる利益を見つけ、中国がその利益を追求することを通じて国際社会に関わるよう働きかけるべきだ、という私の考えは変わらない」。そう確信を持って語る姿が、印象に残っていた。

だが、18年春にワシントンに赴任すると、アメリカの対中世論の急激な悪化は予想を超えていた。かつて共和党系経済高官の主流派として外交の檜（ひのき）舞台を踏んだゼーリックのような見方は、急速に力を失っていた。冷戦終結後の自由化の時代には非主流派だったロバート・ライトハイザーが、ゼーリックの「後輩」の通商代表として、主流派の位置を占めていたのとは対照的だった。

この間、経済競争の主軸は、モノの貿易から「知的財産（無形資産）」や「データ」へと移っていた。中国は労働集約的な産業だけでなく、データや人工知能（ＡＩ）、次世代通信規格「５Ｇ」などの分野でも技術革新を加速度的に進めた。膨大なデータを集め、分析し、瞬時にやりとりする技術は、自動運転車などの民生技術だけでなく、ドローン兵器などの軍事分野でも死命を制する。中国共産党は強権的な手法で14億人の巨大市場から大量のデータを集められる。この競争では、自由で民主的な体制が足かせになってしまいかねない。いまくさびを打たなければ、やがて軍事を含め、米国の覇権が脅かされる――。そんな焦りや危機感が、ライトハイザーら対中強硬派に力を与えていた。

ゼーリックの05年の演説はエンゲージメント政策を補強し、中国に友好的に関与し続ける方針を示した、と受け止められた。判断を誤ったのか。まず聞いたのはその真意だった。

「私の演説は、当時の胡錦濤国家主席に近い鄭必堅・改革開放フォーラム理事長が唱えた『中国の平和的台頭』への、アメリカ側からの回答だった。よく誤解されるが、私は何も『中国はすでに責任ある利害共有者である』と言明したわけではない。そうなるべく行動せよ、と中国に呼びかけたのだ」

ゼーリックは「いまの米国には『押しの強い態度』を良しとするムードがみなぎっている」と嘆いた。『関与は失敗だった！　もう中国とは協力できない』と。中国と対決せねばという『態度』しかなく、具体的な成果が求められる『政策』とはいえない」。例えば、USCCの報告書の「ムダ」という認定自体、「事実の裏付けがない」とゼーリックはいう。「核不拡散や大量破壊兵器の管理、環境問題、イランや北朝鮮への対処など、米中協力の利点が目に見えた例はたくさんある。中国の経常黒字はゼロに近づき、為替操作もしていない。08年のリーマン・ショック後、財政出動で世界の成長を支えたのも中国だ。協力が互恵をもたらさなかったとみるのは誤りだ」

ゼーリックの整理によれば、米中関係の争点は大きくわけて六つある。①知的財産侵害などを含む市場アクセスの問題、②不透明な産業補助金などの国家資本主義、③ＡＩや５Ｇなど、安全保障に関わる先端技術、④中国主導の巨大経済圏構想「一帯一路」、⑤強権的な対外政策、⑥少数民族の人権や民主化の抑圧――である。こうした課題についても、「ウィンウィンで解決できる可能性がある」という信念は変わっていない、という。「アメリカがとるべき道は、同盟国と連携して何を優先すべきか決めることだ。中国が東シナ海で強引な主張をすれば、アメリカと日本とが毅然と、越えてはならない一線を示せばよい。米中にとってウィンウィンの結果を生み、対立を解決できる分岐点、衝突を回避しつつ守るべきものは守る分岐点はどこか。それを見据えて政策をうまく組み合わせることが重要なのだ」

印象深かったのは、ゼーリックが、トランプの台頭によって揺らいでいるようにみえた「アメリカのデモクラシー」そのものについては楽観的だったことだ。「アメリカには中国のような『中核的な指導者』はいない。あるのは『統治の仕組み』だ。議会、裁判所、州政府、地方の首長、民間セクター。革新的な動きはそこで起きている。だからアメリカのシステムには回復力があり、権力の抑制と均衡（チェック・アンド・バランス）も働く。むしろ心配なのは、脆弱な国際社会のシステムだ」

そもそも、アメリカは究極的には、国際社会のシステムに依存しなくても立っていける国である。肥沃な国土に恵まれ、食糧にもエネルギー資源にも事欠かない。周囲を取り囲むのは二つの大洋と、カナダ、メキシコという友好国だ。経済基盤を海外資源に頼る日本や、周囲を潜在的な敵対国に囲まれた中国とは根本的に異なる、地政学的な好条件に恵まれた大国なのである。トランプが「アメリカ・ファースト」を唱え、国外への軍事的・経済的介入から手を引こうとするのは、米国民の負託を受けた大統領の立場とすれば、ある面では合理的な選択とも言える。

それでも、ゼーリックは、「今ある国際システムを壊さないことが米中双方の利益だ」と断言した。「中国は国際システムを都合良く利用し、さらに『一帯一路』のような自国流システムも築きつつある。しかし、最も問題なのは、トランプ政権が国際システムを葬り去ろうとしていることだ。安全保障でアメリカが支援をする国際的な枠組みが弱体化すれば、日本、韓国、東南アジアはどうすればいいか。現代の『朝貢体制』、中国が支配する秩序はだれも望んでいないはずだ」

そのゼーリックでさえ、「ウィンウィンの解決」が最も難しい分野として挙げたのが、安全保障に直結する先端技術の問題だった。トランプ政権で、先端技術の輸出規制による対中制裁を実務トップとして担ったのが、ナザク・ニカクタール元米商務次官補である。バイデン政権発足後、下野したニカクタールに取材できたのは21年9月。彼女は、「今ある国際システムを壊さないことが米中双方の利益」というゼーリックの認識を共有していなかった。むしろ「中国がアメリカの打倒を図っており、米中が共存するには双方の同意が前提である以上、米中の共存は選択肢にならない」と語った。

ニカクタールはイラン生まれで、6歳の時にイラン革命で米国に移住した。「米国の根本的欠陥は、革命や混乱を長く経験していないため、ほかの国家がどれほど極端な行動に出るかに想像が及ばないことだ。閣僚でも『経済戦争』について理解していないことがある」という。そして、中国が01年のWTO加盟以降、知的財産の窃取や多額の産業補助金などによって米製造業を弱め、「（リーマン・ショック後の）08〜09年ごろから、米産業を空洞化させる攻勢を加速させた」と主張する。

「貿易戦争」という言葉と同じように、「経済戦争（economic warfare）」という言葉も、いまの米中を軸とした国家間対立の本質を突いている。通常の軍事行動と、貿易や先端技術を巡る経済的な摩擦とは、もはや一般にイメージされているほどには峻別することができない。グローバル化に伴う経済の相互依存やITの技術革新により、国家が自らの影響力を高めるために用いる攻撃・防御手段の多様化が進んだ。22年2月末、ウクライナに侵攻したロシアの軍事戦略を巡っても、サイバー攻撃や、SNSを使ったプロパガンダ戦などを組み合わせた「ハイブリッド戦争」が注目された。[7] 軍事行動と非軍事の強圧的手段との境界がぼやけた領域に、早くから注目してきたのが中国であった。中国軍関係者は90年代末の時点で、すでに、アメリカ発のハイテクが生んだ「非軍事の戦争行動」の重要性を強調し、アメリカ人が「この新しい戦争概念を率先して打ち出すことができなかった」と指摘している。[8]

中国への「貿易戦争」も、米側から見れば、軍事と経済がないまぜになった経済戦争における「防戦」という性格が強かった。米商務省は19年5月、中国の通信機器大手、華為技術（ファーウェイ）に対する輸出規制の制裁を決めた。このとき、風邪で寝込んでいたニカクタールは、トランプの最終決定を受け、39度の高熱のなかで対応に追われたという。20年には、台湾の台湾積体電路製造（TSMC）からファーウェイに高性能半導体が流れるのを止めるため、輸出規制をさらに強めた。

ニカクタールは、5Gなどの先端技術分野でアメリカや同盟国が後れを取れば、「平和と民主主義を信じない国に先を越され、危険な状況に陥る」という。特に、最先端の半導体技術を、米中対立の正面である台湾のTSMCが一手に担っている現状のリスクは大きい。中国がTSMCを支配下に置くような事態になれば「アメリカの防衛力は破壊される」ためだ。ニカクタールは日米豪印の「クアッド」による連携を重視し、半導体や、レアアースなどの重要鉱物の供給網の強化が最も重要な協力分野だ、と強調した。

中国は米半導体産業が売上高の4割近くを稼ぐ最大顧客で、輸出規制の強化は米半導体産業の競争力を弱めかねないとの指摘もある。だが、ニカクタールは「危険な国家に米企業がものを売って今日は利益を出していても、明日にはつぶされるかもしれない。これほどの国家安全保障上の課題を前に、企業の利益競争がなぜそれほど重要なのか理解できない」と一蹴した。アメリカの商務省とは、米産業界を代弁し、その利益の追求を後押しする役所だったはずだ。その商務省の元高官からこの言葉を聞き、新しい「経済戦争」の渦中にあって、通商産業政策の根本思想が変わりつつあるのを実感した。

「中国株式会社」の台頭

対中エンゲージメント政策を選んだアメリカの指導層が、国際秩序を改変しようとする中国の意思と潜在的な国力の大きさを読み誤っていたことは否めない。その誤算の「種」は、アメリカの圧倒的な覇権のもと、グローバル化が着実に展開していたように見えた時代に、すでに胚胎していた。

海上交通の自由や法の支配など、グローバル化のインフラを支えたのはアメリカの圧倒的な経済・軍事的覇権である。アメリカは、01年に起きた9・11同時多発テロをその覇権に対する挑戦と受け止め、中東での対テロ戦争へとのめり込んでいく。中国がWTOに加盟したのは、9・11テロの3カ月後だ。アメリカがいつ終わるともしれない対外戦争で国力を消耗する一方、中国はアメリカ主導の自由な国際経済秩序のメリットを最大限に生かし、貿易大国として急成長した。

WTOには、中国が通商ルールに従うよう促す役割が期待されたが、その機能を十分に果たせたとは言いがたい。中国は、自国の巨大市場への参入と引き換えに技術移転を強要したり、サイバー攻撃をかけたりして、外国企業の生命線といえる知的財産を不正に得てきたとされる。中国による知財窃盗の被害は、米GDPの1〜3％分にも相当する、という推計もある。[9]

そのほんの一端を示すのが、米風力発電部品大手「アメリカン・スーパーコンダクター」（AMSC）の事例だった。「まるで映画か小説のような話が、証拠に基づいて明らかになった」。AMSCのダニエル・マクガーンCEOは私の取材に対し、そう振り返った。

ウィスコンシン州の連邦地裁は18年1月、AMSCからソフトウェアのソースコード情報を盗んだとして、中国国有企業の風力タービン大手「華鋭風電科技集団」に有罪判決を言い渡した。判決は、ソフトウェアの窃盗によるAMSCの損害は8億ドル超に上り、700人の雇用喪失につながったと認定した。マクガーンは「AMSCの知的財産の対価がアメリカに還流しなければ、アメリカでの投資ができなくなる。雇用が奪われた700人の家族にとっても大変な苦境だった」と語った。

裁判では、中国側が知財を不正に得るためのスパイ映画さながらの内幕が明らかになった。AMSC

は華鋭と提携し、ソフトを07年から提供していたが、11年3月に突然、契約の打ち切りを通告された。その後、ソフトのソースコード情報を流出させた元従業員のセルビア人男性がオーストリアで逮捕される。華鋭側は男性に「あなたの力強い助けが必要だ」などと働きかけ、巨額の報酬や住宅の提供を申し出ていた。セルビア人男性が「成功すれば、華鋭はＡＭＳＣから離れられる」などと応じる生々しいやりとりがチャットやＥメールから浮き彫りになった。

ＡＭＳＣの被害事例のような知財侵害が一向に改善されない事態に、米議会や労働組合、人権団体などに比べると中国に融和的だったアメリカのビジネス界も不満を高めていく。それが、トランプの貿易戦争を支える対中世論の硬化の重要な背景だった。問題は中国の場合、こうした「民間」の知財侵害と軍事的な対立行動との境界があいまいなことだ。華鋭のような国有企業を中心に、ＡＩなど民生・軍事双方で決め手となる先端技術で急速に力をつける一方、国防予算は、公表分だけで90年度から30年間で約44倍、２０１０年度から10年間で約２・４倍に急伸している。その軍事力を巨大経済圏構想「一帯一路」と組み合わせながら、陸に海に覇権主義的な拡大姿勢を強めてきた。

こうした米中対立の構図を理解する上でも関心を呼んだのが、ハーバード大学法科大学院の法学者マーク・ウーが16年に発表した「中国株式会社　グローバルな貿易統治への挑戦」という論文だった。[10] ウーは中国での世界銀行勤務などを経て、バイデン政権の移行チームに加わった後、ＵＳＴＲ上級顧問として21年まで対中政策を担当した。学界に戻ったウーに取材できたのは22年3月。ワシントンのレストランに現れたウーは、穏やかな物腰に知性がにじむ人物だった。

ウーは、ＷＴＯが知財侵害や産業補助金などの面で中国を規律できなかった問題の根源に、中国の特異な統治体制があるとみる。「よくある誤解は『中国は国家が支配し、かつての日本の通商産業省のような官僚制が統制している』というものだ。だが、実態ははるかに複雑だ」

中国では、国有企業を保有する国有資産監督管理委員会（ＳＡＳＡＣ）などによる強力な経済統制の仕組みがある。ただ、こうした政府機関だけでなく中国共産党も、さまざまな企業のなかに入り込み、不透明な形で影響力を及ぼしてきた。『党・国家』の二重構造を持つ中国は、民間セクターとの間に非公式の関係が張り巡らされている。一方で市場の力も活用し、企業に競争させる。日本や韓国の財閥のような巨大な複合企業はなく、はるかに動きが機敏だ。この特異な経済構造が『中国株式会社』なのだ」。そう、ウーは分析する。

日米欧などは、中国の不透明な補助金や、外国企業に対する技術移転の強要、サイバー攻撃などを問題視してきた。ただ、ＷＴＯのルールは、政府が手続きを踏んで進める通商産業政策を規律することを想定していた。『党・国家』の非公式な統治構造が、ＷＴＯが規律できない方法で中国が政策を進めることを可能にした」とウーはいう。中国がＷＴＯに加盟した際、この「ダイナミックに進化する」統治構造について日米欧などは予見できず、その後も十分に対応できなかった。

「我々は、西側の自由主義経済を理解する枠組みで中国をとらえようとする傾向があるが、中国の歩みに根差したものとして理解しなければならない」

貿易による雇用減の問題は、かつての日米摩擦などでも一定程度は起きていた。ウーは、中国との間では、これとは別次元の「供給網」と「戦略的技術競争」の面で問題が深刻化したという。グローバル化で国際分業が進み、半導体産業などでは、完成までに何回も国境をまたぐ製品供給網が築かれた。企業はその供給網の中で、できるだけ利幅の大きい独占的位置を占めようと競争する。中国は「非公式」の政策誘導を重ね、供給網の付加価値の高い部門へと産業を移していった。そして、ＡＩや情報通信など、軍事と密接な分野に資源を注ぎ込む。自国が優位性を持つ原材料や製品は、輸出制限などを通じて他国に圧力をかける「武器」として使うことも辞さなかった。

ここで問題となるのが、「党の軍隊」としての性格も持つ人民解放軍との関係だ。「中華人民共和国の建国を振り返ると、そもそも中国共産党の内部で軍と民間との間に明確な線引きはなかった」。米政権や議会は、中国企業が共産党や人民解放軍の影響下にあるとみて、軍事転用が可能な技術の輸出規制を進めてきたが、対象を決め、規制を実施する上では困難がつきまとう。「中国に対しては、どの企業や組織なら大丈夫でどこならだめ、という線引きが難しい。中国経済の全体が（中国共産党などの）非公式の指導に基づき、いかようにも変化するものなので、ルールを決めて線引きを試みようとしても、結局は効果がない可能性がある」

当初日米が主導したTPPには、WTO体制の弱点を補い、デジタルや知的財産が大きな役割を担う新しい貿易のルールづくりを先んじて進めることで、中国を牽制する狙いがあった。しかし、トランプ前政権がTPPから離脱し、バイデン政権の復帰のめども立たないなかで、21年9月、逆に中国が「自由貿易」を掲げてTPPへの加盟を申請するに至った。

中国はすでに日本にとって最大の貿易相手国となり、多くの日本企業にとって対中ビジネスの利益は生命線だ。ただ、新疆ウイグル自治区での人権侵害などが国際問題になり、日本企業に対しても、軍事転用や人権侵害につながりかねない技術の管理や、中国国内の供給網の人権状況などについて、より厳しい目が注がれるようになっている。

ウーは「アジアの多くの国々は、経済安全保障の強化と、自国企業が中国で得る利益の維持とのバランスをとろうとしている」という。だが、「中国株式会社」の性格を踏まえ、「バランスをとることはそもそも可能ではない。それを試みても、実は中国の利益になる決定をしている」との見方を示す。「企業は常に株主の利益に基づいて決定する。大切なのは、効率や株主の利益に注目した企業の行動が長期的な国益に反する場合、政府が何をしなければならないのかという議論だ」

アメリカが中国に抱いた民主化の幻想は、ジョージ・ケナンのいうアメリカ外交の「法律家的・道徳家的アプローチ」とも密接に関連している。ケナンはこのアプローチについて、「われわれ自身の国のように、自分の国境および国際的地位に関して満足しており、国際的合意による外その変更を強要することを欲していないような国」に対してしか有効でなかった、という。[11] ウーも、「経済的相互依存が深まっても、中国を含む多くの国々が過去の歴史に根差した不満を抱き、それが従来の世界秩序では解決されないと感じている。アメリカはそのことを見過ごしてきた」と語る。

「勝者」の驕り

アメリカの中国に対する認識の甘さの背景には、第2次世界大戦に続いて冷戦にも「勝利」した、という驕りがあった。それを学んだのが、歴史家アンドリュー・ベースヴィッチへの取材だった。ベースヴィッチは、米軍将校からボストン大学教授に転じた論客で、米国による国外への軍事介入を「終わりなき戦争」と批判するシンクタンク「クインシー研究所」代表も務める。まず強調したのは、冷戦の終結が、アメリカにとっても拍子抜けするような予想外のできごとだったという点である。「私は、よもや冷戦に終わりが来るなどと思ったことはなかった。アメリカの政策形成に関わる多くの専門家たちもそうだっただろう。東西両陣営に二極化した冷戦の世界秩序はそれほどに自明のものであり、ソ連崩壊につながるとは、米国ではほぼ誰も想像していなかったのだ」

あまりに唐突な「勝利」は、冷静な判断をさまたげる。「ベルリンの壁崩壊を目の当たりにして、アメリカの政治家や知識人は古来、繰り返された『勝者の病』というべき傲慢さに陥り、現実を見る目を失った」。その結果、アメリカのエリート層が信じ込むようになったことが四つあるという。①貿易と投資の壁を取り払い、人とアイデアを自由に動かすことで巨大な富を生み出せるという「グローバル化」、②他国を軍事力で圧倒できるという「米軍の覇権」、③責任や義務の感覚を伴わない「自由至上主義」、④三権のなかで突出した「大統領の機能強化」――だ。いずれも深刻な問題点をはらみ、イラク戦争やリーマン・ショック、トランプの台頭などといった形で噴出した。

「トランプが当選した16年の大統領選で、何百万人ものアメリカ人が発したメッセージはこういうことだった。『グローバル化しても賃金は上がらず、暮らしはよくならなかった。民主党も共和党も政治エリートは全く信用できず、既存システムを破壊する、と言う男にやらせてみよう』。問題は、トランプが解決策を何ら示していないことだ」

ベースヴィッチは米陸軍士官学校を卒業後、ベトナム戦争従軍を含め米軍に23年間勤務した。保守派の論客として、米国の対テロ戦争を批判してきた。だが、本人は反対したイラク戦争に息子が米軍人として従軍し、戦死したという痛ましい経験も持つ。思い切って、息子への思いも尋ねた。ベースヴィッチは「息子のことは自分の胸にとどめておきたく、語らないようにしている」と答え、続けた。

「特に9・11テロ以降、アメリカ外交を指導する人々の間で戦争への現実感覚が薄れ、安易な軍事介入で状況の悪化を招くことが続いた。軍事力の政治的手段としての有効性には、限界がある。アメリカは他国に侵攻し、政権を転覆させれば自由民主主義国家のようなものをつくれると信じた。結果、生まれたのは混沌と無政府状態だった」

ベースヴィッチが挙げた「自由至上主義」についてもぜひ掘り下げて聞きたかった。仏思想家アレクシ・ド・トクヴィルが訪れた国家の草創期から、アメリカ人の自由至上主義や個人主義は変わらない。しかしトクヴィルは、同時にこの国が、教育や宗教、地方自治といった手段をうまく使いながら人々の公共心を育み、自由至上主義の弊害を和らげていると指摘していた。何が変わってしまったのか。

「トクヴィルが強調したのは、民主主義社会の市民として受ける特権には義務が伴うということだ。米国ではその感覚が冷戦終結後、消え失せてしまった。ただ、それ以前の60年代以降からこの傾向は生まれていた。徴兵制が終わり、民主主義国家を守るための義務という感覚が失われた。個人の幸福の追求に極端な比重を置いた自由の感覚が台頭した」

ベースヴィッチの息子のような幾多の兵士の犠牲のもと、グローバル化は急激に進む。しかし、その生み出す富の分配は多国籍企業や一部の富裕層に偏り、アメリカの大衆には豊かさの実感をもたらさなかった。ベースヴィッチも息子も、ほんとうの愛国者であろう。しかし、その思いや犠牲のすえにアメリカが歩んだ方向は、深刻な社会の分断と、私利私欲の追求に過度に比重が置かれていた。

あなたのような知識人を中心に内省の機運があるのは、アメリカ社会の強さではないか。ベースヴィッチの憂いの深さを思い、そんな質問を重ねるのが精いっぱいだった。

「そう信じたいが、平均的なアメリカ人がどこから情報を得ているか、考えてみてほしい。ツイッターと（トランプを礼賛する）ＦＯＸニュースだ。資本主義は確かに、富を生み出すことではソ連型社会主義よりも優れていた。ただ、富の分配という面では必ずしもいい制度ではない。どのような資本主義がアメリカ人の幸福感ある暮らしにつながるのか。アメリカはまだ答えを出せていない」。ベースヴィッチはたんたんと答えた。

「二つの資本主義」の行方

グローバル化は先進国で中間層の没落をもたらし、その拠って立つ民主主義の基盤を弱めた。ただ、世界全体でみれば、貧しい人々の生活を引き上げ、格差を縮めるのに貢献したことも間違いない。世界的な所得分布の変化を精緻な研究で解き明かした経済学者が、ブランコ・ミラノヴィッチである。

１９５３年、ユーゴスラビアの外交官の父のもとにフランスで生まれ、世界銀行を経てニューヨーク市立大学大学院センターのシニアスカラーを務める。ミラノヴィッチは、資本主義だけが世界に残されたシステムであり、いま世界をおおうのは、アメリカ型の「リベラル能力資本主義」と中国型の「政治的資本主義」の二つのモデルだと指摘した[12]。コロナ危機から1年あまりが経ち、世界が混沌からの出口を模索していた21年6月。資本主義はどこへ向かうのか――その展望を探るべく、ワシントンのレストランで取材したミラノヴィッチも、経済学にとどまらない膨大な教養と、知識人としての誇りがにじみ出る魅力的な人物であった。

ミラノヴィッチの名声を一躍高めたのは、1988〜2008年の実質所得の増加率を、世界の所得階層を横軸にとって折れ線グラフにした「エレファントカーブ（象グラフ）」だ[13]（本章扉参照）。折れ線の形状が横からみた象のように見えるこのグラフのポイントは三つある。まず、中国やベトナムなどアジア諸国の中間層が所得を増やしたこと。この層が象の「背中」にあたる（図中のA）。そこからグラフは下降曲線を描き、日本を含む豊かな先進国の中間層の所得が増えなかったことを示す（B）。横軸に沿って右端へと進むにつれ、高く持ち上げた象の鼻のように再び上昇する（C）。世界の上位1％にあたる超富裕層が巨額の利益を得たためだ。グローバル化と富との関係を可視化した象グラフは、トランプ台頭や英国の欧州連合（EU）離脱など、先進国の中間層の不満を背景とする動きとあわせて注目を集めた。

「レーガンやクリントン、サッチャーなどグローバル化を進めたリーダーは、国民に『大半の人は所得が伸びず、新興国で3分の1の給料で同じ仕事をする人々との競争になる』とは言わなかったが、結果的にそうなった」。ミラノヴィッチはそう語り、コロナ禍は、さらに格差を悪化させかねないとの見通しを示した。「リモートワークが普及し、ITでその作業を低賃金でやれる労働者が東欧など世界中にいる。先進国の中間層はますます圧迫されるだろう」

象グラフの時代に最大の受益者となったのが、中国である。ミラノヴィッチは、「資本主義を『大半の生産が利潤追求のため、私有の生産手段によって行われる制度』だと定義すれば、いまの中国は資本主義国家だ」という。「共産主義を、最高の発展段階とみたマルクス主義は明確に誤っていた。共産主義とは、中国やベトナムのような半植民地や植民地だった国が、地主や外国の支配を打ち破り、独自の資本主義に至るためのシステムだったのだ」。そして、中国型の「政治的資本主義」の特質は、「法の支配の欠如と効率的な官僚制」にある。コロナ禍で中国は感染抑圧を決めるやいなや、強権的に資源を投入し、徹底したPCR検査と隔離、地域の封鎖、水際対策などを柱とする「ゼロコロナ政策」で感染拡大を止めた。一方、アメリカはコロナ禍で世界最多の死者を出した。ミラノヴィッチは、アメリカ型の「リベラル能力資本主義」の弱点は、中国型とは逆に「権力があまりに分散していることだ」という。

米中の二つの資本主義はともに、格差を広げる構造をはらんでいる。マルクスは経済主体を、資本所得を持つ資本家と労働所得を持つ労働者という二つの階級に分けてとらえた。かつて、土地や資産を持つ金持ちは、働かなかったのだ。しかし現代では、資本所得と労働所得双方の所得を持つ新たな「階級」が台頭している。この階級は、資産を持つ一方、高い学歴や知識を活用し、高額の労働所得も得る。そして、学歴や所得が同じような配偶者と結婚し、子どもに高い教育を受けさせる。

「こうした『同類婚』により、エリート層と非エリート層で格差が拡大している。同類婚は女性の高学歴化や社会進出が進み、自由に相手を選べるようになった結果で、それ自体はよいことだ。だが、格差拡大につながっていることも事実で、対処が難しい」。そして、アメリカ、中国を問わずグローバルに広がるエリート層は、身分制社会の貴族が求められたような、統治者としての倫理体系や義務の感覚を身につけていない。

「資本主義が機能するには、誰もが富の獲得を目指して行動するのが大前提だ。ただ、それが行き過ぎると内なる倫理の物差しではなく、法律という外側の規律で道徳観をアウトソーシング（外部委託）する傾向が生まれる。言い換えれば、法律違反にならなければ何をしてもいいという考え方になる」。アメリカの富裕層は国外のタックス・ヘイブンに資産を移して税金を逃れる一方、国内では政治献金やロビー活動を重ね、政治をカネの力で動かそうとしてきた。こうした姿勢は、政治を使って富を得ようとする中国のエリート層と変わらない、とミラノヴィッチはみる。

ミラノヴィッチの発想は、独自の社会主義路線を歩んだユーゴスラビアで育った経験に根差す。ソ連から排斥され、第三世界と非同盟運動を展開したチトー政権下のユーゴスラビアは、アフリカとの関係が緊密だった。それが、世界や格差の問題に興味を持つきっかけになったという。アメリカは冷戦の終結を「勝利」ととらえた一方、故国ユーゴスラビアでは激しい民族紛争につながった。「（米国型の自由と民主主義の優位を論じた）フランシス・フクヤマの『歴史の終わり』のような楽観主義を、私はとれなかった」と、ミラノヴィッチは振り返る。

本来、自由主義や個人主義は、内から湧く良心の働きによる自制と、結果への責任が根底になければならない。そして、弱さや愚かさを抱えた人間が、他者とのあいだで共感や寛容の輪をつなげていく姿勢があってこそ、民主主義が成り立つ。命を支えてくれている大いなるものに対して自らを恥じ、感謝する心がその出発点であろう。自由と民主主義をともに成り立たせるには、「内なる倫理の物差し」を持ち、自らが拠って立つ道徳を「内面化」した個人の存在が欠かせない。それを育んでいけるか否かに、アメリカ型の「リベラル能力資本主義」の将来はかかっている。

ウクライナ侵攻と経済戦争

22年2月24日、ロシアがウクライナへの侵略を始めた。冷戦終結後、アメリカが主導してきたリベラルな国際秩序に対するあからさまな挑戦だった。その2週間前の2月11日、バイデン政権の安全保障政策の最重要人物であるサリバン大統領補佐官は記者会見で、「ロシアがウクライナに侵攻すれば、経済へのすさまじい圧力と輸出規制で、ロシア軍需産業の基盤が揺らぐ。ロシアはますます中国に譲歩せざるを得なくなる」と警告した。それでもロシアが侵攻に踏み切ったことは、あらためて、アメリカが単独覇権を謳歌した時代の終わりを示していた。バイデンも当初から、北大西洋条約機構（NATO）の集団防衛の域外となるウクライナで、ロシアとの直接の戦争を避ける意思は明確だった。対テロ戦争に疲弊し、国内の分断に苦しむアメリカにとって、核大国ロシアに対する軍事行動のハードルは高い。まずは経済戦争を優位に進める必要がある。アメリカが及ぼせる「すさまじい圧力」の源泉とは何か。「世界の通貨（基軸通貨）」としてあらゆる国が頼る、米ドルであった。

ドルは国際決済額に占める比率が4割、各国政府が対外支払いのために持つ外貨準備の比率で6割と、圧倒的な優位を占める。アメリカが関わらない二国間でも、多くの取引で米ドルが使われ、金融制裁でドル決済が禁じられれば、貿易や投資は著しく滞る。金融システムのように世界にまたがるネットワークの節目（ハブ）を押さえる国は、他国の動きを監視したり、ネットワークの利用を制限したりして、きわめて大きな圧力を行使できる。ヘンリー・ファレルのいう「武器化された相互依存」の典型例であった。冷戦では核兵器の管理が焦点だったのに対して、軍事行動と経済戦争、戦時と平時の区別があいまいな「ハイブリッド型」の国家間競争では、金融や通貨、情報通信など、広い意味で「データ」に関わるネットワークや先端技術をどう制するかが成否を分けるようになったのだ。

2月24日、ウクライナ侵攻を受けてバイデンは直ちに「過去のどの制裁よりも大規模」とする経済制裁を発表した。金融制裁や先端技術の輸出規制を通じ、軍需産業を含むロシア経済の中枢を国際金融や貿易から遮断する。さらにアメリカは、ベルギーに拠点を置き、国際送金を仕切る「国際銀行間通信協会（ＳＷＩＦＴ）」に対する影響力を背景に、ロシアの銀行をこの送金網から閉め出すという選択肢も持っていた。まもなくアメリカは日欧などと連携し、この選択肢も実行に移した。

動向を注視していたのが、米国のドル支配に対してロシアと同じ脆弱性を抱えている中国だった。中国は急激な軍拡を進めてきたが、ドルが持つ覇権を脅かすことはできていない。金融のようなネットワークでは、すでに多くの利用者がいて利便性の高いシステムから別のシステムへと乗り換えるのには大きな摩擦を伴うためだ。ウクライナ侵攻後の展開は、中国が台湾に侵攻した場合、アメリカから受けることになる経済制裁の絶好のシミュレーションといえた。

アメリカの金融制裁の威力を中国は熟知している。例えば18年12月、ファーウェイの孟晩舟（もうばんしゅう）副会長がアメリカの要請を受けたカナダ当局に逮捕され、米中の政治問題となった。この事件も、訴追の容疑は、対イランへの経済・金融制裁を巡って虚偽の説明をした、というものだった。制裁対象となったロシアなどの企業や個人と取引をした場合は、中国の銀行なども「二次制裁」の対象になりうる。中国にとって、互いを「全面戦略協力パートナー」とみなすロシアとともに、アメリカが政治的な「武器」としても使う現状のドル覇権を弱めていくことは理にかなっている。

22年に入り、専門家の間では、ロシアのウクライナ侵攻があるとすれば北京冬季五輪が閉幕する2月20日直後ではないかとの見方があり、それは的中した。ロシアは14年のクリミア半島併合に至る軍事行動も、自国開催のソチ冬季五輪の直後から始めており、接近する中ロ関係を踏まえれば、「平和の祭典」である五輪が終わったタイミングを好機ととらえる可能性が高かったためだ。

その北京五輪は、通貨をめぐる重要な競争の号砲も鳴らした。中国は五輪会場で、選手らがスマートフォンのアプリで「デジタル人民元」を使えるようにし、金融ＩＴの力を宣伝したのだ。この機をとらえ、通貨やデジタル金融の研究で注目を集めるコーネル大学教授のエスワー・プラサドに取材した。その見方は、ウクライナ戦争や派生する経済戦争の意味を読み解く上で示唆に富んでいた。[14]

中国は14年に中国人民銀行の周小川総裁の主導でデジタル通貨の研究を本格化させ、日米欧と比べても、デジタル通貨の開発を急ぐ意図は鮮明だった。プラサドは「中国の民間企業がデータに独占的にアクセスするのを制限するため」だったと解説する。アメリカとの覇権競争でデータの重要性が高まるのに呼応して、国内で自国IT企業への統制を強める必要があったのだ。

中国では、巨大IT企業アリババとテンセントがそれぞれ「アリペイ」と「ウィーチャットペイ」というデジタル決済サービスを提供する。スマホで誰でも安く簡単に使えるこのサービスが一般の消費者の暮らしに深く浸透し、小売現場では現金の受け取りが忌避されるような状況にまでなった。「この2社は最近まで、自社が蓄積する決済データを政府と共有することを渋っていた。2社が経済的、政治的に力を強めることに、中国政府はかなり神経をとがらせている。デジタル人民元を導入し、民間決済企業のサービスを取り込むプラットフォームになれば、中国政府は金融取引に関する膨大なデータを得ることができる。金融取引に関するプライバシーがなくなるという懸念も、確実に強まる」

プラサドは「中国が今後、デジタル通貨と中国独自の国際銀行間決済システム『CIPS』を組み合わせ、人民元建ての国際取引を増やす可能性はある」とみる。「ドルが支配する国際金融を介さない貿易を増やし、アメリカが有効な金融制裁をかけられないようにする狙いだ。中国がデジタル通貨とCIPSを組み合わせれば、SWIFTを介さずにロシアなどの銀行と取引できる。アメリカの制裁を迂回する道を開き、ロシアなどを中国とのより緊密な提携へと引き寄せられるかもしれない」

ただ、プラサドは「中国が直面している戦いは、自分自身との戦い」だという。人民元が世界で広く使われるようになれば、中国の投資家が国外に投資して資産を多様化することもできるし、外国資本からの中国への投資を呼び込むこともより容易になる。最終的には、米ドル覇権のくびきから逃れることもできるかもしれない。だからこそ、中国政府も資本取引の規制緩和を進め、為替の変動も市場に委ねる方向へ進むことを打ち出してきたものの、まだ多くの国外投資家は信じ切れない。法の支配を欠く中国で、ルールそのものが恣意的に変えられないとは限らないからだ。「中国政府は、資本への支配力は失いたくないというのが本音だ」とプラサドは言う。

一方、ドル覇権の真の力は、アメリカの自由や民主主義のインフラが定着していることによる「信用」にあったとプラサドはみる。リーマン・ショックの震源地は米国だったが、その後も各国政府や投資家は米国債などのドル資産をこぞって買い、リスク回避を求める資金がアメリカに流れ込んだ。22年1月、FRBは「デジタルドル」の方向性に関する報告書をまとめたが、「行政府や議会から明確な支援がなければ中央銀行デジタル通貨の発行はしない」と慎重な姿勢を強調した。中央銀行が独立性を保つとともに議会のチェックを受け、国民の統制に服する。三権分立や法の支配などの原則のもと、個人の自由や財産を保障する政治制度こそが、信用の基盤なのだ。しかし、アメリカも難しいジレンマに直面している。基軸通貨ゆえに手に入れた金融制裁という強力で安価な「武器」に頼れば頼るほど、中国などが対抗策をとることを促し、中長期的には基軸通貨としての信用を弱める危険もはらむ。

米中の金融を通じた強い結びつきにも、逆風が吹き始めている。中国は経済発展のために依然としてドル資金を必要としており、資本取引の規制緩和や外資への市場開放を慎重に進めてきた。中国企業もニューヨーク証券取引所に上場し、巨額の資金を調達してきた。だが最近では、中国政府はアメリカなど国外で上場する中国企業への規制を強める動きも見せている。米側からも、アメリカの投資資金が中国企業にわたり、軍事技術の開発に使われることへの懸念が強まってきた。USCCの21年の報告書は「中国による名ばかりの金融市場の『開放』は、資本市場への国家統制を強め、中国政府の目的に沿って外国の資金を導入するため念入りに計算されたものだ」と指摘した[15]。USCCの委員でアメリカン・

エンタープライズ研究所のデレク・シザーズは、トランプ政権下でもアメリカからの中国株・債券への投資は大きく増えてしまったとして、私の取材に対し、「中国への投資を規制する専門機関を設けるべきだ」と強い警戒感を示した。

権威主義国家を巻き込んだグローバル化は今後も続くが、安全保障の観点からその勢いにはブレーキがかかり、質も変わっていくだろう。潜在的に敵対する相手国の市場で稼いだ利益をどう自国での研究開発に回し、データやAIなど最先端分野の技術的優位を保つか。相手が自国に頼る戦略物資やネットワークの力を「武器」として、どう自国の交渉力を高めるか。かつての冷戦と違い、経済上のつながりを保ったまま覇権争いを戦う米中などの国家関係は、そんな複雑な戦略的競争の様相を帯びざるを得ない。民主主義陣営からみれば、貿易相手の多様化や国内投資の強化を通じて、自らの民主主義を損なわないためのリスク管理を進めることの重要性がさらに増す。

「見張る石(パランティア)」

2021年3月25日、バイデンは就任後初の記者会見で、「我々は甚大な結果をもたらす『第4次産業革命』のただ中にいる。民主主義国家と専制主義国家の有用性をめぐる闘いだ」と語った。

情報通信技術とAIが国家の経済力と軍事力を左右する「第4次産業革命」。センサーを使って膨大なデータを集め、インターネットでつなぎ、製造業から日々の暮らしまでを極限まで効率化する。国家の総力を挙げてこの分野での主導権を握ろうとしているのが中国だ。「アリペイ」のような暮らしに根差した民間サービスだけでなく、顔認証による監視・検閲などの国民統制やドローンなどの高性能兵器まで、内政、軍事、諜報などあらゆる局面でデータとAIを活用する。21年春、米グーグルのエリック・シュミット元CEOが率いる諮問機関が示した報告書では「中国はAIの分野で10年以内にアメリ

パランティア・テクノロジーズの内部＝2022年2月10日、コロラド州デンバー（著者撮影）

力を凌駕する能力と野心を持つ」と記された。[16] バイデンの記者会見での発言にも、アメリカを脅かす勢いで技術水準を高める中国に対し、強い危機感がにじんでいた。

ロシア軍がウクライナ侵攻を控え、国境に集結していた22年2月10日。私はロッキー山脈に臨む高原都市デンバーを訪れていた。あるビルの高層階に、データをめぐる米中の攻防のカギを握る企業「パランティア・テクノロジーズ」はあった。その社名は、トールキンの『指輪物語』に出てくる、「遠くから見張る石」に由来する。

パランティア本社の一室のスクリーンに映し出されたある地点を指し、担当者が「これがウクライナ北部の画像だ」と説明した。「新しい動きをすぐ察知するには、まずどのくらいの頻度で衛星画像が得られるのかを知る必要がある。この地点の上空では2日間で延べ１２００回だ」。地球をさまざまな軌道で回る衛星からは、膨大な画像データが得られる。パランティアのソフトウェアは、そのデータを切れ目なく一覧できるようにし、作戦を立てる判断を助ける機能を持つ。

パランティアは、決済大手ペイパル創業者の著名投資家、ピーター・ティールらが03年に創業した。AIを使った高度なデータ解析で知られ、米軍や米中央情報局（CIA）のほか、アメリカの同盟国の政府にビッグデータの解析ソフトウェアを提供している。11年、国際テロ組織アルカイダのオサマ・ビンラディン容疑者の潜伏先を突き止めた際もパランティアの技術を活用したと報じられた。

画面は、中国軍が進出を強める南シナ海も映し出した。「中国は海軍力を急ピッチで増強しており、潜水艦や駆逐艦、空母などの動きを捕捉するのがきわめて難しくなっている」。ソフトウェアは、浮上する中国の潜水艦などの動きを常時監視し、戦略や政策を決める際に必要な情報を一覧できるようにする。「我々の顧客が敵より迅速に決定を下すには、『目』をたくさん持つ必要がある」

近年、民間衛星の数や技術水準は著しく向上したが、その膨大なデータも、一つ一つは無関係にみえる断片にすぎない。対象の動きを追えるよう大量のデータを統合する技術がパランティアの強みだ。パランティアの技術者たちは、米軍関係者と密接に連携しながら、ソフトウェア開発を進めていく。戦場でも、武器などのハードウェア以上に、データを扱うソフトが成否をわける時代になったのだ。

米政府や米軍と距離を置くグーグルやフェイスブック（現メタ）など多くのアメリカ企業と異なり、パランティアは米政府との一体性や、中ロなど権威主義国家との対決姿勢を前面に出す。20年にニューヨーク証券取引所に上場した際の登録書には「敵味方を選ぶ。敵対国とは取引しない」「中国共産党とは取引しない」と明記した。

パランティア本社の一室からのオンライン会議で、パランティアCEOのアレックス・カープにも取材した。カープは哲学を専攻し、ドイツで博士号をとった異色の経営者として知られる。個性が際立つ人格を象徴するようなもじゃもじゃの髪形が似合い、約45分間の取材の間、ひたすら立ったまま語り続けた。「ＡＩのソフトウェアを制する国家が、次の世界の規範を決める」という。

「核兵器を支配した国々が事実上の『ゲームのルール』を決めていたのと同じだ。アメリカの資本主義に技術革新をもたらす力があったからこそ、その規範が正しいと人々を説得することができた。技術革新がなくなれば、その説得力も失われる」

カープはさらに、冷戦終結後、イデオロギーを超えて世界的な事業拡大を進めようとしてきた米巨大ＩＴ企業への不満をぶつけた。

「かつてシリコンバレー（米ＩＴ産業）は、第一に米軍のために技術を開発し、その技術を一般の人にも役立てていた。だが、シリコンバレーは変質した。人に役立つ製品の開発を装いながら、実際は、人そのものを（データの供給源として）消費される製品へと変えてしまった」

グーグルやフェイスブックの本質は広告会社だ。人々はそのサービスを「無料」と思って使っているが、実態としては、逆にこれらのＩＴ企業が、入力される人々のデータを「無料」で使い、広告で利益を得ている。グーグルやフェイスブックは政府や軍と距離を置き、自由な企業のイメージを売りにしてきた。だが、独占的立場を使った事業モデルが、極端な富の格差や中ロなどによる情報工作を招き、民主主義をゆがめたとの批判も根強い。

カープはその「偽善」を鋭く突くかのようだ。「パランティアは第一に軍や情報機関のために製品を開発している。世界の最も重要な機関（政府や基幹産業）を動かしている人たちにソフトを提供することにより、膨大なデータを集める勢力（巨大ＩＴ企業や専制主義国家）に対抗する能力を提供できる」。

コロナ危機では、ワクチン接種のシステム構築でも米政府にサービスを提供した。

日本との関係も深めている。20年からＳＯＭＰＯホールディングスの出資を受け、介護や医療関係の事業を展開するほか、神奈川県ともコロナの感染状況の分析で連携する。県の担当者によると、患者の個人情報や療養状況など約50種類のデータを扱うシステムを作った。日本政府との関係についても問うと、カープは「各国政府と進行中の議論は話せないが、日本政府が「ファイブアイズ」（米英豪加ニュージーランド5カ国による機密情報を共有する枠組み）のコミュニティーの中で大きな役割を果たせるよう貢献したい」とも述べた。

一方で、米世論にはパランティアへの警戒感も根強い。イスラムの過激派テロや権威主義国家による自由の侵害から、米国や同盟国を守る——。そんな理念を掲げるソフトが、逆に、国家による監視の強化や自由の制限につながりはしないか、という懸念だ。安全を重視すればするほど、個人の自由やプライバシーが損なわれる可能性があるという「トレードオフ」の問題である。さらにパランティア共同創業者のピーター・ティールは、トランプの最も有力な資金支援者の一人でもある。トランプの移民政策をめぐり、米当局に協力するパランティアへの抗議運動が起きたこともあった。

15年2月、著書の邦訳版『ゼロ・トゥ・ワン——君はゼロから何を生み出せるか』（NHK出版、関美和訳）を出版し、来日したティールを取材したことがあった。ティールは、自ら創業したペイパルの売却資金を生かした投資事業を展開し、ペイパルとも関係が深いイーロン・マスクなどとともに、21世紀の米IT革命を主導した人脈「ペイパル・マフィア」の中心人物として知られる。カープともスタンフォード大学法科大学院で友人となり、03年にパランティアを共同創業した。政治献金を通じて米政界にも強い影響力を持ち、取材した際も、気圧(けお)されるような冷厳なオーラが印象に残っていた。

ティールは、個人の自由を至上の価値とみて、それに対する国家の規制を最小限にとどめようとするリバタリアニズムの信奉者である。自由と安全とのトレードオフについても、企業主導の技術革新を続けることで解決可能だと考えていた。ティールは、ペイパルで培ったサイバー犯罪対策をパランティアで発展させていく。「膨大な情報を扱うペイパルでは、人の力だけですべてを監視するのには限界があった。そこで我々は、コンピューターと人の力とをうまく組み合わせながら、不正取引を防ぐしくみをつくりあげていった。プライバシー侵害を最小限にしつつ安全を守るためにこそ、技術革新がなされるべきなのだ」。私の取材に対し、そう語っていた。

ここにも、資本主義と民主主義との難しいバランスがにじみ出る。資本主義の力を過度に野放しにすれば格差を広げ、民主主義の土台を揺さぶる一方、資本主義の発展に枠をはめ、技術革新に立ち遅れれば、安全も実現できない。カープはトランプ支持のティールと違い、政治的には左派であることを広言しているが、技術革新で「トレードオフ」を解決しなければならないという姿勢はティールと共通していた。パランティアへの批判にも「どんな技術も悪用される可能性があるからこそ、顧客組織のなかで直接、作業に携わらない第三者が監督できる仕組みを採り入れた。政府に納めるソフトの動作はすべて記録され、不正利用はきわめて難しい」と反論した。

アメリカで、巨額予算が投じられる軍需産業と政府との結びつきはもともと強い。ただ、パランティアはデータやAIが主軸の、新しい「軍産複合体」といえる。いま、パランティア上級顧問としてカープら幹部に助言するマシュー・ターピンは、戦車部隊などで長く実地経験を積んだ元米軍将校であり、トランプ政権で国家安全保障会議（NSC）中国部長に就いていた人物だ。対中制裁関税や輸出規制など、中国への経済安全保障上の対抗策を指揮し、同盟国との調整も担った。

トランプ政権の時代、最も取材したかった政権高官の一人が、ターピンであった。アルゼンチンでの米中首脳会談を間近に控えた18年11月、私は経由地テキサス州のオースティンで、ブッシュ米政権の黒幕とも評された共和党の大物、カール・ローブ元次席大統領補佐官に取材した。ローブは米中首脳会談について「最大の焦点はAIや量子コンピューター、5Gなど先端技術だ」と強調した。取材を終え、最後に「米中問題で次に最も話を聞くべき当局者は誰か」と尋ねたところ、間髪を入れず、「マット（マシュー）・ターピンだ」と答えたのだ。

パランティア社員として取材に応じてくれたターピンは、「アメリカと中ロとの関係は、かつての冷戦のように、経済、情報、外交、軍事の幅広い領域にわたる、包括的で長期の戦略的競争になっている」との見通しを語った。何よりも重要なカギを握るのが、データだ。中国は膨大な人口が生むデータを活用して監視や検閲に使うＡＩ関連技術を研ぎ澄ませ、ほかの権威主義国家にも輸出する。権威主義国家にとっては、民主化せず経済成長を続ける中国の統治モデルそのものが魅力的に映る。一方、中国は台湾などの民主主義陣営には、その開放性を突き、サイバー攻撃やプロパガンダを使った中国版の「ハイブリッド戦争」を展開している。アメリカや日本が目指す、法の支配や開放性を重視する民主主義は、ＡＩ時代には構造的な不利を抱え込んでいるのだろうか。

ターピンは、「我々の多元的な社会のシステムに自信を持つべきだ」と答えた。「市民の自由と安全保障の双方を考慮し、バランスの取れた解決を図るのが民主主義の根本だ。プライバシーに関わるデータを守る一方、互いの利益になる場合はデータを共有する。日本政府が掲げる『信頼性のある自由なデータ流通』とも重なる」

日本政府が19年に示した「信頼性のある自由なデータ流通（Data Free Flow with Trust）も、キモは「with Trust」の部分だ。やみくもに国を開き、経済関係を深めれば信頼が築かれるわけではない。中国のように政治体制や価値観を異にする相手と、どう信頼を築いていくのか。信頼性を担保するのがどうしても難しい場合、どうリスクに備え、距離を置くのか。そうした外交戦略を描くのは一義的には国家であるにせよ、データの出し手である我々ひとりひとりが当事者意識を持って考えなければならない問題である。民主主義においては、人間は記号やデータとして国家や企業に消費される存在ではなく、情報技術をツールとして、自分自身や政府を主体的に統治する存在でなければならない。

シンクタンクのヒンリッヒ財団のアレックス・カプリは、米中を軸に分裂する世界は、各国がデータやAIなどの技術覇権を争う「テクノ国家主義」の時代に入ったと語る。「国家にとってデータは資源であり、ハイブリッド戦を戦う空間でもある。戦略的産業を囲い込む動きは強まる」とみる。

パランティアのカープも最後に、「これから政治、経済、文化のあらゆる面ですさまじい荒波が来る。国の中でも、国同士の間でも、激しい分断が起こるだろう。危機に備えなければならない」と述べた。

「通商国家」日本の針路

歴史家ヘロドトスが古代の王に語らせたように、「人間の運命は車輪のようなもので、くるくると廻りつつ、同じ者がいつまでも幸運であることを許さぬ」ものであり、国家も同じかもしれない。[17]冷戦の「勝利」を信じたアメリカは圧倒的な軍事力を背景にグローバル化を推し進めたが、その驕りのなかに、アメリカの覇権と自由な国際秩序を弱める毒が胚胎していた。その覇権の揺らぎとともに、ロシアはまるで冷戦の延長戦であるかのようにウクライナに侵攻した。権威主義国家との経済統合は、とりわけ有事の際、ジレンマを生む。ロシアにエネルギー資源を頼ってきたために、自らの支払う代金がウクライナ侵略の財源に回る構図に悩むことになったドイツが典型的だ。イエレン米財務長官は22年4月の講演で、「貿易統合を進める手法を洗練させなければならない。アメリカの目標は、自由だが安全な貿易の達成であるべきだ」と述べた。自由貿易が安全保障に寄与するという楽観はもはや崩れた。

食糧やエネルギーを国外に頼る日本にとって、自由で公正な経済秩序を保つよう働きかけることは今後も重要だ。ただ、世界は日本の期待通りには動かない。楽観を慎み、リスクに備える必要がある。国際政治学者の高坂正堯（こうさかまさたか）は、日米貿易摩擦たけなわの80年代に書いた論考「通商国家日本の運命」で、巨大な人口や国土、資源といったパワー・ベースを欠く日本のような国家について、「幸運に助けられた目ざましい成功と、どうしても克服できない脆弱性」を抱えている、と論じた。[18]

「通商国家の生き方には逞しさを衰頽させるところがある……通商国家は異質の文明と広汎な交際を持ち、さまざまな行動原則を巧みに使いわけ、それらをかろうじて調和させて生きる。しかし、そうすることは当事者たちに、自信もしくは自己同一性（アイデンティティ）を弱めさせる働きを持つ」[19]

取材するアメリカ人からも、時にこうした「通商国家」としての日本のありようにいら立ちをぶつけられることがあった。例えば、トランプの通商問題の政策顧問だった米鉄鋼大手ニューコア名誉会長のダン・ディミッコは、トランプの通商政策を「保護主義」と批判する見方に反発し、こう述べた。

「アメリカを保護主義だと批判する人は、アメリカが最も開かれた市場として戦後の世界の需要を一手に引き受け、各国の再建を支えてきた事実を見落としている。第２次世界大戦で欧州もアジアも破壊された後、ドイツや日本などが製造業の基盤を立て直すのをアメリカは助けた。でも、もう自分の足で立つべき時だろう。このままではアメリカの製造業が失われ、どこかの時点で米国の自己破壊につながる。製造業こそ、世界のリーダーとしての要石にほかならないのだ」

ディミッコからみれば、中国の知財侵害などの問題についても、「日本などアメリカの同盟国も責めを負う」という。「不作為によって、中国を野放しにしたからだ。アメリカの多国籍企業と同じように、中国市場の魅力に負けたのだ」。こうしたディミッコの主張を、「アメリカ・ファースト」の自己本位とだけ切り捨てる気にはなれなかった。

いまの国際環境は、おそらく高坂が40年前に想像もできなかったほどに厳しい。思い起こすのは、ルネサンス期イタリアの政治理論家マキャベリが、代表作『政略論』のなかで論じた文章である。マキャベリは、「他をひきはなして堕落を示しているイタリア」に対し、「マーニャ（ドイツ）」の「醇風美俗」に触れ、高く評価していた。マーニャの強さの理由は二つある。一つは、イタリアのような堕落した近隣諸国との関係が限られていること。第2の理由はこうだ。「市民のうちのだれひとりとして、特権階級としてとりあつかわれたり、あるいは、貴族の作法に従って生活することが許されていないことによっている。それどころでなく、彼ら市民のあいだには、平等の原則が確立しているのである」。マキャベリは、有り余る財産を持つ特権階級は「どの共和国にも、どの地方にとっても、害毒を流すこと、はなはだしいものがある」と指弾する。[20]

海外の資源や市場に頼る現在の日本が「自分の国にある物資だけで満足」するかつてのマーニャの例をそのままなぞることなどできない。しかし、マキャベリの言葉は、現代日本にとっても重要な原則を教えてくれる。自立を尊ぶ気構えと、平等を志向する民主主義の理念である。

アメリカは通商国家であるが、大陸国家としてのパワー・ベースと野性を保つ数少ない先進民主主義国でもある。ジョージ・ケナンはこう分析する。「民主主義というものは平和を愛する。それは戦争に訴えることを好まない。それは挑発されても、あまり早く反応しない。だが、ひとたび戦争しなければならないほどにまで挑発されてしまうと、そのような事態をひき起こしたことについて、相手を容易に許そうとはしないのである。……民主主義は忿怒に狂って戦う」[21]。「アメリカのデモクラシー」の理念は、通商国家の「衰頽」や「頽廃」を避ける生命力の根源ともなっている。

日本の安全は、海洋交通の自由と法の支配に依存する。民主主義の理念を共有するアメリカと連携することは、戦略的に理にかなうだけでなく、日本が民主主義国家として「自信もしくは自己同一性」を確認する上でも有益である。米中を軸にひび割れる世界で生き残るために問われるのは、変化に応じた経済立国の政略を立てる知恵であり、それを形づくる日本の民主主義の質なのである。

第3章　超大国の蹉跌

——コロナ危機

新型コロナにより亡くなった死者を追悼するため、ナショナルモールに星条旗を立てる女性
＝2020年9月22日、ワシントン

急転直下の「戦争」

２０２０年２月、サウジアラビア・リヤドの街に、世界を震撼させることになる新型コロナウイルスへの警戒感は薄かった。空港の入国審査でも人々が長い列をなし、取材に訪れた主要20カ国・地域（G20）財務相・中央銀行総裁会議も、振り返るとふしぎなほど、雰囲気は緩かった。

２月23日、G20の閉幕にあたり一部メディアを集めた記者会見で、会議を終えた安堵からか、ムニューシン米財務長官の表情も緩んでいた。金融大手ゴールドマン・サックス出身のムニューシンは、つねにトランプの影に入り、地味な実務家として政権内で歩みを進めてきた。会見で最初に指名されたニューヨーク・タイムズの記者の質問は、「気候変動が、金融システムの安定性に影響しうるリスクについて」だった。その数週間後、世界が戦前の大恐慌や二度の大戦に匹敵するような同時不況に突入することを考えれば奇妙だが、コロナに対する報道陣の危機感もその程度だった。

トランプも同じ日、インドへの出発前に「習近平国家主席の尽力で問題は解決する」と語った。前月に米中通商協議「第１段階の合意」をまとめたばかりで、トランプとしては習近平との首脳外交の成果だとアピールしてきただけに、習に寄り添いたいとの意図は明らかだった。史上最高値圏にあった株価をにらみ、貿易戦争の「休戦」を好感した投資家や消費者の心理を冷やしたくないとの思いも働いたに違いない。ホワイトハウスのカドロー国家経済会議議長も２月25日、米ＣＮＢＣで「ほとんど水も漏らさない防疫体制で、もう封じ込めた。経済的悲劇は起こらない」と述べていた。

楽観していたのはトランプ政権だけではない。２月21日には、国際通貨基金（ＩＭＦ）トップのゲオルギエバ専務理事もリヤドでの講演で、「最も可能性が高い想定」として「中国経済が急激に落ち込むが、その後Ｖ字回復し、世界の他地域への悪影響の波及は穏やかだ」と語った。だが、３月上旬にイタリアが全土で外出禁止令を出すと、その後も幅広い都市で移動制限が続く。消費や投資など「需要」がたちまち蒸発し、移動制限や休業などで製品やサービスの「供給」も急激に阻害される事態が、世界中で同時多発的に起きた。ＦＲＢは日曜日の３月15日夕、緊急利下げでゼロ金利政策と量的緩和の再開を決めたが、翌16日のニューヨーク株式市場は、主要企業でつくるダウ工業株平均が前週末比約３０００ドル安で終え、史上最大の急落となった。

感染の急速な拡大は、グローバル化でヒトやモノの流れが増え、世界が密接につながった結果でもあった。アメリカでは、経済格差や人種問題、医療問題などのひずみが一気に噴き出した。真っ先に脅かされたのは、非白人の多い小売やサービス業などの現場の働き手たちだ。多くは時給契約で立場が弱いうえ、賃金も低い。雇い主を通じて医療保険に入ることが多く、失職すれば医療も受けづらくなる。在宅ではこなせない職種が大半で、職場では感染リスクにさらされる。ミネソタ州セントポールの老舗レストランでバーテンダーをしていたダン・オデル（45）は、３月中旬に勤め先が休業し、失業保険を申請した。直接、現地に赴いての取材はできなくなり、オデルは電話での質問に対し、先の見えない不安感を語った。「10代から働いてきたがこんなことは初めて。社会に不安が渦巻いている。いつこの日々が終わり、元に戻るかわからない。恐ろしい時代になった」

４月の米失業率は15％近くに達し、戦後最悪を記録する。金融市場ではドルの現金を得ようと、少しでもリスクがあるとみられた資産が投げ売りされた。ＦＲＢは空前の規模の金融緩和策を打ち出し、金融市場の沈静化を図った。米議会が20年４月下旬までに決めたコロナ対策の財政出動も史上最大の累計３兆ドルに上った。この「戦時レベルの投資」（共和党のマコネル院内総務）が、金利を低く押さえ込むＦＲＢの金融政策と一体化して、家計や企業の資金繰りを支える構図だ。たちまちＦＲＢの資産規模は過去最高水準に膨らんだが、ジェローム・パウエル議長は「貸し出しに関して我々の弾薬が尽きることはない」と断言した。ムニューシンもＦＯＸニュースで、財政悪化について「時が経ってから考えればいい問題で、いまは戦争中なのだから労働者と企業を守るのが先だ」と語った。

08年のリーマン・ショック後の回復局面では、医療保険制度改革（オバマケア）など財政拡大を伴う政策に対し、共和党から「大きな政府」への批判が巻き起こり、09年の保守運動「ティーパーティー」の台頭につながった。コロナ危機では、その共和党のトランプ政権が、はるかに短期間に空前の財政金融政策を動員したのに、社会の抵抗はきわめて小さかった。主流派経済学者の多くも、大規模な財政金融政策で需要を刺激しても、米国でインフレ（物価上昇）や金利上昇につながるリスクは小さいとみていた。懸念されたのはむしろ、コロナ危機後も企業が労働者の雇用や教育、投資を削り、経済の成長力そのものが中長期的に落ちていく「日本化」のシナリオだった。

コロナ危機直後の3月30日、米ブルッキングス研究所のウェブ講演で登壇したFRB前議長のジャネット・イエレンは、勃発したコロナ危機について「長期の景気後退につながる打撃を懸念している」と警告した。リーマン・ショック時に比べ、金融機関の経営基盤は安定していたが、イエレンは「非金融部門の企業は多大な債務を抱えた中で、この危機を迎えた」と分析した。企業部門の膨大な借金は、自社の株価をつり上げる「自社株買い」や株主向けの高配当を狙ったものだった。「（危機前から借金は）投資には向けられていなかった。今後、家計や企業が支出を切り詰め、長期にわたる低インフレが訪れるのではないか」。エコノミストとしての明晰さで群を抜くイエレンだが、21年に入ってから世界的に問題化するインフレへの懸念など、この時点ではみじんも持っていなかった。この認識は、イエレンがバイデン政権で財務長官に就いてからの経済政策の基層をなしていく。

世界最大の経済大国で、高度医療や保健衛生の最先端をいくはずのアメリカは、たちまち世界最多の感染者数・死者数を記録する状況に陥り、威信は傷ついた。5月25日には、ミネアポリスで黒人男性ジョージ・フロイドが警官に首を圧迫されて死亡する事件が起き、各地の抗議デモで全米が沸き立つ。6

月2日、ホワイトハウス前のデモを取材してオフィスに帰る途上、連邦政府の権威を象徴する財務省の建物にはスプレーで落書きがされ、壁に「Fuck The System（このシステム、くそ食らえ）」と記されていた。コロナ禍がもたらした医療・経済危機は、人種差別などの根深い社会悪と結びついた構造的な「システム」が引き起こした危機なのだ――。そんな憤りがアメリカ社会の中でふつふつとたぎり、大きな変動のうねりが起きているのを実感した。

コロナに感染したり、就労をためらったりする動きから労働力の供給が妨げられ、世界的な物流の混乱もあってモノやサービスが行き渡りにくくなった。リーマン・ショックのような需要危機にとどまらず、公衆衛生や供給面の危機が一時に押し寄せたのだ。グローバル化で円滑に流れていた日用品、医療資材など幅広い市場の機能が損なわれ、トランプ政権は猛烈な勢いで民間経済に介入していった。「人工呼吸器を作り始めろ」「マスクの輸出をやめろ」。トランプは自動車大手ゼネラル・モーターズ（GM）などの米企業に次々と命じた。根拠は、70年前の朝鮮戦争下で制定された国防生産法だ。戦時のほか治安維持や緊急時の備蓄にも発動され、大統領が企業に増産を指示できる。米議会が決めた経済対策にも、経営難に陥った航空会社などへの支援が盛り込まれた。コーネル大学法科大学院教授のロバート・ホケットは取材に対し、「医療品や食品などで供給難が起こり、企業は需要がどれほどあるのかもわからない。政府の調整がきわめて重要になった」と指摘し、重要な産業には政府が出資して発言権を確保することまで主張した。一方で、トランプによる強権的な介入には「大統領自身が腐敗し、自分が経営する企業と国家を区別できないことは恐ろしい」と疑念を露わにした。コロナという戦時に似た事態で、各国の民主主義の質があらためて問われることになったのだ。

企業や個人の自由を重視する米国でも、ほんの数カ月間というきわめて短期間に、平時ではあり得ない急激な国家機能の膨張が起きた。歴史が繰り返すかのようだった。世界大恐慌に対処した1930年代、フランクリン・ルーズベルト政権のニューディール政策はアメリカを大きく変えた。「社会主義」という強い批判を受けながらも、無秩序だった金融取引は規制され、労働者保護が進み、公共投資が経済を支えた。ただ、本格的な回復や政府機能の拡大を支えたのは戦争である。米経済が大恐慌前の水準に戻るのは、アメリカが第2次世界大戦に参戦した41年末以降のことだった。

コロナ危機は二つの世界大戦と世界恐慌に次ぐ、近代史上4番目の景気収縮を引き起こすことになった。IMF調査局長のギータ・ゴピナートは4月14日の記者会見で、コロナ危機を「大恐慌」からの類比で「大封鎖（The Great Lockdown）」と形容した。IMFはかつて、新興国などに貿易や投資の自由化と財政緊縮、規制緩和など、市場原理に沿う改革を求めた「ワシントン・コンセンサス」と呼ばれる潮流の中枢にあった。そのIMFがコロナ危機では、積極的な財政出動を促したのである。

ゴピナートはインド生まれで米国籍を持ち、ハーバード大学で教える新進気鋭の経済学者として注目を集めた。IMFに移り、そのチーフエコノミスト（調査局長）として、各国が政策対応の基礎とする「世界経済見通し」策定の指揮を執る。コロナで大混乱に陥った世界経済の視界を冷静に示す卓抜な能力に、記者会見のたびに強い印象を受けていた。22年1月、IMFのナンバー2「筆頭副専務理事」に昇任した際に単独取材の機会を得、IMFの積極財政への「転換」について尋ねた。

ゴピナートは「コロナ禍は完全に外生的なショックによるものだったためだ。財政政策は需要を刺激するものとみられがちだが、今回は企業の倒産や解雇を防ぎ、供給を支える方向にも働いた」と説明した。やはり、コロナ危機が戦争と同じように、政府の介入を必然的に招来する「供給」面の危機であることが重視されていた。ゴピナートは「20年に歴史的な不況に陥ったのに金融危機に至らなかったのは、財政金融政策が重要な役割を果たしたからだ」と強調した。

冷戦終結後は効率やコストを最優先する観点から国際分業が進められてきたが、米経済政策研究所

（ＥＰＩ）のロバート・スコットは「多くの人々が、外国の製品供給網に依存するコストを強く感じるようになった」とも指摘した。感染防止や医療品確保のため各国は貿易管理を強め、コロナ危機の震源地となった中国は2月上旬、いち早く医療品の生産供給で国家統制を敷いた。ＷＴＯのアラン・ウルフ事務局次長は「自給を過度に追求すれば自滅を招く。世界の成長は減速し、雇用は減り、貧しくなる」と警告した。だが、米中の厳しい対立を反映し、国際協調の機運は高まらない。公衆衛生・財政上の基盤が弱い新興国の打撃は特に大きく、国際情勢は一気に流動化していった。

「今回こそ違う」のか

この危機の性格を知る上で、もっとも意見を聞いてみたかった識者の一人が、ハーバード大学教授の経済学者、カーメン・ラインハートである。世界の政府債務・金融危機に関する、過去8世紀に及ぶ膨大なデータを積み重ねた研究で知られる。過去の多くの危機では、政府、銀行、企業、家計のいずれかが過剰な債務を抱え込むパターンが繰り返されてきた。そのたびに「今度ばかりは持ちこたえられる」という心理が警戒心を緩ませ、一層の債務の累積と破綻を招く。ラインハートらは、政府の財政破綻はどこの国でも、いつでも起こりうる事態であり、「今回だけは違う（*This Time Is Different.* 本の原題）」と考えることを戒めてきた。[1] その彼女が、コロナ危機後の公的債務の膨張やグローバル化への逆風をどうみているのか。

ラインハートは、コロナ危機のただ中の20年6月、世界銀行チーフエコノミストに就いた。就任後も世銀の本部があるワシントンには移らず、フロリダの自宅から在宅勤務を続けていた。多忙をきわめるなか、オンラインでの取材に応じてくれたのは、経済が回復局面に入った21年1月だった。

ラインハートも、コロナ危機についてまず言及したのは「戦争」のたとえだった。

「多くの都市がロックダウンとなり、経済活動が激しく破壊されたという意味では『戦争』に近い。そしていま、世界経済は静かな金融危機へと移行しつつある。過去に何度も起きた典型的な金融危機とは、やや様相が異なっている」

コロナ危機後の数カ月で、世界では10兆ドルを超える財政出動がなされ、主要国は大規模な金融緩和でそれを支えた。経済は小康状態を取り戻したように見えるが、ラインハートは、底流で緩慢な金融危機が起こりつつある、という。コロナ危機の発生後、世界中の銀行が政府に促され、借金の返済猶予を認めるなどして大量の資金を企業や家計に流し込んだ。だが、パンデミックは断続的に続き、経済の混乱のリスクは恒常的に残る。失業が長引く個人や、売り上げ減が続く産業では、当座の資金繰りの問題ではなく、長く債務の返済が見込めないケースが増えていく。「財政金融政策ばかりが注目された一方、銀行の不良債権問題のリスクが見過ごされた。当面の借金の返済猶予が終わったとき、銀行のバランスシート（貸借対照表）のうちどれくらいが不良債権になるのか、見当もつかない」

その金融危機はどう顕在化するのか。ラインハートは「リーマン・ショックのように、危機の『瞬間』が訪れるとは限らない」とみる。「私が『静かな』金融危機と名付けたのはこのためだ。銀行が貸し出しを渋ったり、貸しはがしをしたりする信用収縮が起きれば、貧困層の生活や中小企業の経営を直撃し、世界経済の復興を長く阻害する。銀行や金融システムに関する危機が、じわじわと世界中に幅広く根を張っていく」。バブル崩壊後の日本経済の長期低迷の要因となった平成の金融危機とも重なる状況ではないか。ラインハートは続けた。「当時の日本は、銀行の不良債権処理に非常に漸進的な態度で臨んだ。結果的に処理が遅れて銀行の信用収縮が長引き、成長の足かせになった。当局が積極的に介入し、早く銀行のバランスシート調整を終えるべきだったというのが、学ぶべき教訓だ」

コロナ危機による巨額の財政出動についても、ラインハートは「戦争に勝つのが先決でどう支払うかを考えるのは後から、というやり方も今回はやむを得ない」と語った。「ある意味で、コロナ禍は『戦争』だから。債務の問題にいつかは向き合わなければならないのは事実だが、今回の危機で、政府の債務削減を優先するあまり、経済の復興を阻害することになってはならない」。かつて主著で「今回だけは違う」という誤信や驕りを戒めていたラインハートが、「今回こそは違う」のだという。その表情には、これまで取り組んできた過去のデータ分析とは違い、目の前で展開する不確実な事象に対して決断を下さなければならない、政策決定者としての迷いがあるようにも感じられた。

ラインハートは、コロナ危機は「国際間の貧富の格差から、国内の業種間の格差に至るまであらゆるレベルで格差を広げている、きわめて『不平等な危機』だ」とも指摘した。「世界には日米のように巨大な債務を抱えながらも財政出動が打てる国もあれば、コロナ禍の前から重債務に苦しんでいた国もある。貧しい国々は財政出動の余裕すらなく、経済危機につながる『割れ目』が集積している」

歴史家ウォルター・シャイデルは人類史上、深刻な格差は戦争、国家の崩壊、革命、疫病のいずれかで是正されたと述べている。[2] コロナ禍という疫病は格差を是正するどころか、国内でも、国家間でも、格差をむしろ拡大させてしまった。シャイデルによれば、残る選択肢は三つだ。戦争、国家の崩壊、革命――。この三つの選択肢しか残されていないのか、と問うと、ラインハートは答えた。

「第2次世界大戦直後は今よりも平等な所得分配がもたらされた。だからといって、格差を是正するために再び世界大戦を望む人はいない。それよりは望ましい政策決定を積み重ねていくほかに選択肢はない。社会のセーフティーネットを支え、幅広い層に成長の恵みをもたらす政策を優先的に進める。世界経済の復興を少しでも早めて、分配するパイを大きくしなければならない」

供給危機の現場へ

コロナ危機は「供給危機」としての側面が強く、その点では確かに戦争に似ていた。ただ、戦争が、富裕層への課税強化や大衆の徴兵などを通じて民主化を促すことがあるのに対し、コロナ危機は格差を増幅した。その実態を、供給の「戦線」の現場で取材したいと考えた。特に関心を持ったのが、生の根本である食と農の供給網である。

アメリカで、コロナ禍が特に大きな打撃を与えたのが、低温下で多くの移民労働者が密集して働く食肉処理工場だった。全米食品・商業労働組合（UFCW）によると、20年5月上旬までの2カ月間に、全米で少なくとも30人の作業員が感染のすえ死亡し、30の処理工場が一時操業を止めた。その後、工場の操業は徐々に再開したが、従業員の感染の不安から供給は伸び悩んだ。低価格と効率を最優先してきたグローバルな供給網の「ボトルネック」が最も顕著に浮き彫りになった現場だった。

「近い将来、豚を安楽死させるかどうか決断を迫られるかもしれない」。アイオワ州エルマの畜産農家トレント・ティール（36）は20年5月、電話取材にそう語った。豚が大きく育った時に加工工場が閉まれば、殺処分するしかなくなる。近隣には既に処分を余儀なくされた農家もいるという。加工工場で処理できない豚の価格は暴落した。ミネソタ州エジャートンの畜産農家チャド・ルベン（27）は5月初旬、フェイスブックで告知を出し、大幅な原価割れとなる1頭80ドルで売りに出した。何とか150頭以上が売れたといい、「安楽死させるのだけは絶対にイヤだった」と語った。

生産段階の家畜がだぶつく一方、加工工場の「ボトルネック」を抜けた後の消費現場では逆に品薄になっていた。20年4月、経済の停滞を反映して米消費者物価指数は大きく落ち込んだが、加工工場の操業停止の影響もあり「肉類・魚・卵」は逆に急上昇した。背景には、米タイソン・フーズなど巨大な食品多国籍企業の寡占が強まり、工場の集約化が進んだ弊害があった。豚の処理能力が1日数万頭という

牛の競り場「フォートピア・ライブストック・オークション」＝2020年7月10日、サウスダコタ州ピア（著者撮影）

大工場が珍しくなく、一つの工場が閉鎖された際の影響がきわめて大きくなっていた。

取材の過程で知り、ぜひ会いたいと思ったのが、中西部サウスダコタ州のある仲買人だった。コロナ禍のただなかで起業し、小さな食肉処理場をつくったのだという。20年7月、その仲買人キム・ウルマー（57）に連絡を取り、サウスダコタ州に向かった。コロナ危機後、米国内の移動もままならない時期が続き、本格的な出張は久しぶりだった。

サウスダコタの州都ピアは、19世紀に先住民との毛皮の交易所がつくられ、発展した町だ。中心部のショッピングセンターでは大量のライフルが陳列され、親子連れが品定めしていた。牛の競り場を訪ねると、カウボーイハットをかぶった男たちが集まっている。漆黒の牛が一斉に入ってくると、落ち着かないようすで動き回る。競り場は、ぶつかり合う牛の、すえたようなにおいで満ちた。

壇上の競り人が早口で数字を連呼する。「Here we go（よしきた！）」。仲買人がサインを示すたび、競り人は合いの手を入れながら値段をつり上げていく。

競りの展開を見守る仲買人ウルマーのまなざしも真剣だった。素人には判別できない競り人との絶妙の呼吸で、一群の牛を競り落とした。

「今日はうまくいった」

この日は仲買として競り場を訪れ、牛を買い付けたウルマーだが、自分でも競り場を持ち、かつては牧場も経営していた。63年、大平原が広がるノースダコタ州ウィシェックで生まれ、12歳のころ父が競り場を買った。この競り場を手伝いながら、夏には家の農場で牧草を刈り、牛や豚を追うのが少年時代の日常だった。

「競り場は競争の場だよ。強くなきゃいけない。そこに行くたび、何かを学ぶ。鍛えられる」。ウルマーは言う。市場原理主義——。そんな言葉が世間の口の端に上るずっと前から、ウルマーは文字通りの市場競争を生きてきた。

市場経済と国家の役割、グローバル化と民主主義、「中央」と「地方」との関係……。そんなテーマに関心を持ち続け、取材を重ねてきたつもりだった。しかし、記者の仕事しかしたことがない私には、競り場のような実際の市場で、ビジネスとしてものの売り買いに携わった経験がない。それに比べ、ウルマーにとって、市場は生きるための舞台そのものだ。コロナ危機のような予期しない事態ともつねに向き合いながら、厳しい自然とともに歩んできた。

そのウルマーが牧場を手放さざるを得なくなったのは15年、牛の価格の暴落がきっかけだった。消費者が手にとる精肉の小売価格はそれほど大きく下がったわけではない。畜産農家の間では、国際的な巨大食肉処理企業による寡占が進んだことで、家畜を買いたたかれているとの不満が高まった。

アメリカのスーパーの食肉売り場に行くと、多種多様なブランド名の精肉のパッケージが並ぶ。しかし、そのほとんどはわずか数社の食肉大手が、別々のブランド名で出している商品にすぎない。米食肉市場は、米タイソン・フーズ、中国の万洲国際（ＷＨグループ）傘下の米スミスフィールド・フーズ、ブラジル資本ＪＢＳの３社が圧倒的優位を占める。牛肉はタイソンとＪＢＳの2社で5割、豚肉はこれにスミスフィールドを加えた3社で6割のシェアを持つ。牛肉は、さらに米カーギルなど別の2社を加えた計4社で7割超を占める。この数社は、生産者や識者などから競争政策（独占禁止）上の根強い懸念を示されながらも、米当局のお墨付きを得てほかの企業の買収を重ねてきた。近年では、１日数万頭もの家畜を加工できる超巨大食肉処理工場を運営するようになった。

アメリカの農業・食品産業は、家畜の飼育や処理、小売など各段階で、自動車産業のような「ジャスト・イン・タイム」のサプライチェーンを築いている。巨大処理工場はその欠かせない一翼を担う。少数の工場で効率的に大量生産し、低価格と安定した品質を実現している。その肉類は、スーパーやファストフードの巨大チェーンに卸され、米国人だけでなく、世界の人々の胃袋を満たしてきた。

ウルマーは穏やかな人柄だが、こうした巨大食肉企業が公正な競争をゆがめたと確信し、激しい対抗心を隠さない。「すさまじいカネを手に入れながら、生産者のことはほとんど考えていない。たかだか1週間か10日間、牛を工場に置いて処理するだけで、毎日牛の世話をしてきた生産者よりも１頭あたりで多くの利益を上げてきたんだ」

13年のＷＨグループによるスミスフィールドの買収も、中国企業による過去最大の米企業買収として注目を集めた。中国人の豚肉需要の拡大を見すえた動きは、米中経済の相互依存を象徴していた。ただ、中国政府の支援や中国の銀行からの低利での資金供給をバックにした買収は、米中貿易摩擦が最近ほど激化していなかった当時でも、米国内では反発が根強かった。

アメリカでは20世紀初頭にも、鉄道や金融などの業種とともに食肉産業の独占（トラスト）が問題化したが、１９２１年に「パッカー・ストックヤード法」が制定されると、大手の市場支配には歯止めがかかっていた。しかし、80年代から再び買収の動きが活発化する。最近では、JBSやタイソンなどが共謀して価格を操作したと訴える集団訴訟が農家から相次いで起こされるようになった。

「このままでは、アメリカの牛肉生産者は完全に一掃されてしまう」。ウルマーは憤る。しかし、年間売上高が5兆円にも迫る米タイソンのような巨大グローバル企業を前に、小さな牧場主にすぎなかったウルマーに何ができるのか——。

「『キル・フロア』を取り戻すんだよ」

ウルマーはそう繰り返した。何万頭もの牛や豚を工業製品のように処理する工場ではなく、生産者に自由と独立を与える場所が「キル・フロア」だ。かつての農家のように、自らが育てた家畜を殺し、解体し、精肉として心を込めて供給できる「キル・フロア」を地域につくる——。19年秋からウルマーはそんな計画を温め、20年の年明けから準備を本格化させていた。全米の食肉サプライチェーンにとって驚天動地のできごとが起きたのは、そのさなかだ。新型コロナウイルスの感染拡大だった。

巨大工場の「英雄」たち

同じサウスダコタ州内の中核都市スーフォールズは、ピアを通るミズーリ川へと注ぐ支流を中心にひらかれた街だ。スミスフィールド・フーズの巨大食肉処理工場へと伸びる道路に沿って、英語やスペイン語などさまざまな言語の文字で、垂れ幕が掲げられていた。

「ここで働いているのは英雄です」

川が分岐する街の要衝に、スミスフィールドの工場は立つ。20世紀初頭から操業する一大産業拠点だ。生きた豚を満載した大型トラックが近くの道路を行き交う。この工場では20年3～4月、新型コロナウイルスの爆発的な感染拡大が起きた。その後約1カ月間に及ぶ操業停止を経て、従業員を復帰させた。

会社側はこうした従業員を「英雄」と呼んでいた。

なぜか。工場では、中南米やアジアなど世界中からの移民を中心に３７００人の従業員が働く。１日約2万頭の豚を処理できる。これは１日の全米の豚肉生産の4～5%、豚肉料理で換算すると約１８００万食分に相当する。

工場での感染拡大はあっという間だった。その工場で、感染者が最初に確認されたのは3月24日のことだった。4月11日、州知事は最低2週間の操業停止を勧告し、スミスフィールドは翌12日から無期限で操業を止めた。疾病対策センター（ＣＤＣ）の資料によると、3月16日～4月25日、工場では従業員の4分の1を超える９２９人の感染が確認された。食肉処理工場では、冷温に保った室内で、ラインに沿って多数の労働者が密集して立ち作業を続ける。このため全米で感染拡大の中心となり、アイオワ州ペリーのタイソンの加工工場は、作業員の6割が陽性と診断された。ＪＢＳの牛肉工場など、ほかの巨大工場でも操業停止が続いた。

スミスフィールドの食肉加工工場は町の基幹産業であるだけに、地域への影響も大きかった。7月9日、スーフォールズの大型駐車場を訪れると多数の車が並び、ＮＰＯ「フィーディング・サウスダコタ」が、困窮者向けに食料を配っていた。新型コロナの感染を避けるため、ドライブスルー形式で、次々に入れ替わる車の後部座席やトランクに箱詰めの食料を運び入れていった。

順番待ちをしていた黒人男性フランク・ベーカー（62）は19年末まで、すぐ近くのスミスフィールドの工場で計10年以上働いた。工場は5月の操業再開後は従業員を募集しているが、「年齢を考えれば（感染リスクから）戻って働く気にはなれない。危険すぎる」と話す。

「フィーディング・サウスダコタ」の責任者マット・ガッセン（65）によると、食料の配布量は最悪期の4月で例年の3倍、7月時点でも2・5倍ほどに上った。買いだめの動きもあってスーパーからの寄付も受けにくく、食料、なかでも肉類を集めるのに苦労してきた。「農家や企業で、豚を寄付したいと言ってくれる人がいた。トラック半分にもなる量だ」。のどから手が出るほど必要な食料だが、受け取れない。「食肉処理する場所がないからだ」。そうガッセンは振り返った。

止まった工場をなんとか動かそうと、食肉大手は強気の姿勢を貫いた。スミスフィールドCEOのケネス・サリバンは6月末、感染対策を批判した民主党の上院議員エリザベス・ウォーレンらに対する答弁書で「食肉工場が動かなければ、たんぱく質を食卓に届け続けられない。我々はコロナ危機に直面している中でも食料を作り続けるか、止めるかという選択に直面している」と反論した。

タイソンも4月26日、米主要紙に「食のサプライチェーンが崩壊しつつある」とする広告を掲載する。呼応してトランプも28日、国防生産法に基づき「肉類の継続供給を確保」するよう指示した。強制力はないが、感染した従業員から提訴された際、企業側に有利な材料となる。トランプは「タイソンと協力している。大統領令を出せば、彼らの法的責任の問題が解決できる」と露骨に述べた。

政権・企業側の動きに対し、工場で働く移民を支援してきたサウスダコタ州の弁護士タニーザ・イスラムは「我々が食べるためには労働者を働かせ続けなければならない、というのは明らかに誤ったメッセージだ」と批判した。供給網に埋め込まれた差別が覆い隠されてしまう、と考えるためだ。CDCによると、スミスフィールドのスーフォールズ工場では約40カ国語が話されていた。トップ10だけでも、英語とスペイン語に加え、アフリカで話されるクナマ語、スワヒリ語、ティグリニャ語、アムハラ語、オロモ語、さらにネパール語、フランス語、ベトナム語という多様さだ。議員への答弁書でスミスフィールド側は「複数の言語で、頻繁に、はっきりと『体調がすぐれなかったり、感染の兆候が見られたりしたら出勤してはいけない』と伝えた」と説明した。それでも周知徹底は難しかった。「労働者は、家族を食べさせていくため仕事に行かなければならないと思い込み、自らや家族を危険にさらすことになった。選択の余地などなかったのだ」。弁護士のイスラムはそう憤る。

寡占が進んだ食肉加工工場の停滞により、生産現場から食卓に至るその長大なサプライチェーンの真ん中に、突如、ボトルネックが生まれた。その影響はサプライチェーンの上流から下流まで、一気に波及した。細々と残っていた小さな「キル・フロア」の意義にも、改めて光が当たることになった。

州内の小さな農村カントンの食肉処理場「カントン・ロッカーズ」を訪ねてみた。普段は近隣の畜産農家からの注文を受け、少量の精肉にして売っている家族経営の店だ。こざっぱりとした店内では、数人の従業員が慌ただしく肉を切っている。コロナ危機後、巨大工場の一時閉鎖で行き場がなくなった牛を処理してほしいとの注文が殺到し、向こう1年間は家畜の処理の予約で埋まっているという。

切り盛りしているマーシー・ビアによると、19年秋にがんで59歳で亡くなった夫のウェインが、９歳のころから働いてきた店だ。１日に処理できるのは牛、豚、羊などそれぞれ数頭ほどで、数万を処理する大工場に比べれば圧倒的に効率は悪い。店内には「家族経営30周年」を祝う05年のローカル紙の記事が掲げられ、「たゆまぬ勤勉とささやかな笑顔が店の特徴だ」という評が書かれていた。

「私たちが82年に結婚したころは、こういう店がたくさんあった。ほとんどはなすすべなく店を閉じていった」。マーシーはそう振り返る。90年から２０１６年にかけて、全米で食肉処理場の数は4割にあたる１８００以上も減った。その一方、スミスフィールドのような大手の巨大食肉処理工場が供給の主導権を握るようになったが、コロナ危機はその脆弱性も浮き彫りにしたのだ。

アメリカで感染が本格化し始めた3月ごろ、サウスダコタ州センタービルの養豚農家クレイグ・アンダーセン（59）が真っ先に始めたのは、豚の発育を少しでも遅らせられるよう、えさの量を減らすことだった。息子とともに約５０００頭の豚を育てるアンダーセンは、「農家として、何とか豚を『食』のシステムに送り込まなければならない。そのためには何でもするつもりだった」と話す。

システムに送り込めない場合、どうなるか。１日数万頭の処理能力を持つ工場が止まっても、豚の成長は止まらない。雌豚が育ち、人工授精から妊娠、分娩、子豚の養育、肥育から加工処理まで20カ月ほどかかる。この生産サイクルを基本に、豚肉の供給網は「ジャスト・イン・タイム」で数年前から生産計画が決まっている。行き場のなくなった豚は安楽死させるしかなくなってしまう。

実際、アイオワ州、ミネソタ州など近隣の農業州を中心に、全米レベルでは大量の豚の安楽死が起きた。7月20日、全米豚肉生産者協議会とともに記者会見したエコノミストのスティーブ・メイヤーによると、5月には成豚30万～40万頭ほどが安楽死を余儀なくされたとみられる。さらに、各農場レベルで処理されて実態が把握しづらい子豚の安楽死は約100万頭に上るとの推計も示した。

市場を監督する立場の行政機関にとっても、前例のない出来事だった。

サウスダコタ州畜産委員会で動物検疫の責任者「州獣医師」を務めるダスティン・オエデコーベン(43)は3月、コロナの感染拡大が始まると「最悪の事態を想定した」という。大量の安楽死で衛生的な埋葬ができなくなる事態を想定し、州が民間ゴミ投棄場を使えるよう、契約まで済ませた。

「もうあと1日しか豚を置いておけない」。連日、生産者からそんな電話がかかってくる。アンダーセンが会長を務める「サウスダコタ豚肉生産者協会」や州当局は、州内外で小口の食肉処理ができる施設や、豚を転売できる競り場の情報収集に追われた。情報が得られるたび農家に伝え、アンダーセンの豚たちも、アリゾナ州やカリフォルニア州など何千キロも離れた引受先へ送り出されていった。

当局や農家らの奔走が功を奏し、オエデコーベンによると「自分が知る限り、州内で安楽死を余儀なくさせられた農場はなかった」という。「我々は効率的で低コストの食の供給網に依存しており、大工場が稼働し続けられることがもちろん大切だ。ただ同時に、小さな業者の取り組みも支えていくことが、いざというときの供給網の混乱を和らげる」。そうオエデコーベンは話す。

ファストフード店の祈り

全米の巨大食肉処理工場が相次いで閉鎖に追い込まれていたころ、サウスダコタ州ピアで小さな「キル・フロア」を起業しようと準備を進めていた仲買人のウルマーは、闘志を新たにしていた。

「コロナ危機は我々の好機だ。牛肉会社が四つしかなかったら何が起こるのか、価格上昇を通じて消費者も気付く。企業側は今さら『労働者の健康が大切だ』というが、それならば、我々がもっと安全なシステムをつくれる」

ウルマーがふだん通うピアの牛の競り場は、西部ロッキー山脈に源流を持つミズーリ川のほとりにある。ウルマーが目を付けたのは、競り場から鉄路を挟んですぐの場所にある、古びた建物だ。19年10月、その建物が売り出されると、ウルマーはすぐ買い取り交渉に入った。建物は70年代に建てられた。生きた牛を処理する「キル・フロア」や冷蔵庫も整っていたが、03年からは倉庫になっていた。ウルマーは地元の牛の生産者十数人に声をかけ、20万ドルほどの資金を調達した。近くの地方銀行からの融資や、州の補助金でさらに20万ドルを集め、約55万ドルの初期投資をまかなった。コロナ危機直後の4月には建物の修復や改装の最終仕上げに入り、5月中旬に稼働した。

牛の扱いには慣れたウルマーだが、処理や解体方法はいちから学んだ。1日数千頭から数万頭の牛を処理できる大型工場に比べれば圧倒的に効率は悪い。「最大で1日12頭は処理できるが、慣れるまではゆっくりがいいと思い、週に12頭くらいのペースでやっている。とにかく勉強しなければね」

ウルマーと昼食に出かけ、小さなファストフード店に入ってハンバーガーをほおばろうとしたときだった。初めての光景に目を見張った。ウルマーは、食事の前に祈りを捧げたのだ。

「いいかい、アメリカ人には私みたいのも多いんだ。大切に考えるのは第一に神様、第二に家族、そして仕事が三番目だ。一生懸命働き、家族を養い、少しでも良い人間になろうと日曜日には教会に行く。

そういう生き方を選ぶ自由を尊ぶ」

18年春にワシントンに赴任してから、アメリカ人と食事をともにしながら取材する機会は多かった。ボストン近郊のタフツ大学大学院フレッチャー・スクールで学んでいた際も、友人たちと何度も食事したが、食前のお祈りを見たことがない。気取らないファストフード店でさえ、祈りを欠かさないウルマーの姿には驚かされた。同時に、米内陸部の人々が、東海岸や西海岸の都市住民に抱く違和感が、肌感覚で伝わってきた。トランプを生む要因にもなったアメリカの深い文化的断層だ。

意のままにならない自然とともに、牛の世話をし、その命を奪い、生活の糧を得る。信じる神の導きを信じ、独立心を保って暮らすことを何よりも誇りとする。ウルマーのようにアメリカの大地で生きる無数の人々は、世界を先導する知識人や企業人、政策エリートたちよりも、経済や人間社会のありようを肌感覚で理解している面がある。過去数十年間、世界の富は、国境を越えて自由に移動できるマネーや知識、アイデアの出し手に極端に集中するようになった。肉体労働に従事する人々は、コロナ禍のような危機において「英雄」と祭り上げられながら、低賃金のまま危険にさらされる。こうした不均衡の構造に、民主主義の観点から歯止めをかけるべき国家も機能不全に陥っている。

ウルマーは巨大食肉加工企業に対して、まるでドン・キホーテのような敵愾心を抱く。中国の不公正な貿易に怒る米労働者や農家などと同じように、競争したいのにそのルールがねじ曲げられている、と憤っているのだ。16年の大統領選では、トランプに投票した。前大統領のオバマが、巨大食肉企業の寡占に厳しい姿勢で臨むとみられていたのに果たせなかったことが大きかった、という。連邦政府のさまざまな規制も、独立事業者には負担が大きい。ウルマーが今回、食肉処理場を準備する際も、500ページもある衛生関連の規制文書を読み込まなければならなかった。敬虔なウルマーが、とても倫理的とはいえないトランプを支持したのは、その規制緩和の訴えにもひかれたからだ。

もちろん、規制を緩めれば小さな食肉処理場が復活する、というわけではない。企業買収を通じた食肉大手の肥大化は、過去数十年間、規制緩和の旗のもと、低調だった米当局の反トラスト（独占禁止）政策の結果でもある。この構図を鋭く突いたニューヨーク大学のトマ・フィリポン教授は、アメリカは自由競争の牙城とみられているものの、食品、航空、エネルギー、ＩＴといった重要業種で独占傾向が進み、まるで「自由市場をあきらめた」ようだと指摘する。取材に対し、「自由な市場を守るには、二つのことが必要だ」と力説した。「まず、市場を開かれたものにすること。つまり、小さな企業でも新規参入ができるようにし、競争を活発化させることだ。そして、大企業が大きくなりすぎないようにすること。80年代ごろまでの米国は、この自由市場の原則を捨ててはいなかった」

コロナ前からあった「脅威」も迫っている。ＡＩなど急激な技術革新がもたらすロボット化は、あらゆる産業に破壊的な影響をもたらす。巨大食肉処理工場のロボット化で効率を極限まで高めれば、食肉大手の競争力はますます高まるのではないか――。それは、移民によって支えられている厳しい肉体労働から、人々を解放する肯定的な面もあるだろうが、ウルマーのような中小業者の挑戦はますます難しくなるかもしれない。ウルマーにそう水を向けると、こう答えた。

「あいつらはロボット化を必ずやってくる。だからこそ、私のような男がどうすればタイソン相手でも強みを持てるのか、見つけなければいけないんだ」

アメリカは、大企業や富裕層は「平等」に優遇され、貧困層ばかりがむき出しの競争にさらされる「金持ちには社会主義、貧乏人には資本主義」の国だといわれることがある。巨大企業が市場支配を強め、極端な格差が広がる実態は、そんな一面を確かに示す。自助努力を偏重する風潮は、競争の「敗者」に対する公的扶助を軽んじる風潮と表裏一体だ。「勝者」である一握りのスーパースター企業や個人、富裕層による富の独占を強化しかねない危うさを含んでいる。

新設した食肉処理施設「USビーフ・プロデューサーズ」を案内するキム・ウルマー＝2020年7月10日、サウスダコタ州ピア（著者撮影）

一方で、ウルマーのような独立心旺盛な人々が、誇りを持って競争に加わり、その無数の集合が計り知れないダイナミズムを生んでいることもまた確かである。ウルマーは「アメリカの資本主義は止められない」と言う。巨大企業が優遇されているゲームのルールに憤りを抱きつつも、自らも競争の場で戦う意志を捨てないのだ。そして、アメリカの大地と向き合いはぐくんできた生きる知恵を信じ、都市部のエリートからの指図を嫌う。

「ゴリアテ（旧約聖書に出てくる巨人）のような企業たちは、こんな小さな処理場のことなんて気にもしないだろうけど」。そう話すウルマーが、自らの小さな「キル・フロア」に付けた名前は「USビーフ・プロデューサーズ」だった。

『US（全米）』とは大きく出ましたね」。そう聞くとウルマーは笑った。

「確かにここはサウスダコタだ。でもこれから後に続く人が出て、工場をほかの州にも建ててほしい。だから『US』なんだ」

私はウルマーが例外ではないことを知っていた。

こうした気風は、米内陸部の底流に息づいている。英語で言う「アンダードッグ（underdog）」――「他者より弱い立場にいると考えられ、それゆえに競争で勝つ見込みが薄いと考えられている個人やチーム、国家など」（『オックスフォード現代英英辞典』）――であることをむしろ誇り、歯を食いしばって生き抜こうとする精神である。

この根底には、自由な競争を尊びつつ、平等を志向する民主主義の精神がある。格差を正当化する論理にも使われやすい自由の原理と、民主主義との間には激しい緊張関係があるが、ウルマーのようなアメリカのブルーカラーの人々の中で、それは矛盾なく同居している。孤独な戦いを支えているのは、疑いなく「第一に神様、第二に家族」という信条であった。ウルマーだけではない。米内陸部の人々の取材でいつも印象に残るのは、その信仰心と、家族という共同体への強い帰属意識だった。

例えば19年３月に取材したアイオワ州ウォーレン郡の農家マット・ラッセル（48）は、キリスト教徒としての立場から気候変動対策や循環農業を推進する地域のＮＰＯ活動に取り組んでいた。アイオワ州の小さな街で取材したラッセルは、ニューヨーク・タイムズにも寄稿が載る農村の論客だった。ウルマーと違って民主党員である。芯の強さをにじませながら、「トランプのやり方が良くないのは、恐れをかき立てて人々を動員し、世界に対して対決姿勢で臨んでしまうことだ」と語った。

「アメリカだけの利益を追求しても世界の課題には対処できず、破滅的結果を招くだけだ。キリスト教に限らずあらゆる宗教が、共通の道徳的枠組みを持っている。人々は誰もが、お互いやその暮らしの共同体との関係性のなかに生きており、その関係性を尊重する世界を創造しなければいけない」

米内陸部の厚い信仰心は、異質な考え方を排除しようとする一部の宗教右派などの偏狭な姿勢と結びついてしまう面もある。ただ、ラッセルはアメリカの底知れない多様性を感じさせた。同性愛者だと公表し、同性婚の相手とともに05年から農場を営んできた。保守的な農村では大変なことなのではないですか？　そう問うと、ラッセルは意外なことに「何も問題はなかった」と語った。

「農場を買った時、（結婚相手の）パットに言ったんだ。田舎ではすぐうわさになる。面白がられて一方的に『物語』が書かれてしまう。でもこちらから積極的に関わっていけば、自分たちで物語を書くことができる」。ラッセルが自分たちの殻にこもっていれば、近所の農家はさらに偏見を強めたことだろう。でも彼らは、信仰を支えに、自ら周囲に語りかけることで自らの居場所をつくった。

トクヴィルが、アメリカ社会の最も重要な要素の一つと強調するのも宗教である。民主主義には不向きとされた広大な国土を持つアメリカで、なぜ現実に「民主的共和政」が成立しているのか。トクヴィルがアメリカの観察を通じて発見したのは、民主主義を成り立たせるためには、人間が究極的には死によって無力である、という有限性の自覚が欠かせないことであった。

「現世の不完全な喜びは決して人の心を満足させまい。生きとし生けるものの中で独り人間だけが、生存への生まれながらの嫌悪を示し、同時に限りなく生存に執着する。生きることを軽蔑し、しかも無を恐れるのだ。こういった矛盾する本能が、不断に人の魂を来世の瞑想に向かわせる。その道案内となるのは宗教である」[3]

民主主義は、政治参加を通じて人々が自らルールを定め、自らの意思で行動を律する自己統治をその基盤とする。トクヴィルは、「信仰なしで済むのは専制であって、自由ではない」と述べた。身分制が壊れ、「政治の絆」が弛んだデモクラシーで人民が「それ自身の主人」になるためには、信仰を通じた「道義の絆」が重要であると考えたのだ。[4]

もちろん、トクヴィルが旅した19世紀前半から、アメリカ社会や宗教のありようも著しく変化した。米ギャロップの調査では、米国の生活において宗教の影響力が「弱まっている」と答えた人の割合は92年の63%から21年には78%にまで上昇した。それでも、信仰に基づくこうした心的態度が、アメリカ内陸部の、肉体労働で生きる人々にいまもはっきりと見いだされたことは、印象的であった。こうした人々の多くが支持するのが、キリスト教の悪徳を体現したかのようなトランプであることには戸惑う。ただ、アメリカ社会の基盤を草の根で支える「忘れられてきた」人々の存在を、自らの政治的利得のためにせよ、発見し、広く世界に知らしめたのが、トランプだったことも確かだ。

この間、米東西両岸部のエリート層が狂奔してきたのは、どれだけの能力を持ち、何を成し遂げたかという、自分たちの商品価値を巡る競争であった。つまるところ、表面的な能力主義と私益の追求が新たな「宗教」になったわけだが、その帰結は、どれだけ名声や富を得ても飽き足らない焦燥と虚脱である。「ヒーロー」と呼ばれる低賃金労働者だけでなく、エリート層も商品化されている。人々はインターネットで膨大な情報を受け取り、自らの「商品価値」をＳＮＳで無数の人々に発信できる。かつてないほど他者と「つながっている」はずなのに、かえって孤独と虚無がはびこっている。

コロナ危機は、現代の市場経済が抱える問題を浮き彫りにし、「戦争」にたとえられるような危機を乗り切るための国家の役割を問い直した。病苦や死の危険を差し迫ったものとして示した点において、過去の不況に比べ、はるかに実存的な危機でもあった。ひとりひとりの無力さの痛切な自覚は、他者や次世代に対する共感、責任の感覚を伴わなければならない。そんな「心の習慣」（トクヴィル）と民主主義とが切っても切り離せないということを、コロナという破局は教えているように思えた。

「絶望死」の社会

コロナ危機で、アメリカは世界最高の医療技術を誇りながら、世界最多の死者と感染者を記録した。医療産業も食肉産業と同様に、危機前から根深い構造的課題が指摘されてきた。医療について公的な介入を排除すべきだとの主張が強く、日本のような国民皆保険の仕組みがない。多くの国民が無保険に陥る一方、GDPの2割を医療関連が占め、米国民は世界で最も高い医療費を負担している。

医療産業を切り口に、米国社会の病理について研究してきたのがプリンストン大学名誉教授、アンガス・ディートンである。15年には「消費、貧困、福祉に関する分析」でノーベル経済学賞を受賞し、近年は白人労働階級で増えた「絶望死」に着目して、学歴による寿命や生きがいの格差に警鐘をならしてきた。コロナ前から変容していた死のありようを見つめ、浮かび上がった現代の課題とは何だったのか。21年9月、ニュージャージー州の自宅を訪ね、じっくりと話を聞くことができた。

初対面の印象は驚くほどぶっきらぼうで、アメリカ人の多くが持つ社交的な雰囲気は全くなかった。ディートンは経済学の始祖アダム・スミスと同じ、英スコットランド生まれである。打ち解けるにつれ、スコットランド人であるというアイデンティティーを強く抱いていることが感じられた。高名な学者だが、ぶっきらぼうな物腰を含め、どこかブルーカラーの雰囲気を醸し出す人物なのである。

アメリカがこれほど膨大な犠牲を出したのはなぜなのか。ディートンは「コロナ禍はまだ終わっておらず、政府の対応の成否を語るのは時期尚早だが、もともと混乱の中にあったアメリカ社会をコロナが直撃したことは確かだ」という。「当初、この惨禍を機に医療制度改革の機運が高まることを期待したが、そうはならなかった。『悪役』だった製薬会社が、英雄のような扱いを受けている。政府が製薬業界を制御することは一層、難しくなるかもしれない」

ただ、21年に入ってからのコロナワクチンの開発成功と迅速な普及が、米経済の急速な回復を可能にしたことは確かだろう。ファイザーやモデルナといった米製薬会社が迅速にワクチンを開発した点は評価すべきではないか。そう問うと、ディートンは反論した。「製薬会社がアメリカを救ったとみるのは誤りだ。製薬会社はワクチン開発にあたって政府から膨大な資金を受け、副反応の法的責任も免除されている。開発や普及には、連邦・州政府のみならず米軍も深く関与した」

アメリカは、経済協力開発機構（ＯＥＣＤ）加盟国のなかで医療費の水準は群を抜いて高い。だが、平均余命は富裕な国々のなかで最も低い。「データを詳しく分析したところ、90年代後半以降、薬物、自殺、アルコール性肝疾患による死亡率が、特定の社会層で上昇していることがわかった。大学の学士号を持たない人々だ。私はこの広い意味で自死と呼べる死を、絶望がもたらした死と名付けた」。これが、ディートンが著書の題名としても使った「絶望死（Death of Despair）」である。

「アメリカの経済成長は、大卒層の一部にこそ成功をもたらしたが、非大卒層には何ももたらさなかった。非大卒の良い雇用は減り続け、賃金の中央値は半世紀以上も下がり続けている。土地や株式など資産の保有比率は、90年代半ばまで大卒と非大卒で半分ずつ分け合っていたが、今は大卒が４分の３を持っている。非大卒は結婚もしにくく、子どもを持つ場合でも未婚で産み、ひとり親で育てなければならないケースが多い。見逃せないのが、心理的、肉体的な様々な『痛み』を訴える声が増えていることだ。彼らが精神的なよりどころを失い、人生がばらばらに砕けていく感覚に陥った時、ましな選択肢として選ばれたのが薬物だったのだ」

全米で深刻な薬物禍を引き起こした、麻薬性鎮痛薬「オピオイド」である。ディートンの憤りは深い。「19世紀、私の故郷スコットランドの商人は、社会が混乱していた清朝の中国でアヘンを中国人に売りつけて巨額の利益を得た。アメリカの製薬会社はそれと同じように国民の痛みに乗じ、積極的に好機とみてオピオイドを売りまくった。受け身で人々の需要に応えたわけではない」

企業からのロビイングや献金などを通じた、アメリカ政治の腐敗も事態を悪化させたという。「政治家らは、製薬業界の規制が強まらないように暗躍してきた。社会を支えるはずの仕組みが、貧困層を食い物にし、富裕層へとカネを流す『上への再分配』になってしまっている。その典型が、医療制度なのだ。アダム・スミスは『国富論』で、政府と癒着して独占を守ろうと図る企業を『立法府からゆすり取った法律は、すべて血で書かれている』と批判した。本来、資本主義のもとで企業には競争をさせるとともに、大衆が民主政治に参加し、誰もが役割を担うことで、（立法府に）影響力を及ぼさなければならない。いつの時代もこの原則は不完全だったが、特にいまは機能していない」

学歴や経済力の格差、それを拡大再生産する政治経済のシステムといった社会的要因が、人々の孤独感と深く結びつき、「絶望死」につながった。人間は苦境や貧困のなかでなお、競争のなかに飛び込んで、生きがいを感じることはできる。だが、同じ競争のスタートラインに立っていない、支え合う仲間や家族がいない……と感じるような状況が慢性的に続けば、人間が持つ、生に意味を感じ取ろうとする力が摩耗していってしまう。

トクヴィルの時代から、アメリカ人が個人主義的であることに変わりはない。それでもかつては、草の根の自治や宗教、教育が公共心を育み、アメリカのデモクラシーを支えていた。そんなかつてのアメリカ社会の基盤が弱まったのはなぜなのか。ディートンはいくつかの要因を挙げた。

「賃金や労働条件を改善するのに貢献し、地域社会の核となっていた労働組合が退潮したことが大きい。製造業が衰退し、労働者を組織化しにくいサービス業中心の産業構造へ移行したためだ。さらにフェイスブックやツイッターなどが普及し、教会や地域行政の腐敗などを詳しく報じていた地方新聞が壊滅的な打撃を受けた影響も重大だった」

第4章で詳しく触れるが、薬物禍に苦しむ炭鉱地帯の取材で驚かされたのが、炭鉱労組の会合や古い鉱山の写真で目にした、誇りと連帯感に満ちた人々の表情だった。ディートンにそのことを伝えると、英国の炭鉱町出身だったという父の思い出話を始めた。「父は、徴兵後に結核感染が判明して除隊になった『幸運』のお陰で夜学に通い、技師の知識を得た。貧苦から抜け出したい一心で学んだ父は、私の勉強が足りないと嘆いた」。働きながら苦学して学び、将来ノーベル経済学賞を受賞する息子に学問の重要性を諭したディートンの父。その内面の矜持がしのばれた。

「最近、英国の旧炭鉱地帯に進出した通販大手アマゾンの倉庫に関する本を読んだが、人々は仕事を聞かれると『アマゾンにいるだけ』と答えるという。昔なら『炭鉱にいるだけ』とは言わず、『私は鉱夫だ』と答えていた。鉱夫であることが誇りだったのだ。その誇りがいまは失われている」

ディートンが読んだという本の著者である英ジャーナリストは、アマゾンが「フルフィルメント・センター」と呼ぶ倉庫に潜入取材した。そこはジョージ・オーウェルの『一九八四年』そのものの管理社会だ。建前では管理職と労働者との区分はなく、創業者ジェフ・ベゾスも倉庫の労働者も同列の「アソシエート（仲間）」とされる。だが、現実はこのうわべの平等とは程遠い。商品を集めるため、ときには1日20キロ以上を歩かせられる。簡単に解雇され、労働者が共感を育むのは難しい。[6]

アメリカ独立宣言には、「幸福追求の権利」がうたわれ、日本国憲法にも受け継がれている。ただ、人々が目指すべき幸福をあまりにも個人主義的にとらえるようになり、それ自体が目的化したところに、アメリカ社会の病理があるのではないか。こちらからそう水を向けると、ディートンは同意した。

「その通り。スコットランドで『幸せですか』と聞いたら『まあまあだ』くらいの後ろ向きな言葉が返ってくる。ところがアメリカ人はそうはいかない。実際にはそうでなくても、個人が幸福であるように見えることが求められる。そして、周囲も『幸福なのだから助ける必要はない』と反応する。私は人々の幸福度を調べた指標と自分の実感とが食い違うときは、実感を重視するようにしている」

「生きがい」や「幸福」の難しさは、個人の内面に関わるだけに、公的な支援の是非や効果がはかりがたいところであろう。国民が生きがいを持てるようにするには、何が必要なのか。

「政府は国民に生きがいを示すことはできないし、示すべきでもない。ただ、人々の生きがいが花開きやすいような環境を整える責任はある。人間はリスクを取って挑めるからこそ、生き生きと輝けるし、日々の仕事にも取り組める。医療制度でいえば、病気になったら治療が受けられる、最後のセーフティーネット（安全網）があるという感覚を持てるようにすべきだ」

アメリカはコロナ禍を機に、失われた共同体感覚を強める方向に進むのだろうか。ディートンは「ずっと考えているが、わからない」と即答した。ディートンであれば、納得のいく答えがかえってくるものと期待していたが、その答えの率直さには驚かされた。

「9・11同時多発テロの直後、米国社会が強く団結するとの見方が広がった。20年後のいま我々が見ているのは、全く逆の事態だ。議事堂襲撃事件などもあって、いまのアメリカは内戦間際だという人までいる。コロナ禍で人間にとって重要な、顔と顔を向き合わせる関係は大きく乱されている。このまま、逆に弱まる方向に働いてしまうかもしれない」

リベラリズムの陥穽

自由をやみくもに突き詰めれば、物質主義や表面的な能力主義に陥り、民主主義（平等）を弱め、ひいては自由そのものも脅かす。自由と民主主義を守るためには、逆説的だが、人間が一定の自制心を保つ「心の習慣」（トクヴィル）を体得する必要がある。トクヴィルの盟友であった英思想家J・S・ミル（1806〜73）は、『代議制統治論』でこう語る。「すぐれた統治の第一の要素は、その共同社会を構成している人間の徳と知性なのだから、ある統治形態が所有しうる卓越のもっとも重要な点は、国民自身の徳と知性を向上させることである」[7]。ミルはこの観点からも、代議制民主主義こそが最良だと結論づける。

「すぐれた統治（good government）」の目的は「共同社会（原文ではcommunity＝地域社会・共同体）」をつくる人々の「徳と知性」の陶治（とうや）であり、民主主義はその手段という側面を持つ。もちろん、権力者が

「徳と知性」の方向性を決める社会はグロテスクだが、それを避けるためにこそ、ひとりひとりが「徳と知性」を高める必要がある。自由の名のもと、「徳と知性」を欠く利己主義や強欲が是認されるわけではない。トランプの台頭やコロナ禍はこの点について、再考を迫る好機であった。これらの「警告」によるブレーキがなければ、自由や民主主義はより危機的状況に陥っていたかもしれない。

19年6月、大阪で開かれた主要20カ国・地域首脳会議（G20サミット）の取材で一時帰国した際、フィナンシャル・タイムズ（FT）が掲載したロシアのプーチン大統領のインタビュー記事には驚かされた。プーチンは「自由という思想は時代遅れになった。国民の圧倒的多数の利益と衝突するようになった」と堂々と述べていた。[8] この独裁者からの「挑戦」と言うべき問いを、民主主義国家は正面から受け止め、自らのありようを冷静に省みる必要がある、と痛感した。

かねて注目していたのが、著書で「自由主義（リベラリズム）の失敗」を説き、前大統領バラク・オバマが「思考を大いに刺激される」と評して話題になった米ノートルダム大学教授のパトリック・デニーンである。[9] デニーンはジョージタウン大学に在職中、「アメリカのデモクラシーの根源についてのトクヴィル・フォーラム」という研究プログラムを発足させ、精力的に論考を発表してきた保守派の政治学者である。私の出張と在外研究中のデニーンの都合が合い、取材したのはロンドンだった。カトリック教徒であるデニーンは落ち着いた物腰だが、語り出すと内側の「熱」がすぐに伝わってくる。まず聞いたのは、約2カ月前のFTでのプーチンの見解をどう受け止めたかだ。

「プーチンは、自由主義とは対極の旧ソ連体制のもとで育ち、崩壊を目の当たりにした。だからこそ、我々が当たり前と考えてきた（自由主義に基づく）政治秩序も、永遠に続く保証はないと見ているのだろう。単に『自由主義は必要だ』と唱えるだけではなく、自由主義を基盤にした今の秩序を何が脅かしているのか、代わるものがあるのかを真剣に考えねばならない」

なぜ自由主義は「失敗」したのか。デニーンの答えは明確だ。「人間は本来、『自然、時間、土地』という、どうにもならない条件に制約された存在だ。生まれるはるか前から個人を超えて存在してきたものの一部として生きている。それがまさしく文化や伝統だ」。一方、17世紀の哲学者ホッブズやロックにさかのぼる自由主義においては、人間の単位は自由で平等な個人であり、政府の役割はその個人の自由や権利を守ることとされた。個人はしがらみから解放されたが、「その過程で、文化や伝統が消費される商品のようにとらえられてしまった」とデニーンはみる。「ある土地に根を張り、いま生きる時間だけでなく過去、未来につながっているという感覚を人々から失わせてしまった。『自分が死んだ後はどうでもいい』という、次の世代への責任を欠いた感覚が、巨額の政府債務や環境破壊などにもつながっている」。そして、行き過ぎた自由は、不自由や権威主義に行き着く。

「自由主義が深まるほどに、自分が思うとおりに生きればいいとの考えが、個人の自由な選択という問題を踏み越え、制度として受け入れるべき必須の要件であるという考えにまで行き着いてしまった。この結果、例えば米国では人工中絶や多様な性的指向について反対する人は、その逆の立場の人からはもはや政治社会の正当な一員とすらみなされない風潮になっている。『自由な選択への支持』が絶対視されるあまり、反対意見はつぶそうとする。そんな権威主義的な流れが生まれてしまった」

こうした潮流への反発が、さらにプーチンやトランプのような強権的な指導者への支持につながる悪循環も生む。トランプはプーチンのFTの記事が出た後、プーチンの見方について問われ、「アメリカを見て、(自由が)素晴らしいとは思えなかったんだろう」と発言した。

デニーンは、トランプが17年の大統領就任演説で、製造業の衰退や貧困、教育の劣化などを挙げて「アメリカの殺戮(American carnage)」と表現したことを想起したという。「アメリカでは過去50〜60年間、自由な市場と小さな政府を支持する層と、経済秩序を重んじ大きな政府を支持する層に二分され、それが共和党と民主党の対立軸だった。今は右派と左派の双方から、政府と市場に攻撃の矛先が向かっている。背景にあるのは、政治でも経済でも人々が自身の運命をコントロールする力を失ったという感覚だ。トランプ大統領は『人々が自分たちの国の運命をコントロールできた時代・空間に戻ろう』という問題意識を掲げて選ばれたのだ」

そして、グローバル化の恩恵を最大限に受け取ってきたエリート層は、かつては伝統や文化がその高い地位と引き換えに求めた「責任」の感覚を備えていない。「自由主義の果実を得ている人々にとって、『自然、時間、土地』といった制約は別になくたって困らない。自由に動き回れる、いわゆる『コスモポリタン』を自任する人々だ。自由主義は貴族階級を葬ることに成功したが、その後釜として、新たなエリート層という別の特権階級をつくりだしてしまった」

それでは、「失敗」を是正するカギは何なのか。デニーンは、留保を付けつつ「ナショナリズム」の意義も評価する。「もともと、ナショナリズムは人々の忠誠心を地域社会から国家へと移す試みだった。今ではグローバル化に歯止めをかけ、国家という単位の中で、引き継がれてきたものを守る営みに変わりつつある。帰属意識や忠誠心の強制ではなく、様々な地域社会を含む『うつわ』として国家を重視する考えであれば、私は受け入れてもいいと思う」。デニーンはナショナリズムを積極的に擁護しているというよりは、あくまで地域社会・共同体（コミュニティー）を重視し、それを守るための枠組みと認識しているのだ。「当たり前だと思っていた哲学的、社会的な価値観を改めて問い直し、自らが根差す『自然、時間、土地』の感覚を取り戻す必要がある。行きすぎた自由主義やグローバル化に対抗するため、ものごとはできる限り地域社会で決める。ローカルの復権が手がかりになる」

自由主義の再興へ

デニーンの話を聞いていて、プーチンの言うように「自由主義の思想が時代遅れ」になったのではなく、現代に生きる我々が、自由主義に追い付けていないだけなのではないかと思えてきた。ディートンの敬愛するアダム・スミスは一般に、古典的自由主義の提唱者として知られる。市場経済を導く「見えざる手」への信頼を訴えた自由放任主義者と思われがちだ。しかし、著書『道徳感情論』では人々の共感の役割を重視し、個人の感情や行動の「適切性」を測る基準として、人々が内なる「公平な観察者」を育むことが重要だと考えていた。18世紀までの西欧では、政府の保護による独占的な企業の育成や貿易統制を志向する「重商主義」が有力だったが、スミスはそれを否定し、政府が競争を促す政策を採るよう主張した。ただ、政府があらゆる取引を監視することはできないのだから、自由で公正な市場を維持するためには、政府という外部機関だけでなく、市場に参加するひとりひとりの内部の「公平な観察者」によって監視され、統治されるのが望ましいとみていたのだ。[10]

22年1月、コロンビア大学経営大学院のグレン・ハバード前学長がスミスを再評価していると知り、すぐに取材を申し込んだ。ハバードは01〜03年にブッシュ（子）政権で大統領経済諮問委員会（CEA）委員長を務めた共和党系の有力学者だ。新著では、トランプ政権の対中制裁関税などの政策を「壁」だと批判し、新しい産業へと移行できるようにする教育訓練など、「橋」となる政策の必要性を訴えていた。[11]

ハバードは、道徳哲学の学者であったスミスが最も重視していたのは、「経済への大衆参加」を通じた総体としての社会の繁栄であった、という。「スミスは、人々が基本的な尊厳（dignity）を保ち、自らの手による成功を得るための場所が経済だととらえていた。競争は必要だが、そのための環境が与えられていなければ競争など空虚な言葉だ。私が『橋』のたとえを使うのは、新しい世界へと人々をわたす準備となるような政策が必要と考えるためだ。例えば、地域短期大学（コミュニティー・カレッジ）を充実させたり、高等研究機関を地方に分散させたり。スミスは何でも放任すればよいと考えていたわけでは全くなく、インフラ投資や公教育の重要性を強調していた」

スミスは経済学の狭い視野にとらわれず、「徳と知性」の問題に正面から取り組んだ。他者の悲しみを自らの悲しみとする共感の働きがなければ、資本主義は混沌に陥ると見通していたのだ。

現代資本主義の頂点に立つアメリカの「絶望死」は、人々の痛みすら利潤追求の好機とする市場経済の暴走が要因だった。国家はそれを止めるどころか時として加担していた。ただ、だからといって、変化を生み出す資本主義のエネルギーや、民主主義の論理で国民の安全網を整える国家の力を否定すべきではない。むしろ、それぞれに強化し、互いに抑制と均衡を働かせる一方、人々が暮らしを営む地域社会の再建を通して、ひとりひとりの内側にある「徳と知性」「公平な観察者」を育む必要がある。

スミスは『道徳感情論』のなかで、ギリシアの古代国家、エピルス王の挿話を引く。王が、計画しているすべての征服について順序を追って詳しく語り、その話も終盤に近づこうというころ、寵臣が尋ねた。「ところで陛下、次に何をなさるおつもりでございますか？」。王は答えた。「友人といっしょに楽しみたい」「酒を酌み交わしながら楽しく同席したい」――。これに対し、寵臣は問いかけた。「今や陛下がそうなさるのを妨げるものなど、何がございますでしょうか？」

遠くの目標を追うあまり、目の前の人生を存分に生きていない――。このようなケースは、王様だけでなく誰にでもある。「虚栄心と優越感にもとづく軽薄な喜びを別とすれば、個人的自由（パーソナル・リバティ）が存在してありさえすれば、もっとも高貴な社会的地位が提供しうるすべてのことを、我々は、ほとんどすべての取るに足りない社会的地位において、見つけることができよう。そして、虚栄心と優越感にもとづく喜びは、めったに、完全な心の平安――真に満足できるすべての喜びの原動力であり、基礎である――とはりようだと、スミスは考えていたに違いない。

「虚栄心」や「優越感」を追求するための「自由」などというものは、むしろ不自由な人間や社会のあり方だと一致しない[12]

青いカニの思い出

新型コロナウイルスが猛威を振るい、ワクチンもまだ普及していなかった20年、アメリカでは飲食業界が特に大きな打撃を受けた。「世界恐慌以来の経済危機」などと記事に書くたび、家族でよく出かけた地元の小さなレストランの店主の姿を思い浮かべた。暮らしを支え、生きがいをもたらしてきた仕事が、突然制約される働き手のつらさはどれほどのものか。その苦境の比ではないが、客として家族で外食に出かける機会が減り、街の営みを肌で感じられなくなったのはさびしかった。

しかし、自然の恵みと、ゆったりと流れる食事のひとときのかけがえのなさは、自宅の食卓でもじっくりと味わうことができる。それを気付かせてくれたのが、自宅のあるメリーランド州名物の「ブルークラブ」だった。小ぶりのカニで、この州に面したチェサピーク湾など、大西洋岸に広く分布する。ワシントン赴任まで見たこともなかったが、レストランで蒸したてをいただき、大好きになった。

店で食べる場合、辛めのスパイスがどっさり振りかかった状態で運ばれてくる。フォークやナイフなどを使って腹を割り、エラをそぎ落とし、爪の部分は木づちで割って、細かい肉をほじくり出す。アメリカ人があまり食べないミソのような部分も味わい深い。旬は春からだが、20年はちょうど春にコロナ禍が襲い、外食では食べられなかった。しかし、灯台もと暗し。近所のスーパー「ジャイアント」の貼り紙で、「カニワゴン」が運ぶブルークラブを、蒸したてで手に入れられることを知った。

海に面した街「オーシャンシティー」にあるレストラン「フーパーズ」が春から秋まで、週末ごとにジャイアントの店舗を巡回し、その場で売っているのだ。例年の恒例行事だが、気付いていなかった。コロナ禍がなければ、店の貼り紙にも目が向かないまま過ごしていたことだろう。

それからは、近くのジャイアントにワゴンが立ち寄る日時をウェブサイトで確認するのが習慣になった。先行きの見えにくい危機の年。何か楽しみに待つものがあることのありがたさが、ことさら身にしみた。駐車場に着くとワゴンに直行し、注文する数を伝える。そうすると、ジャイアントで買い物をした後、帰りがけに蒸したてのブルークラブを受け取れる。1個あたり3〜4ドルと値段も手頃だ。1人当たり半ダース（6個）もあれば、十分おなかいっぱいになる量だ。

車内はカニのにおいで充満し、帰りの道中もワクワクする。帰宅するとすぐ、新聞をひいた机の上に放り出し、木づちでトントン……。次々にほおばる。ふっくらとした肉はあっさりとしたなかにも甘みがあって、辛いスパイスと合う。

秋が深まると、ワゴンの季節も終わる。日本ではカニを堪能できる季節だった冬に入り、ワゴンが懐かしくてならない。感謝の気持ちも伝えたくて、「フーパーズ」支配人のライアン・イントラリー（47）に話を聞いた。ジャイアントにワゴンを出すようになったのは7年前。この間、ワゴン1台で始めたビジネスは11台まで増えた。ワゴンを目当てに訪れ、ついでにジャイアントで買い物をしていく客もいれば、逆にたまたまワゴンを見た買い物客がブルークラブを買うケースもある。ウィンウィンの事業だ。近くにシーフードレストランが少ない地域を選び、競合を避けてきた。

飲食業全体でみれば大打撃を受けたコロナ禍の20年。だが、地域に根差したワゴン事業が、フーパーズにとって救いとなった。「どれくらい、とは言わないが、すばらしい売れ行きだった」とイントラリーは話す。20年5月までは店舗営業が規制されたが、6月以降は屋外での提供は認められた。海に面したデッキの屋外席が多いため店舗での売り上げも堅調で、「危機にも適応でき、良い1年を終えられた」

という。草の根の資本主義のダイナミズムに触れた思いがした。

インフラリーは、トランプ政権・米議会がコロナ危機直後に決めた経済対策で配られた給付金や失業保険の拡充も、売り上げの支えになったのではないかとみる。

「カニは失業保険で真っ先に買うべきものとは言えないかも知れない。それでも、とにかく、お客さんは買ってくれた。ブルークラブは『ソーシャル・シング（social thing）』なんだ」

ソーシャル・シング——。あえて日本語に訳せば「社交上の食べ物」「人付き合いに貢献するもの」とでも訳せるだろうか。

カニの会食ほど、真面目な商談や初めてのデートに不向きなものはないだろう。黙々とカニをつつく間は、会話もはずまない。手や食卓は、スパイスやカニの汁まみれ。ちまちまと細かい肉をほじくり出すさまは、誰がやっても恰好良くはない。だから……とまでは言えないかも知れないが、カニをともに囲むのは、気心が知れた相手ということが多い気がする。

我が身を振り返ると、カニに魅せられたのは記者としての初任地、金沢だった。冬は寒いが晴れ、という感覚に慣れた東京育ちの身にとって、北陸の冬は長く、厳しかった。そこで初めて目にした「香箱ガニ」という小ぶりのカニの旨さは、悲喜こもごもの思い出とともに、深く胸に刻まれている。

カニをほおばる喜びに支えられた冬が終わると、春が来る。湯気とともに広がるカニのにおいは、目の覚めるような金沢城の桜の風景などとともに、確かな実感を伴って思い起こされる。転勤する際は、取材でとてもお世話になった方が、カニをおなかがふくれるまでふるまってくれた。言葉を失い、夢中で食べ続けた。そこには確かに、身近な人との「ソーシャル」な心の通い合いがあった。

もっとも、20年に我が家で何度も食べたブルークラブは、小学生の子どもたちにはそれほど人気がなかった。振り返れば、自分も子どもの時には、それほどカニがおいしいとは思わなかった。妻と2人でむしゃむしゃと食べ続けた。その無心の時間——。カニという不思議な節足動物が、人間に与えてくれる恵みだ。庭に出したテーブルでブルークラブを囲むとき、なぜか、いつも旧約聖書の「コヘレトの言葉」（伝道之書）を思い出していた。好きな文語訳で引くと——

「汝往きて嘉悦をもて汝のパンを食ひ楽しき心をもて汝の酒を飲め其は神久しくなんぢの行為を嘉したまへばなり　汝の衣服を常に白からしめよ汝の頭に膏を絶えしむる勿れ　日の下に汝が賜はるこの汝の空なる生命の日の間汝その愛する妻と共に喜びて度生せ汝の空なる生命の日の間しかせよ是は汝が世にありて受くる分汝が日の下に働ける労苦によりて得る者なり」

私はクリスチャンではないが、聖書のなかでもこの「コヘレトの言葉」が特に好きで、愛読してきた。延々と生きることの空しさ、虚無、虚脱感が説かれ、「神を畏れその誡命を守れ是は諸の人の本分たり」と結ばれる。[13] ひたすら空しさをぼやく言葉を読み進めるたび、なぜか勇気がわいてくる。

子どもたちもやがて巣立ち、妻も私も老い、いつかは死んでいく。長い目で見ればすべてが無意味ではないか。たぶんそうだろう。それでも、そうではない、とあらがいたい心がある。あらがうほどの気力が持てないときも、少なくとも、無意味ではないのではないか、と疑いたい気持ちがある。ならば、その心に素直に従って生きるしかない。いまのかけがえのない時間、それはあっという間に去ってしまうはかない時間だけれど、だからこそ、その瞬間を深くいとおしむだけで十分なのだろう。

コロナ危機は社会の不条理を白日の下にさらした。数え切れない人々が亡くなり、苦痛や貧困の淵に沈んだ。一方で、米シンクタンク「政策研究所（ＩＰＳ）」などの分析によると、危機後の約1年半にアメリカの億万長者約７００人の純資産は7割も増え、計約5兆ドルになった。電気自動車大手テスラＣＥＯのイーロン・マスクの資産は8・5倍に増え、２０００億ドルを超えた。[14] 途方もない富だ。

しかし、蓄財や投資に励んでも、空しさを埋める効果は一時であろう。数千億ドルを手にしてもなお満たされない自分を発見し、愕然とする瞬間があるのではないか。宇宙開発の夢をぶち上げ、経済を前へと駆動していくマスクのような人物は否定されるべきではなく、むしろ有為の人材として評価されるべきだ。ただ、その試みは、古来あらゆる富者や権力者によって数え切れないほど繰り返されてきたことの反復であり、その点において、陳腐である。

コロナ禍という異常事態で、人はそれでも互いに支え合って生きた。

「二人は一人に愈(まさ)る其(そ)はその労苦(ほねをり)の為に善報(よきむくい)を得(う)ればなり　即(すなは)ちその跌倒(たふ)る時には一箇(ひとり)の人その伴侶(とも)を扶(たす)けおこすべし」

ひとりひとりの人生は瞬く間に終わるはかないものでも、友人や恋人、家族、隣人とともに汗を流し、苦労をともにすることそのものが恵みである。無力感とそこから生まれる支え合いの感覚こそが、国家や市場の論理だけに絡め取られない、共同体を生きるよすがとなる。時代の虚無を乗り越えるヒントを与えてくれる。コロナという破局は、この逆説を気付かせる契機だったようにも思える。

第4章　物語を取り戻す

——グローバル化と民主主義

「ウェストバージニア炭鉱戦争記念館」のディレクター、マッケンジー・ニューウォーカー
＝2021年3月5日、ウェストバージニア州メイトワン（著者撮影）

「ビッグ・アグ」への怒り

首都ワシントンから山間部へ。2019年8月、緑の山並みのなかを1時間半ほど車で走っただけで、カーナビの表示は出にくくなり、ペンドルトン郡のマイク・ウィーバー（67）の家に着くころには、携帯電話はまったくつながらなくなっていた。米東部ウェストバージニア州は、南北に連なる山脈のはざまに農家が点在する。ウィーバーも半年ほど前まで、二つの鶏舎で約9万羽のニワトリを飼う養鶏農家だった。山国育ちの堅い意思と人柄の温かさがにじみ出る男である。

「もうけはニワトリ1羽当たり、2、3セントだったよ」と、ウィーバーは言う。「ドル」ではなく、「セント」だ。日本円にして数円。養鶏を続けた18年間、報酬は一度も上がらなかった。

世界一の生産性を誇るアメリカ農業は、膨大な資本と技術を持つ「ビッグ・アグ（巨大なアグリビジネス）」が支配する。養鶏では上位3社がシェアの過半を占める。ウィーバーもそのうち1社と契約を結び、ひなや飼料の供給を受けて養鶏に携わっていた。

「ビッグ・アグがでかくなるたびに農家の取り分は減った。ものすごくもうけているのに、その金はウォール街に流れた」

ウィーバーは巨大資本への規制を求めて議会に働きかけたり、集団訴訟に加わったりした。特に、オバマ民主党政権には強い期待を抱いていたが、「何も変わらなかった」。規制は実現しないばかりか、待っていたのは巨大資本の仕返しだった。質の悪いえさやひなを与えられる嫌がらせを受けたという。

「彼らはロビイストを通じて、米議会も農務省も支配している」

ウィーバーは民主党支持者だったが、16年の大統領選挙ではトランプに投票した。政治経験がない分、巨大資本の規制強化に踏み込めると期待したのだ。「それまでの政治家はまるでクローンのようだ。有力者だけで内輪で固まり、宣伝ばかりするが、結局いつも、同じことの繰り返しだ」。決定的だったのは、トランプ支持者を「ディプロラブルズ（悲惨な人々）」と呼んだ、民主党候補ヒラリー・クリントンへの怒りだった。ヒラリーは、選挙後の18年春にはこうも述べた。「私はアメリカのGDPの3分の2を占める地域で勝った。前向きで多様で活力に満ちた場所では勝ったのだ」。ウィーバーは静かに憤る。「ウェストバージニア人は人間の中身を見極める力だけは持っている」

アメリカで企業の独占（トラスト）が問題になり、共和党大統領セオドア・ルーズベルトなどによる「革新主義」の改革が叫ばれたのがちょうど1世紀前、19世紀末から第1次世界大戦勃発までの時期だった。ちょうどこの時期、現代の経済史家が「第1のグローバル化」と呼ぶ繁栄を世界が謳歌した。大英帝国の覇権のもと、金融、海運、電信などの技術革新を通じ、植民地を含めた世界各地の経済は緊密に結びつき、「奇跡的ともいうべき円滑で円満で循環的な関係」が築かれていた。[1]

しかし、この「第1のグローバル化」は、第1次世界大戦の勃発であっけなく終焉を迎える。グローバル化が進み、英独などの経済的な相互依存が深まったことは、平和の維持にはつながらなかった。その後の市場経済の不安定化は、世界大恐慌と第2次世界大戦を誘発し、自給自足的な「アウタルキー」を志向する列強同士の激しい分断と、国家の急速な肥大化をもたらした。経済史家ケビン・オルークとジェフリー・ウィリアムソンは「グローバル化やそれに伴う世界の収斂、格差の拡大について考えるとき、1970年代以降のことだけしか考えない経済学者は大きな誤りを犯すことになる」と述べ、「第1のグローバル化」からの歩みを踏まえた考察の重要性を指摘している。[2] リーマン・ショックやトランプの貿易戦争、コロナ危機と続いた世界の波乱は、70年代に始まり冷戦終結後に加速した「第2のグローバル化」もまた、大きな転機を迎えたことを示していた。

ハンガリー出身で、ファシズムを逃れて英国、その後米国へと移って研究を続けたカール・ポランニー（1886〜1964）は、「第1のグローバル化」の崩壊と1930年代の世界の混乱、第2次世界大戦へと至る破局を同時代に目の当たりにし、その根本的動因について考察した。44年の著作『大転換』で、この危機を導いたのは、「自己調整的市場（self-regulating market system）」がはらむ本質的な不安定性だったと説く。「市場」は、天然資源や土地、人間の労働力を、システムに投入される生産要素と見なし、需給のバランスで価格がつくられ、効率的な生産に至ると想定する。だが、ポランニーは「破局の起源は、自己調整的市場システムを打ち立てようとする経済自由主義のユートピア的計画に由来していた」と喝破する。[3] 労働や土地を商品と同じように扱うシステムが、人間の共同体を根本から動揺させる「自己破壊的メカニズム」であったというのだ。

ポランニーは、市場経済とは本来、歴史と人類の進歩に応じて必然的に発展するようなものではない、とみていた。「自己調整的市場システムへの変化(transformation)は、継続的成長と発展の観点から説明され得る部分的変更（alteration）というよりも、むしろ芋虫の変態(metamorphosis)に似ている」という。[4] このような非連続の「変態」に対しては、社会の側から「防衛的な対抗運動」が起こる。ポランニーは30年代のファシズムやソ連の社会主義の台頭、アメリカのニューディール政策も、この「対抗運動」の文脈で捉えた。市場経済の「自己調整的システム」が野放しになり、地域社会・共同体が弱体化して全体のバランスが崩れると、国家の強権的な介入が要請される。それが行きすぎれば、ナチズムやソ連型共産主義のような恐ろしい災厄がもたらされうる。

「トランプ治世」が末期に近づき、ジョー・バイデンの新大統領就任を間近に控えた20年12月。ポランニーの研究で知られ、『大転換』に解説も寄せているカリフォルニア大学デービス校研究教授、フレッド・ブロックに取材した。我々は、まるで歴史が巡るのを見ているかのようではないか——。そんな問いを投げかけると、ブロックは頷いた。

「自由な市場経済に任せておけばよいという幻想をあまりにも野放しにすると、金融危機のリスクや環境への負荷が高まる。格差が広がり、通常の民主主義では一般大衆を守れないとの声も強まっていく」。これは、30年代にファシズムが台頭した背景と類似するという。「労働者を守ると称して賃金の国家統制などを進めたナチスが代表的だった。トランプが支持されたのも、社会保障の充実や公共事業による道路などのインフラ整備を訴え、ごく普通の大衆を守る指導者として映ったからだ」

欧州のファシズムやソ連型共産主義に対抗するべく、アメリカでは民主党大統領フランクリン・ルーズベルトがニューディール政策を進めるが、国家による急激な市場介入の方向性は似通っていた。その後、第2次世界大戦で独ソも含め主要国の産業基盤が破壊し尽くされるなか、国内がほぼ無傷だったアメリカは圧倒的な覇権を得て、戦後の国際秩序を形成した。

そのアメリカも70年代にはインフレと不況との「スタグフレーション」に悩み、ニューディール以降の「大きな政府」や、ケインズ主義的な財政政策の行き詰まりが強く意識されるようになる。80年代には共和党大統領ロナルド・レーガンのもとで「小さな政府」や自由化路線が再び勢いを増し、世界は「第2のグローバル化」へと突入した。歩調を合わせ、ITや金融の技術革新も花開いた。

ただ、ブロックは「自由市場が技術革新を生んだ」という議論に真っ向から異を唱える。「グーグルやアマゾンのようなIT企業も、インターネットを生んだ米政府・軍の研究開発や知的財産保護などの政策があったからこそ育った。その後も、米政府はこうした企業の市場独占も黙認してきた」。その結果、ごく一握りの企業や個人に、極端な富が集中するようになったという。

「そもそも19世紀の自由放任主義も、国家が法律や政策を通じて市場を計画的に整えたことによるものだ。これをポランニーは『自由放任経済は計画経済だった』と言っている」。ブロックはそう語る。「自由放任経済は計画経済だった（Laissez-faire was planned）」とは、確かにポランニーの最も印象的な指摘の一つだ。市場経済は、国民の税金によって支えられた国家の関与と切り離せない。それが忘れられると、格差は個人の能力差を理由に正当化され、政治家の無為や企業との癒着、腐敗も放置されてしまう。国家権力へのチェックが働かず、ごく一部の人々がその力を独占する一党独裁の共産主義と同じように、市場原理への過度な信仰もまた危険なユートピア思想なのである。

そのひずみを最も痛切に感じていたのが、マイク・ウィーバーのような人々である。ウィーバーが「ビッグ・アグ」に対して抱いた怒りや違和感の方が啓蒙的であり、市場への信仰に陥った都市部の経済・政策エリートたちのほうが、嘆かわしい（ディプロラブル）固陋のなかにいたのかもしれない。

エコノミークラスの邂逅

20年の大統領選で、誰がトランプと戦うのか。民主党内の候補者選びが重要な焦点となっていた19年初め、特に注目していた候補がいた。最終的に、民主党の候補者争いは中道派のバイデン前副大統領と、左派のバーニー・サンダース上院議員との一騎打ちとなるが、この2人と最後まで争った革新派の有力候補がエリザベス・ウォーレン上院議員だった。その挑戦は挫折に終わったが、選挙戦を通じて問いかけた、グローバル化と格差に関する問題提起は重要だった。

ウォーレンと文字通り出会ったのは、偶然だった。新聞記者をしていて不思議な人との縁を感じることはしばしばあるが、このときは目を疑った。19年3月28日、ウォーレンら民主党の有力議員が参加する集会を取材しようと、ワシントンからアイオワ州デモインへと向かう飛行機に乗った。窓側の席に入ろうとして、通路側の乗客に会釈した。その乗客が、ウォーレンだったのだ。

ウォーレンは、フライト中も狭い座席で資料を読み込んだり、パソコンで仕事をしたりと、気を抜く様子をまったく見せない。ほっとさせられたのは、ウォーレンが少し疲れた様子でスマートフォンを取り出し、単語ゲームで遊び始めたときだった。コーヒーが運ばれてくると、ウォーレンに、日本の新聞記者であること、ウォーレンが参加する会合の取材に行くことなどを伝え、ひとしきり雑談を交わした。朝日新聞国際面の小さなコラム「特派員メモ」にぜひ書きたいと思い、ウォーレンに写真を撮ってもいいか聞き、スマートフォンで写真を撮らせてもらった。私の子どもに話が及ぶと「子どものころ外国で暮らすのは非常にいい経験になるでしょうね」などと、自らの子育てを思い出したかのように、懐かしそうに話した。舌鋒鋭い論客のイメージが強かったが、温かい人柄を垣間みせた。

「大統領候補がエコノミークラスに乗っているとは思いませんでした。それがあなたのルールなのですか」。着陸し、そう聞くとウォーレンは笑い、「イエス」とだけ答えた。質問を重ねようとしたが、やめた。ウォーレンの力強い口調に、庶民ぶるのを売り物にしたくない、という思いを感じたからだ。富裕層や金融界に対して厳しい批判をしているウォーレンにとっては、当然の行動だったのかもしれない。私有ジェット機を自慢するトランプとウォーレンとの間には、品性や知性において明らかな隔たりがある。しかし、これからウォーレンが向かう保守的な農村部では、多くの農家や労働者らがトランプを熱狂的に迎えている。ウォーレンが女性であることや、「左派」のイメージが浸透していることも逆風となっている。この不条理を受け止め、どうはね返そうとしているのか。

アメリカの巨大穀倉地帯には時折、砂漠のオアシスのように小さな街が現れる。アイオワ州ペリーもそんな町だった。翌日、ウォーレンはペリーの古い小さな郵便局の建物で、聴衆に語りかけていた。

「ハーバード大学教授から上院議員」という経歴とは裏腹に、ウォーレンは恵まれたエリートとはほど遠い道を歩んできた。オクラホマ州の労働者の家庭に生まれ、父の心臓発作で暮らしが困窮するなか、ディベートの成績を生かして得た奨学金で大学に入った。「良妻賢母」が美徳とされる風潮にも押されて19歳で結婚し、大学はいったん退学した。だが、学問への欲求が抑えられず、子育てをしながら勉学を続け、弁護士、学者の道を歩む。２人の子どもを育てながら教壇に立つ負担は重く、最初の夫とは離婚する。再婚を経て学者としての実績を重ね、ハーバードの教授に上り詰めた。

研究者として力を注いだのは消費者保護だった。08年のリーマン・ショック後はオバマ政権の大統領補佐官として、「金融消費者保護局」の設立に尽力する。破産法の専門家としての視線の先には、金融危機で暮らしが暗転した貧しい人々へのまなざしがあった。ウォーレンを初代の金融消費者保護局長にすべきだ、との意見が政権内にはあったが、上院で共和党の支持を得ることが難しいとの理由で見送られた。それが結果的に、12年の上院選での立候補につながった。

「私がいつも考えてきたのは一つの問いだ。なぜ米国の中間層が空洞化したのか？　私の母のように勤勉に働いてきた人々や、有色人種の人々にとって、なぜこれほど暮らしがどんどん厳しいものになったのか。これは偶然起きたことではない。ワシントンでの政治的決定がもたらしてきたことなのだ」。ウォーレンはペリーでの演説で、そう呼びかけた。最後に聴衆が問いかけた。

「選挙で勝てるかが全てだ。トランプにどうやって勝つ？」

私も聞きたかったことだった。グローバル市場や移民に多くを頼るアメリカの農業は、トランプの政策で利益を受けないばかりか、中国の報復関税などでむしろ打撃を受けてきた。しかし、これまでも見てきたように、それでも多くの農家はトランプが好きなのだ。ウォーレンは、抑圧や差別に負けずに挑戦を続けた人々がアメリカの歴史をつくったと強調し、「草の根の運動を巻き起こせば、私もアメリカ初の女性の大統領になれる」と語った。質問に直接説得力ある形で答えた、とは言いがたかったかもしれない。ただ、ウォーレンが目指そうとしている方向は十分に伝わる演説会だった。

アイオワ州中部ウッドワードに住むパム・ハンセン（62）はウォーレンの演説を聞き、「私と同じような人だ」と親しみを感じた。ウォーレンが農家出身の農政専門の担当者を置き、州内を巡回させているのにも好印象を持った。この後、6月には農家の夫マーブ（67）とこの農政担当者との会合にも参加した。マーブは米国の水準では小さな規模の農家だ。「農業も巨大企業に支配されるばかり。ここを耕し、生きていければいいのに、それではダメだと罰を受けているように感じてきた」という。綿密に政策を練ろうとする陣営の姿勢に共感し、夫婦でウォーレンを支持するようになった。

ウォーレンはペリーでの演説を終えた翌30日には、アイオワ州内の別の街、ストームレイクでの民主党のイベントに参加し、農業関連の巨大企業の独占を規制する方針を打ち出した。「トランプが再び選ばれるのを誰も望まなくなるよう、草の根の運動で大きな構造変化を起こさなければならない」。ここでも強調したのは、「草の根」の運動だった。

半年後の19年9月16日。ニューヨークのワシントン・スクエア公園での集会を訪れると、ウォーレンは集まった大群衆を前に、自信を深めているように見えた。

「トランプは汚職が肉体のかたちをとった存在。米国民を分断してきた。みんながお互いに争うばかりで忙しければ、トランプとその取り巻きが米国の富を盗み取っても、誰も気づかないからだ」

ウォーレンの農村部での問題提起は、かなりの程度、浸透したと言えるだろう。この後、アイオワ州ストームレイクの小さな地元紙でありながら、17年に論説部門でピュリツァー賞を受賞した「ストームレイク・タイムズ」は19年12月、民主党大統領候補としてウォーレンを支持すると表明した。私は20年2月、編集長のアート・カレンに取材するため、ストームレイクを再訪した。

なぜウォーレンを支持したのか。カレンは「米農村部が抱えている多くの問題を解決する最も詳細な政策案を示していたからだ」と語った。カレンは、90年から兄らとともに地方紙発行に携わり、地元の水質汚染をめぐる訴訟を扱った社説でピュリツァー賞を受けた。この間、移民の流入や自由貿易などのグローバル化の進展が、ふるさとの街に及ぼした影響を見つめ続けてきた。

「高校を出た75年、私が街で知っていた黒人は1人、ヒスパニック系はゼロだった。いま街の小学生の

9割は、食肉加工場などで働く移民の子で、大半はヒスパニック系だ」。カレンは、移民との融和を強く訴え続けてきた。「移民の流入で加工場の賃金は大幅に下がり、巨大な農業関連企業による効率化が進んで農家数も半減した。かつて加工場で働く白人労働者の自宅にはバーカウンターとボートがあった。そんな親世代の暮らしが送れなくなった白人層にはもちろん不満が根強い。だが、移民はよく働き、若い世代は起業して街の未来をつくってくれている。多様化を選ばなければ街は死ぬ」

一方でカレンは、トランプを生んだ「都市と農村の分断」をいやすためには、従来のグローバル化の方向性を見直す必要があるとも言う。「義父はグローバル化を『資本が奴隷を求めて世界中を探し回っている』と表現した。アイオワのトウモロコシは輸出でもさばき切れず、エタノール生産の原料に回されているが、農家の実入りは増えない。もうけは農業関連企業を支える金融界に回るばかりだ。効率だけを求めてきたグローバル化の網は見直すべきだ」

カレンが支持したウォーレンの政策の方向性は、自由競争を愛する人々に寄り添いつつ、その競争を妨げようとする市場の暴走や独占企業に異議を申し立て、政府のより強い介入を求めるものだった。超富裕層への課税、巨大IT企業の分割など、連邦政府の権限を強めようとする内容が多く、その点では左派的だと言える。特に、民間医療保険を廃止して公的な国民皆保険を実現する「メディケア・フォー・オール」の法案では、ウォーレンはサンダースに賛同して上院での共同提案者となった。ただ、国民皆保険は、例えば日本人にとっては水道サービスのように当たり前のものだ。ウォーレンの掲げた「富裕税」は、トップ1%のさらに上澄みの「0・1%」の超大金持ちを対象にする案で、トランプがいうように「急進的社会主義」とまでは思えない。

実際、ウォーレンは自らが「骨の髄まで資本主義者」だと主張した。実際、長年にわたって共和党員だったことがあるウォーレンは、最も尊敬する指導者を聞かれると、共和党大統領のセオドア・ルーズベルトを挙げる。20世紀初頭、「第1のグローバル化」の時代に大統領に就き、企業独占の是正や労働者の保護など、ウォーレンの主張と重なる革新的政策を推し進めた。「民主社会主義者」を自称し「革命」を呼号するサンダースとは明確な線引きをしようと試みていたのだ。

ポピュリズムの「良い面」

大統領候補選びの本格的スタートとして注目される20年2月3日のアイオワ州党員集会で、ウォーレンは3位に終わった。そこから約10日がたった2月12日、州内のハンセン夫婦を再び訪ねた。アイオワでの党員集会の当日は、地元の小さな体育館で運営責任者を務めていた妻のパム・ハンセンは言葉を選びつつ、落胆した様子で話し始めた。

「批判しているように思われたくないから、いい言葉を見つけるのが難しいんだけど……。党員集会が終わってからも、バーニーの支持者たちがものすごい熱心で……。とくにソーシャルメディアで、他の民主党候補を激しく攻撃している。とにかく民主党として団結しなければならないのに」

確かに、アイオワ州の党員集会の取材で最も驚いたのは、サンダースの支持者が、政治的な立場が近いはずのウォーレンに敵意をむき出しにしたことだった。

「ウォーレンの『プログレッシブ（革新）』は完全な偽物。『メディケア・フォー・オール』にしても『段階を踏む』などと言い出した。うまくいくわけがない」。州都デモインで取材したサンダース氏の支持者、エリック・リスト（42）は激しく語った。

「段階を踏む」というのは、ウォーレンとサンダースの違いを象徴する言葉だ。2人は「メディケア・フォー・オール」の導入では一致しているが、進め方は異なる。サンダースは直ちに民間保険の廃止や医療サービスの大幅拡充を実施する案を掲げるが、これは財源の裏付けが乏しく、民主党内でも反対が強い。一方、ウォーレンはより段階的な案を示し、妥協しながらも党内の中道派と左派を糾合できる「勝てる候補」という印象を広げようとしたのだ。しかし、ウォーレンの賭けは裏目に出た。サンダースの支持者はウォーレンの「妥協」を背信ととらえ、むしろ結束した。一方、中道派からは「メディケア・フォー・オール」そのものに対する懐疑的な意見が続いている。ウォーレンはサンダース陣営と中道派の双方から挟み撃ちで「集中砲火」を受け、失速した。

サンダース支持者の怒りを代弁するリストの話を聞いていて、その主張が、トランプ支持者たちと似通っていることにも驚いた。「バーニーは共和党だけではなく、民主党やあらゆるメディア、大企業と戦わなければいけない。だから僕らのような支持者がいなければいけない。ほかの候補にこんな筋金入りの支持集団がいるか？　いない」。対立する党だけでなく、自らの党の主流派やエリート層、既存メディアに対する激しい怒りを隠さない。「トランプとサンダースに共通するものはあるか」と聞いてみると、リストは即答した。「ソーシャルメディアだ。ソーシャルメディアがなければ、トランプが従来のメディアを迂回して支持を広げることはなかった。メディアはバーニーのこともまともに扱わなかったから、ソーシャルメディアがなければバーニーが人気を得ることもなかっただろう」

アイオワ州ストームレイクの街でメキシコ移民の子として生まれ、カフェを経営しているトピーズ・マルティネス(30)も、サンダースを支持してきた1人だ。理由は、「すべてが正しいことを言っていて、ほかの候補よりも純粋(ピュア)だったからだ」という。

ウォーレンの妥協は確かに「ピュア」ではなかった。しかし、サンダースと支持者の「ピュア」さには、トランプにも共通する危うい兆候も感じた。サンダースとトランプは極端な「左」と「右」に区分けされることが多いが、実は共通点もあり、「左右」の対立軸ではその構図がぼやけてしまう。2人とも長い間、政治の主流派に属することができず、人々の不安をあおり、敵をつくることで求心力を高めた。さらに、ソーシャルメディアで「たこつぼ」の言論空間にこもり、支持者の内輪で「正しさ」を確かめ合う。たこつぼから激しい敵意の言葉を向けるが、主張を歩み寄らせることはない。

ウォーレンの農業政策で印象に残ったのは、約100年前の政治家、ウィリアム・ジェニングス・ブライアンの主張を引きながら、こう訴えていたことだ。

「何百万ドルものボーナスを手に入れるアグリビジネスの重役や、農産物の投機でもうけるウォール街のトレーダーのためではなく、家族経営の農家のため、ワシントンの政治が働くよう求める」

ブライアンは、第1章でも触れた19世紀末の大衆運動「ポピュリズム」を率いた後、世紀の変わり目に3回にわたって民主党候補として大統領選に挑み、敗れた人物だ。「ポピュリズム」の背景にあったのは、当時の急速な社会変動だ。工業化が進み、未開拓のフロンティアが消え、寡占が進んだ鉄道会社や倉庫会社の圧迫で農家は困窮した。ラテン系やユダヤ系、中国系といった移民の大量流入が文化摩擦や格差の拡大、犯罪といった問題も引き起こしていた。現代と多くの状況が重なるのだ。

マサチューセッツ工科大学（MIT）教授のダロン・アセモグルは19年10月、フォーリン・ポリシーに「ポピュリズムの良い面」という刺激的な表題の論文を載せた。[5] アセモグルは著書『自由の命運』で、自由を守るためには、個人や企業の暴走を防ぐ「強い国家」と、国家権力の行き過ぎを抑える「強い社会」とが均衡しながら成長することが必要だと主張した。バランスを保つのは簡単ではなく、アセモグルはそれを「狭い回廊」を進む、と表現する。[6]

20年1月末、MITの研究室を訪れ、深意を聞いた。アセモグルはトルコ生まれのアルメニア系で、経済理論の論文に加え、経済発展や民主制についての一般向けの書籍も出版し、世界的な注目を集める。ジーンズのくつろいだいでたちで迎えてくれたが、取材を始めるとたちまち、その学識の深さや明晰な分析に引き込まれた。

「『ポピュリズムの良い面』といったのは、成長の成果を共有し、競争の敗者にもまともな環境を整えなければいけない、という警告を与えてくれるからだ」。アセモグルは元祖ポピュリズムの政治家、ブライアンにも言及した。「ブライアンのポピュリズムも、いま人々が感じているのと同じ怒りに基づく抗議だった。その流れは世界大恐慌を経て、ニューディール政策の大改革につながっていった。声をあげなければ政治は問題を無視しがちだ。だからこそ、ブライアンのような抵抗が重要なのだ」

アセモグルは自らの考えについて、「ポランニーの主張との共通点が間違いなくある」とも語った。「市場経済を放置すれば、極端な経済格差や、政治面・経済面双方で権力の集中を引き起こしがちになる。これを和らげる制度的な防御壁をつくるため、国家の機能も強化する必要がある。あたかもダンスを踊るかのように、国家と社会がともに強くならなければならない」

アセモグルはポピュリズムの危険性を軽視しているわけではない。30年代、ポランニーの言う「社会の防衛的対抗運動」として台頭した共産主義やファシズムは、世界に計り知れない惨禍をもたらした。「ポピュリズムには非常に不安定な、否定的側面もある。社会の分断、反対勢力を悪魔のように見立て、権力者が法を軽視する風潮……。これは現代にも共通する傾向だ。だからこそ、こうした否定的側面を生み出す問題に対し、どう対処するべきなのか考えることが重要なのだ」。そのためにアセモグルが強調したのが政治的な「妥協」の重要性である。

アイオワ州立大学で数学を教え、ウォーレンを支持するエライジャ・スタインズ（36）も「極端に裕福な人々や大企業の手に権力が独占され、ごく普通の人々の手から離れてしまった。左派、右派の対立軸は意味を失っている」と話していた。どう変化を起こすか。スタインズは16年の大統領選で地元ブーン郡をトランプが制したのに危機感をつのらせ、自ら地元自治体の議会選挙に立候補し、当選した。地域社会と向き合い、着実に足場を固めようとしたのだ。

ウォーレンは「妥協」のすえ、サンダースに主導権を奪われ、大統領選の候補者争いでは敗れた。一方で、スタインズのような草の根の人々に、分断を乗り越える社会改革のメッセージを浸透させた意義は小さくない。トランプやサンダースはグローバル化の副作用を利用して人気を得たが、効果的な「治療」の方法を示せたとは言えない。ウォーレンは資本主義を尊重しつつ、国家の役割を強めて「市場がうまく機能するように修正する」（アセモグル）立場を具体的な政策で示そうとしていた。

ウォーレンの奮闘は、民主党の左派の支持基盤をサンダースとの間で割ったことによって、結果的に、中道派のバイデンを後押しした。期せずして、トランプからサンダースへという極端から極端への政権移行を阻んだことになる。バイデンは大統領就任後、ウォーレンやサンダースの流れをくむ「大きな政府」路線への転換を明確にするが、政治家として「妥協」の必要性を訴え続けた。ウォーレンの主張は、形を変えつつもその後のアメリカの政策動向に、大きな影響を与えたと言える。

「鍛治場」と「第３の支柱」

アイオワ州での取材を進めるうち、州内の町ジェファーソンを知った。トランプの言葉を使えば、グローバル化のなかで「忘れられた」、全米に無数に点在する町の典型である。だが、この人口４０００人ほどの町では、ＩＴ革命の負の影響を和らげるためにＩＴを使う、そんな取り組みを進めていた。

19年９月７日、ジェファーソン中心部にある19世紀に建てられた古びたビルに入ると、洗練されたデザインの空間で人々がリボンカットの瞬間を待っていた。米ＩＴ企業ピラー・テクノロジーが「鍛治場（Forge）」と名付けたオフィスを開設したのだ。

「『鍛治場』の使命は、人々を集め、未来のイノベーションを起こすための潜在力を解き放つことだ」。この事業に取り組んできたリンク・クルーガー（51）は、人々を案内しながらそう力説した。「鍛治場」

ピラー・テクノロジーが開いた教育用のオフィス「鍛冶場（Forge）」には、多くの地域住民が見学に訪れた＝2019年9月7日、アイオワ州ジェファーソン（著者撮影）

では州内から若者を集め、4カ月間、無料でソフトウェア開発訓練を提供する。その後も6カ月間、「見習い」として給料を払い、ソフトウェア開発の実務に携わってもらう計画だ。「鍛冶場」の隣の映画館で、若者を招いた説明会も開かれた。近くに住む高校3年生のブライト・シュミットは「コンピューターが大好きで、もっとたくさん学びたい。この田舎で、ふるさとを離れずにそれが可能になるとしたらとてもいい」と話した。事業に賛同する米農業大手コルテバ・アグリサイエンスなどが地域短期大学に奨学金を提供し、「鍛冶場」の卒業生からのインターン採用も検討している。

クルーガーはアイオワ州生まれだが、ジェファーソンのことは数年前まで、名前すら知らなかった。田舎に若者向けのIT教育をする拠点をつくりたい──。そんなアイデアを4年前、知人のクリス・ディール（34）に話した際、彼のふるさとの街、ジェファーソンを紹介された。

ディールはアイオワ州立大学などで工学を学び、州外の貧困地域で数学や科学を教えていたが、11年にアイオワ州に戻ってきた。帰郷を決めた理由は、自分が育ったのと同じ環境で子育てをしたいという思いと、建築デザインを手がける勤務先がテレワークを認めてくれたことだった。「在宅勤務を認める流れができて、少し前には考えられなかったようなチャンスが生まれた。都会と田舎は共存共栄できる。我々は何十年も『両岸』に人材を輸出し続けてきた。人材の訓練をここで続け、ずっと残ってもらえるようにすればいいと考えた」。そう、ディールは振り返る。

意気投合したクルーガーとディールの2人は、自治体や、住民向けの教育を担うコミュニティー・カレッジなども巻き込んで「鍛冶場」の準備を進めた。数百人規模でソフトウェア開発を手がけてきたピラー自体は、コンサルティング大手アクセンチュアの傘下に入ったが、計画は存続した。IT産業は、優れた人材の集積から生まれる人脈やアイデアの相乗効果がカギを握る。西海岸のシリコンバレーや、大学・研究機関が集まる東海岸のボストンなど一部の地域が有利で、成長の果実を独占してきた。しかし、地元のコミュニティー・カレッジで「STEM」（科学・技術・工学・数学）教育を担当するジョン・ハンセンは、「生活費の高さなど欠点も目立ち、シリコンバレーだけがいいという時代は終わった」とみる。IT人材は引っ張りだこで、都市部では人件費も高騰している。「日本でもそうだと思うが、田舎にも才能あふれる子どもはたくさんいる。問題はどうすれば引き留められるかだ」

「鍛冶場」の開設式典では、西海岸から訪れたIT大手フェイスブック（現メタ）幹部や、シリコンバレーの選挙区から選ばれたロー・カンナ下院議員（民主）も登壇した。カンナは、「企業は慈善事業でここに来ているのではない。勤勉な職業観や教育システムが根付き、私の選挙区ほどお金もかからない。（人材を獲得できれば）経済的にも釣り合う」と訴えた。もちろん、人口減や高齢化など、過去数十年にわたって米国や他の先進国が直面してきた農村地帯の構造問題に即効薬はない。それでも、クルーガーは「一つでも成功モデルをつくり、ほかの場所でもやれると証明したい」と話す。

「鍛冶場」を訪れる少し前にシカゴを訪れ、シカゴ大学経営大学院教授のラグラム・ラジャンを取材していた。ラジャンは、国家と市場とに対置される「第3の支柱」としての「地域社会・共同体（コミュニティー）」の再建を訴えていた[7]。「鍛冶場」は、その主張を実践するような取り組みだと感じた。

ラジャンは、世界銀行の政策顧問、国際通貨基金（ＩＭＦ）のチーフエコノミストなどを経て、インド準備銀行（中央銀行）総裁も務めたスター経済学者である。シカゴ大学やＩＭＦなど、市場原理主義の牙城とみなされてきた機関で研究してきた彼が、「地域社会」の復権を訴えたのはなぜだったのか。

ラジャンは、地域社会には三つの役割があるという。①市場経済に参入する人を育てる場、②働けなくなったり、年をとったりしたときに受け止める安全網（セーフティーネット）、③政治的行動の基盤――だ。「グローバル化によって素晴らしいチャンスが目の前にあるのに、自分はつかめない。その怒りの多くは、地域社会の弱体化と関係している」。ラジャンは、地域社会の弱体化をもたらした要因として、製造業のオフショアリング（海外移転）を加速させたＩＴ革命を重視する。「ＩＴ革命によって、先進国で製造業が集中的に立地する地域が、激しい国際競争にさらされた。そこそこの給料が払われ、地域社会を支えてきた多くの仕事が陳腐化した。その結果、知識やスキルを持ち高賃金を得る人と、陳腐化した仕事を続けて低賃金に甘んじる人に分断されてしまった。労働市場もグローバル化され、よい人材が地域社会から去り、国家レベル、国際社会レベルへと流れてしまった」

ただ、まさにそれこそ、個人の自由な意思に沿って能力が発揮される「近代化」の帰結であり、自由化を推し進めてきたＩＭＦなどが是認してきたことではなかったのか。ラジャン自身も、インド出身だが、アメリカで学び、国際機関にも勤めた。グローバル化の申し子である。そういう人材が集うことが、アメリカの底力を支えている面もある。

ラジャンは「確かに、最も才能に恵まれた人々は世界のどこででも、最良の場所を選んで働こうとするだろう」と言う。「でも多くの人は、家族や友人がいる場所で働きたいと思っている。最も才能に恵まれた人たちの、やや下の層の人たちが地域社会に残るとすれば、それは素晴らしいことではないか。そういう人たちが、よりよい生活を送れるようなサービスや仕事を考える必要がある」

「最も才能に恵まれた人たち（the most talented people）」の、「やや下の層の人たち（the layer below）」という言い方に語弊があるものの、なるほど、とうなずかされた。グローバル化で資本や人材が世界中から調達できるようになり、ごく一握りの企業や人々に極端に富が集中することにつながった。一方で、国家や社会にとっては、中間層のなかでリーダーシップをとれる人材の層が分厚いことがきわめて重要であろう。世界を俯瞰する視野と草の根の生活感覚を併せ持ち、高い共感力を発揮して、信頼や敬意を集めながら地域社会や組織をまとめていく人々だ。

ラジャンは、20世紀の経済政策論争は、国家と市場の二つの側面ばかりに焦点を当ててきたとみる。「共産主義の側が国家ばかりを見る一方、資本主義の側は市場万能主義の理論化にいそしむ、というふうにだ。しかしいまこそ、『第3の支柱』としての地域社会の再生が必要なのだ。国家が、地域社会に人が残るようなインセンティブを設ける政策を進めるべきだ」。アメリカでは、大学の学費の高騰とともに巨額の教育ローンが問題化している。都会の大学を卒業した後、地方に戻る学生にはローンの返済を免除したり、連邦政府が肩代わりしたりするのも一案だ、という。

ラジャンは08年のリーマン・ショックに先立ち、危機の可能性に警告を発していたことでも知られる。市場経済の暴走や、国際情勢の変化に立ち向かうカギを握るのは、地域社会の再生に向けた「インクルーシブ・ローカリズム（包摂的地方主義）」だと訴える。「戦後の世界は、アメリカが市場経済と民主主義に重きを置き、一応のルールは守る『親切な覇権国』として振る舞ったおかげで、とてもうまくいっていた。しかし、その世界は崩れ、アメリカは自らの役割を果たしたくないと考えている。どの国も新たな秩序を創造する気はなく、深刻な『真空状態』が生まれている」。戦後秩序のなかで安定した社会を築いてきた日本のような国にとっても、「第3の支柱」の再建が重要になるという。

国家と地域社会との関係は、本来は鋭い緊張もはらむ。国家主導の政策で地域社会の再建が図れるのか、図るべきなのか、という点には疑問も残った。ただ、国家と市場、地域社会の三つの枠組みで世界をとらえる枠組みは説得力に富む。市場経済の「自己破壊的メカニズム」や中国とのグローバル競争で弱まった地域社会を国家の力で下支えする。そして、3者の間の「抑制と均衡」を取り戻す。そうとらえればよいのではないか。国家の力がやみくもに大きくなるのも弊害を生む。大切なのは、国家と市場、地域社会が互いにチェックを働かせ、バランスを保ちながら発展していくことなのである。

防波堤としてのローカリズム

自由化やグローバル化を支持してきた経済学者で、地域社会に目を向け始めたのはラジャンだけではない。国際貿易論の主流派、ジュネーブ国際問題高等研究所教授のリチャード・ボールドウィンにも、20年1月、スイスのダボス会議の取材時に会った。ボールドウィンはグローバル化とAIによる自動化(ロボット化)との急速な結びつきを「グロボティクス」と呼び、考察を深めていた。近著では「グロボティクスの進展を人間のペースに保つ」「混乱のスピードを管理する」ことの必要性を訴えていたのである。[8] コロナ禍が本格化する約2カ月前のダボスは、会議への参加者や観光客でごった返していた。ボールドウィンと待ち合わせたホテル「アメロン」のロビーも、まだ人でいっぱいだった。

ボールドウィンは、世界がいま直面する第3次の「大転換」についてじっくり語ってくれた。「第1次は、1720年ごろから1970年ごろまで続いた巨大な変化で、ポランニーが『大転換』でとらえた動きだ。産業革命が起こり、農業社会から産業社会へ、専制政治から民主政治へ、と移行した。

これに対する反動として、共産主義とファシズム、さらにアメリカではニューディール型の民主主義が生まれた。第2次の『大転換』は、70年代以降のITの発展が引き起こしたものだ。製造業現場でのロボット導入に伴う省力化や、工場の海外移転が進んだ」。そして、いま、「第3次」として起きているのがグローバル化とロボット化の結合＝グロボティクスである。

「デジタル技術の進展に伴うこの変化は、たいていの人々が考えているよりはるかに早く、またほとんど誰も予想していないようなかたちで、世界を変えていく」

ボールドウィンは、事務労働をAIが代替する「ホワイトカラー・ロボット」が今後、急速に普及するとみる。「第1次は農民、第2次は工場労働者に影響を与えた。第3次の大転換で大打撃を受けるのは、いまや工場で働いている人よりはるかに多いオフィスワーカーであり、製造業でなくサービス産業を直撃する。ロボットや、海外で自動翻訳を使って仕事をするフリーランスの人々との競争は、激しい不公平感を伴い、社会に大きな混乱をもたらしかねない」

ボールドウィンは、トランプやライトハイザーが担った関税による「貿易戦争」には否定的だ。「ここ数十年のグローバル化の内実は、G7などの先進国経済から、『知識』や『ノウハウ』が中国などに移転したということだ」。かつてのようにモノとモノとをやりとりする貿易ではなく、先進国から発展途上国の工場へと、設計や製造工程のノウハウなどの「知的財産（無形資産）」を一方的に持ち込み、賃金の安い労働者を使って部品などをつくる形態へと変容したのである。「いまや製造業は、高度な技術・知識と安い賃金との組み合わせのもとでおこなわれるようになった。米軍の戦闘機でさえ、世界中から輸入した部品がなければつくれない。どの企業も、国境をまたいだ製造工程や価値のつながり（グローバル・バリューチェーン＝GVC）に関わることなしにはものづくりはできない。完成したモノのやりとりが中心だった70年代までの世界とは違い、関税をかけて国内に工場を戻すようなことは難しい」

ボールドウィンは私の取材の2年前、17年のダボス会議で、ライトハイザーと直接「対決」していた。「ライトハイザー代表がダボスに来た時、私は彼を交えた議論で司会を務め、著書も渡したが、彼はGVCの概念を受け入れようとしなかった。きわめて頭のいい人間で、GVCについて間違いなく知っている。しかし、認めようとはしない。なぜなら彼のミッションはGVCを壊すことだからだ。でもそれは不可能だ、というのが、私が伝えたことだった」

第1章でみたように、ライトハイザーに取材した私は、彼が貿易戦争の弊害について「認めようとはしない」というよりはむしろ、自由貿易をめぐる政策の潮流や世論の受け止め方を一変させるため、経済的な損得を度外視して「確信犯」的に実行したものだととらえている。中国に対する国家の安全保障上の配慮も強く働いていた。いずれにせよ、ボールドウィンも、「グローバル化がもたらした『病気』が存在しているということを認める必要がある」と強調する。

「アメリカではグローバル化の悪影響を和らげる適切な政策がとられず、とくに地方や農村部で、悲惨な状態が起きた。自殺や薬物中毒による死、肥満、糖尿病、働き盛りの男性の労働参加の低迷など、さまざまな社会問題だ。こうした第2次の大転換の打撃が癒えていないうちに、これから第3次の大転換の混乱が待ち受けている」

ボールドウィンが重視するのは、この新たな大転換に備え、教育や職業訓練などの施策を充実させることである。「例えばリーマン・ショックの際、アメリカの自動車業界とカナダの自動車産業の対応には違いがあった。アメリカが失業給付金ばかりに焦点を当てていたのに対し、カナダでは、労働者の訓練に労力を割いた。多くの労働者が医療業務の訓練を受け、新たに職を得た。教育と訓練が鍵を握る」。ラジャンと同じように、自らの根差す地域を大切にする「ローカリズム」の復権も訴えた。

「ローカリズムとは、自らが暮らす地域社会に対する強い帰属感覚だ。人には、人生の良いときも悪いときも、ほかの人々とそれを分かち合いたいという感覚がある。アメリカ人は、生活の場所をあまりにも簡単に変え、共同体の感覚が弱まり、個人主義的になりすぎた」

アメリカ人は個人主義的――。確かにそうだ。ただ、トクヴィルは、アメリカは個人主義的だが、教育や宗教、地方自治を生かして公共心を育んでいると観察していたではないか。何が変わったのか。多くの学者たちに尋ねてきたこの問いを重ねると、ボールドウィンは答えた。

「つまるところ、極端に進んだ収入や財産の格差だ。80年代のレーガン政権以来、富裕層への課税は軽くなり、富の集中に拍車がかかった。独占禁止のための法制度は機能せず、労働組合は弱体化して、エリート層が成長の果実のほとんどを得る仕組みが固定化した。『中国と移民が悪い』と叫ぶトランプ氏に皆が『その通りだ』と共鳴したが、問題は実は悪化している」

ボールドウィンのような主流派の学者が、知的な装いを全くまとわないトランプ政権について、正面から評価することはない。だが実は、ラジャンやボールドウィンのような自由市場の力を重視する主流派経済学者も、ライトハイザーのように国家の力を重視する「ハミルトン主義者」も、冷戦終結後のグローバル化の行き過ぎによる弊害については一定の共通理解に達しているのではないか。双方に対する取材を通じ、そのように思えた。弊害に対する「治療」の方法についても、共通点を抽出しうる。地域社会・共同体の強化であり、それを通じた公共の精神（パブリック・スピリット）の再構築である。

利潤を求めて時に暴走する市場経済に対し、国家は徴税や再分配、規制といった強制力で介入できる。ただ、その国家を民主主義の論理で統制し、使いこなすのは結局ひとりひとりの人間である。消費者や国民といった漠然とした概念だけでくくられる抽象的な存在ではない。アダム・スミスのいう「公平な観察者」としての倫理を内面に備えた個人を育まなければならない。だからこそ、人間を育み支え、人々の共感をつなぐ舞台としての地域社会・共同体が重みを増す。

友人、夫婦、家族、同じ街に暮らす住民たち……。地域社会や共同体といえば大仰だが、四季の移ろいや自然の営みを感じる生活圏で、人生の限られた時間をともに共有する人々の結びつきである。グローバル化による市場経済の成長も、国家のパワー・ポリティクスも、人類を前に進めるダイナミズムを持つ。ただ、そのエネルギーは強力な遠心力として作用し、共同体を瓦解させかねない危うさをはらむ。国家や市場の機能不全が浮き彫りになるとき、それを打開する基盤になるのは、地に足の着いた人々の連帯である。グローバル化の遠心力に対し、地域社会が求心力を働かせ、ひとりひとりの人生に意味をもたらすからである。

「幽霊病院」で

21年に入り、米国内での移動もままならなかったコロナ禍が小康状態に入ったのを機に、アメリカの地域社会の現状をつぶさに見てみたいと考えた。21年3月、再び、米東部ウェストバージニアへ向かった。地元メディアで報じられていた、炭鉱地帯でのある「起業」に関心を持ったためだ。

米東部アパラチア山脈は、日本列島を包み込むような広がりを持つ大山系だ。ワシントン近郊のメリーランド州の自宅を車で出て、隣のウェストバージニア州へ。アメリカの地図をみるとすぐ近くのようだが、1泊を挟み、休憩を入れつつ片道計約8時間の運転を要した。たどり着いた街を、大雨で濁ったタグフォーク川が流れていた。渓谷に張り付くように人家が並ぶ。

街を一望する高台に、目指す「古い病院(The Old Hospital)」はあった。1928年、このウィリアムソンの町に建てられた建物は、88年以降、病院としては使われていない。壁をツタがはい、窓には板が打ち付けられている。人々は「幽霊が出る」とささやき合い、怪異現象を語り継いできた。

病院を見上げると、近寄りがたい不気味さと、何か心引かれる美しさがまじり合う。「じゃあ行きま

小児科があった「幽霊病院」の地階はとりわけ薄暗く、恐怖感が高まる＝2021年3月3日、ウェストバージニア州ウィリアムソン（著者撮影）

しょうか」。案内役のトニヤ・ウェッブ（47）は、街で生まれ育ち、保護司や観光協会幹部として働いてきた女性だ。入り口の鍵を開け、中へと導き入れてくれた。

薄暗い通路を、ウェッブが光で照らしながら進んでいく。肝試し気分で入った侵入者の落書きが至るところにあり、窓にはいたずらで付けられた手のひらの跡が残る。各階には、殺人犯が飛び降りたという窓や、子どもの笑い声が聞こえるという部屋など、背筋が寒くなる逸話が残る。医療実習用のマネキンや、新生児用の保育器も放置されたまま。同行したウェッブと、市長のチャールズ・ハットフィールド（58）が傍らにいなければ、一歩も進めそうにない。

堅牢なつくりの建物は、かつて多くの患者が訪れたころの町の繁栄をしのばせる。世界の中でもこの地域ほど、一つの産業に命運を託してきた場所は少ない。1890年代、数十人の開拓者から出発した町に、百数十年間、命を吹き込んできたのは、現地で「黒い黄金」と呼ばれた石炭だ。

炭鉱事故や、石炭を運ぶ鉄道事故で傷ついた人々は、真っ先にこの病院に運ばれた。ウェッブが「お気に入りの場所」として案内してくれたのが、長く病院職員にも立ち入りが禁じられていたという地下の一室だ。古い焼却炉があった。

「1920～30年代、炭鉱事故で手足を切らなければならなくなった労働者たちがここに運び込まれた。当時は切った手足をここで燃やしていたらしい。その後はそんな処理が認められなくなって使われていなかったけれど、そこにまだ灰が残っているでしょう？」

病院は、ウィリアムソンで生き、死んでいった数え切れない人々の歩みと深いつながりを持つ。新興国だった米国の急激な工業化や、二つの世界大戦を勝利へ導いた軍需生産は、いずれもこの地域の労働者が、文字通り血と汗を流して掘り出した「黒い黄金」があってこそ。硫黄分の少ない良質炭は国外へも輸出され、戦後の日欧や中国などの産業化も後押しした。

ウェッブの父も炭鉱労働者だった。激しい労働と危険を伴う炭鉱での作業は、比較的賃金がよかった。父はその仕事で家族を支え、ウェッブは隣の州のケンタッキー大学に進学した。99年に地元に戻った後は、シングルマザーとして娘を育ててきた。以降、目にしてきたのは、衰えていく町の姿だ。石炭産業に依存してきたために、好不況の波が押し寄せるたびに町の経済が大きく動揺する。華やかだった中心部の多くの店が閉まり、子どものころの楽しい思い出を残した催しもなくなっていた。

町を歩くと、一般の小売店が少ない一方、トラブルや破産を扱うとみられる弁護士事務所などが残っている。崩れ落ちた廃屋も目立つ。町の変化に、ウェッブは「胸が張り裂けそうな思いを抱えてきた。立ち上がり、何かしなければと思っていた」と振り返る。

2000年代後半に入ると、アメリカでは「シェール革命」で国産天然ガスの競争力が急速に強まった。環境意識の高まりも逆風となる。同じ化石燃料でも、天然ガスは二酸化炭素排出量が石炭より4割超も少ない。近年では、太陽光や風力などの再生可能エネルギーも勢いを増している。

16年5月、当時共和党の大統領候補だったトランプはウェストバージニア州を訪れ、炭鉱労働者のヘルメットをかぶって聴衆を沸かせた。大統領に就くと、環境政策に力を入れたオバマ前大統領を意識して「『石炭への戦争』を止める」と宣言。石炭産業の規制緩和を進めた。ウェストバージニア州では、トランプは16年、20年の大統領選と続けて7割ほどの圧倒的得票で民主党候補に勝利した。ウィリアムソンのあるミンゴー郡に限れば、20年のトランプへの投票割合は約85％に上る。

しかし、炭鉱地帯の苦境は変わらない。コロナ禍による経済危機もあり、全米の石炭産業の雇用はトランプ政権期に約25％も失われた。機械化の影響もあり、80年代半ばには全米で約18万人を擁した採炭労働の雇用は今では約4万人に減った。逆風はさらに続く。トランプを引き継いだバイデンは環境政策の強化を掲げ、大統領就任の日に「パリ協定」に復帰する大統領令に署名した。２０５０年に温室効果ガスの排出実質ゼロを目指す方針を掲げ、石炭産業の見通しに暗い影を落としている。

この潮流の変化のただなかにあった20年秋。ウェッブは温めていたアイデアをもとに、起業に踏み切るという決断をした。「古い病院」を、ガイド付きで巡れる「ホーンテッド・ホスピタル（幽霊病院）」として再生し、観光客を呼び込もうと考えたのだ。ウェッブが親友のサブリナ・ハットフィールドにアイデアを伝えると、「私と同じくらい病院を愛していて、一緒にこの冒険的な事業をやってみよう、ということになった」という。サブリナは市長のハットフィールドの妻だ。大統領選のあった20年11月、倉庫になっていた建物を共同購入する。翌月には、米ディスカバリーチャンネルの系列「トラベルチャンネル」の番組で、スタッフが泊まり込んで滞在する企画が放映された。

観光業はコロナ禍で最も打撃を受けた業種でもあった。それでもウェッブは言う。「ビジネスなんてやったことがない。リスクはもちろんあるけれど、抱え込んで前に進む価値のあるリスク。街の人々を勇気づけ、起業を促したかった」。市長のハットフィールドも「『石炭は王』とあまりに信じられてきたために、ほかの仕事に挑むのを難しくしてきた面があった。観光業は飲食や宿泊など派生する業種も多く、多様化の柱になる」と話す。

「古い病院」の3階に上がると、ウェッブは言った。「この階で私は生まれたと、母から聞いた」。「トラベルチャンネル」では、この階の廊下に泊まったスタッフが、突然の怪しい物音におびえるシーンがある。かなり怖い。だが、ウェッブにとっては文字通りの「故郷」なのだ。

「私たちが病院を買ったと聞き、喜んでくれる人がたくさんいた。ただ朽ちていくのではなく、保存されることがうれしい……って。病院で生まれ、死んだ多くの人々の思い出と歴史を残したい」

手応えはある。コロナ下でも野外の娯楽は求められており、炭鉱の歴史に彩られた付近の散策路を訪れる観光客は増えた。21年2月に正式オープンを記念して「古い病院」でバレンタインの夕食会を企画したところ、週末の3日間で、州外からも含め約100人を集めた。懐中電灯で建物を巡るツアーも好評だった。

町を襲い続けた試練と同じように、深い悲しみにも見舞われた。取材に訪れた直前の2月28日、市長の妻で親友のサブリナが亡くなったのだ。サブリナはほんの2カ月ほど前の昨年末、体調不良を感じ、「子宮平滑筋肉腫」というまれな悪性腫瘍の診断を受けた。厳しい病状を告げられ、副作用の激しい化学療法の後、夫のハットフィールドとウェッブ、もう1人の友人と、フロリダ旅行にどうしても行きたいと訴えた。その旅からの帰途、容体が悪化した。

そうとも知らず取材に訪れた日本の記者を、予定通り迎えてくれた市長ハットフィールドやウェッブの思いに胸が熱くなった。なぜキャンセルしなかったのか。ウェッブに聞くと「サブリナが病院を愛し、事業を進めてほしいと願っていることを知っているから」だという。「事業を軌道に乗せ、サブリナの夢だったギフトショップを併設して、彼女の名前を店の名に残したい」

閉鎖的なイメージで語られやすい米内陸部の人々。そのもてなしの心やたくましさに、この後の取材でも驚かされ続けることになる。

物語を書く

「荒涼たる風景」。探偵シャーロック・ホームズが活躍する長編『恐怖の谷』。ウィリアムソンと同じアパラチア山脈の鉱山町が舞台だ。作者コナン・ドイルは町をこう、描き出した。「このあたりを最初に通りかかった開拓者は、ごつごつした黒い岩肌やうっそうと茂る森しか目に入らないこの陰鬱な土地が、どんなにすばらしい大草原よりも、どんなにみずみずしい牧草地よりも価値があるなどと、夢にも思わなかった」[9]。ドイルはそう描写を重ねた。「価値」とはもちろん、石炭を中心とした鉱物資源だ。物語で描かれた19世紀の町では、炭鉱労働者の労働組合が殺人集団と化し、人々を恐怖で支配していた。

ウィリアムソンの町も、都市の視点からみれば「荒涼たる風景」に映る。タグフォーク川の渓谷に沿い、炭鉱労働者が暮らした低層の住宅が続く。到着した3月1日は、前日までの大雨で川が氾濫し、町への道路の一部は封鎖されていた。この川の度重なる洪水は、石炭産業の浮沈とともに、町に幾度も傷痕を残してきた。城壁のように巡らせた堤防の門から町へと入る。昼間でも人はまばらで、荒れ果てたままの家屋も目立つ。米国勢調査によると、人口３０００人弱が暮らすウィリアムソンの町民の平均年収は、全米水準より約35%低い２万３０００ドルほどだ。約40%の町民が貧困線以下で暮らし、この比率は、全米に比べ3倍以上の割合だ。

戦後の最盛期には、町の周囲数十キロに１００を超える炭鉱があった。それがいまでは5つほど。近郊の沿道には、使われなくなった炭鉱からの搬出施設が残る。閉鎖された施設の警備をしていたジェレミー・ドットソン（28）は「亡くなった父は炭鉱労働者だったが、施設は16年ごろに閉まり、自分は見守っているだけだ」と話す。

ウィリアムソンでは、医師のドノバン・ベケット（51）にも話を聞いた。医師の視点から学びたいと考えたのは、16年に日本有数の旧炭鉱都市の北海道夕張（ゆうばり）市を取材した際、財政破綻した夕張の再生に向けて地域医療の役割がどれだけ大きいかを知ったからだ。産業の基盤が衰え、働き盛りの人々が減った地域では、心身が傷つき、衰えた人々が増える。それにどう対処するかで、地域の民主主義の真価が試される。

線路の方角から時折、大きな警笛が響く。町の中心は今も、石炭を運ぶノーフォークサザン鉄道だ。ベケットの父は鉄道操車場で働く労働者だった。ベケットも、炭鉱でアルバイトをし、「家族の暮らしは石炭と結びついていた」と話す。ウェストバージニア大学に進んだベケットは、南米チリの農村でインターンをした。「山深い村で医療設備が乏しいなか、五感を使って診療する医師たちの姿に衝撃を受けた」。この経験を機に医師を志し、06年に故郷で開業したベケットは、社会起業家としても頭角を現す。新鮮な野菜を届ける青空市場を開いたり、地域の将来を考えるワークショップを催したり。生活様式などを含めた「包括的な地域医療」を試みた。

しかし、そのころ町は、新たな「パーフェクトストーム」（最悪の状況）に襲われていた。全米を揺るがした医療用の麻薬性鎮痛薬「オピオイド」禍が、この地方では特に深刻をきわめたのだ。「激しい肉体労働で傷つき、失業した人々も多いこの地域は、薬物にきわめて弱かった」。町には悪質な医師がオフィスを構え、オピオイドの処方を乱発した。米議会の調査によると06～16年、ウィリアムソンには実に約２１００万錠もの鎮痛薬が流れ込んだという。働き盛りの人々の健康や財産を奪い、町のあるミンゴー郡では16年、薬物の過剰摂取による死亡率は全米の約5倍に上った。ベケットは「親が

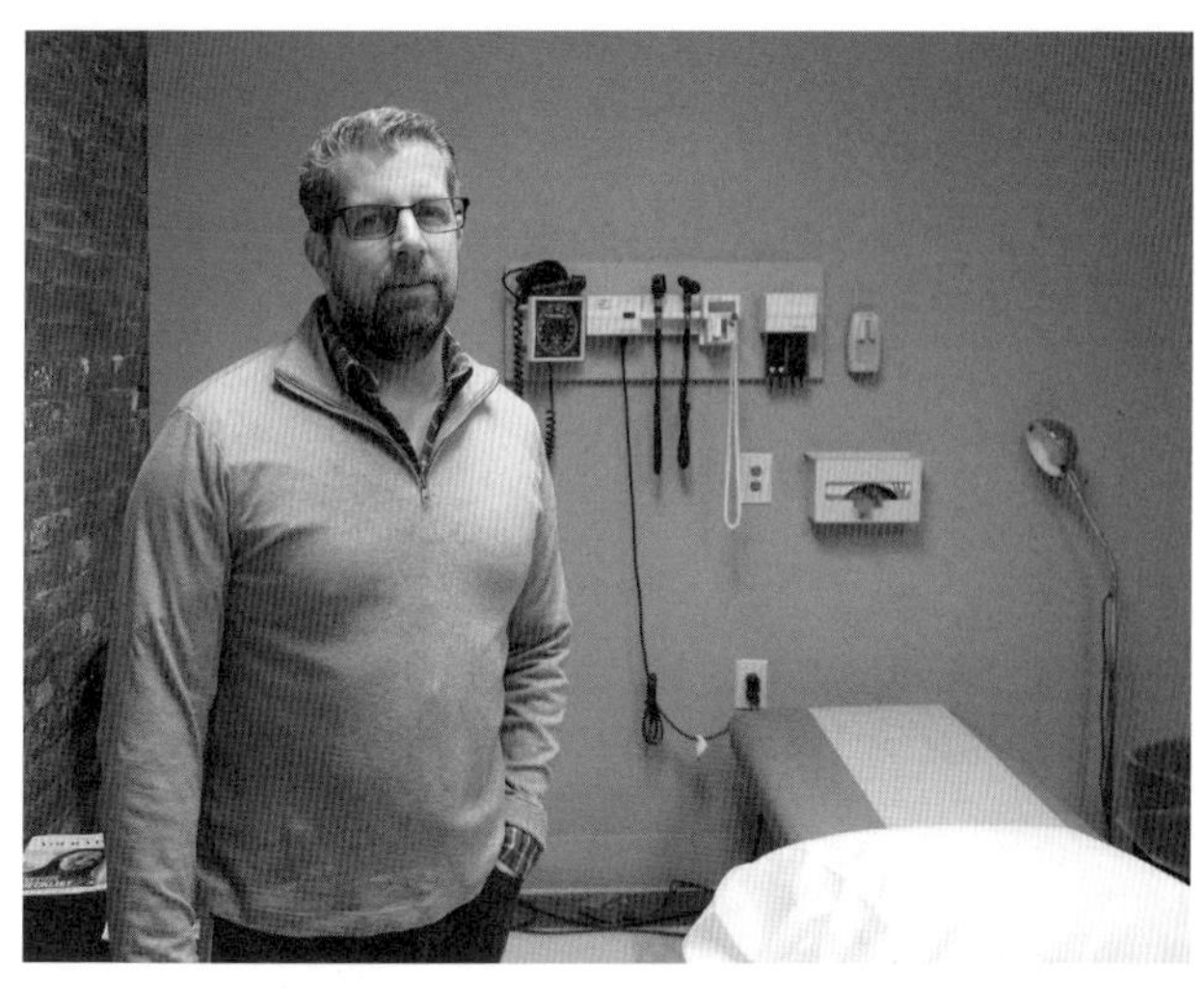

ウィリアムソンで連邦認定保健センターを運営する医師のドノバン・ベケット＝2021年3月3日、ウェストバージニア州ウィリアムソン（著者撮影）

亡くなり、祖父母が幼い孫の世話をするような例をたくさん目にした」と話す。

もともと、鉱山会社から解雇されて無保険になったり、メディケイド（低所得者向けの医療扶助制度）などの公的医療保険に頼ったりしている住民が多く、貧困と病が悪循環を生んだ。ベケットは14年、過疎地域でこうした人々に医療を提供する「連邦認定保健センター」を開設する。5人ほどで始めたセンターは100人超の職員を擁し、薬物治療や歯科など幅広い治療に当たれるようになった。

見えてきた課題は何か。ベケットは「物語（narrative）」だという。「我々は町の外の人々に、町の『物語』を語らせるがままにしてきた。人々は非常に否定的な自己像を持つようになった。我々の物語は我々が書くべきだ」。大都市は、古くからこの地域に好奇の視線を向けてきた。19世紀には、タグフォーク川を挟んで暮らす旧家ハットフィールド家とマッコイ家が激しい暴力抗争を演じた。アメリカ版『ロミオとジュリエット』のような悲恋の逸話も交えてセンセーショナルに報道され、全米で今もよく知られる。現代の薬物汚染に至るまで、こうしたアパラチアの「物語」は、ともすれば後進的な地域の刺激的な話題として、外部の視線から語られ、商品のように「消費」されてきた。

「町の人々が、手を使ってものを生み出すことにどれほど秀でているか、課題に対してどれほど創造性を発揮してきたか、私は見てきた。その価値を自ら理解できるよう、手伝いたい」

ベケットは、町の真の財産は、常に課題に直面しつつ、肉体労働を通じて切り抜けてきた住民のたくましさ、勤勉さだと強調する。「働いて貢献するとはこういうことだと子どもに見せる。その思いが自尊心（dignity）につながってきた」。失業が問題なのはその誇りを奪うからだ。

20年、コロナ危機が始まった直後の4月には、ウィリアムソンの雇用や税収の柱でもあった「ウィリアムソン・メモリアル病院」が閉鎖を余儀なくされた。もともと、「古い病院」の医療施設としての機能を移し、約80の病床のほか救急治療室なども備えていた病院だ。しかし、払戻金が少ないメディケイド患者の多さなどから経営が悪化し、19年に破産を申請した。新たな経営者のもとで運営していたが、コロナ禍で通常の患者の受診が激減し、続けられなくなった。ベケットは、競売にかかったメモリアル病院の建物を買うことを決め、病院として存続させる方策を探ることにした。「経済の多様化を果たすためにも、地域医療と観光業の活性化が欠かせない」と考えたためだ。

1925年に創業し、ケネディ大統領なども滞在した町のホテルにも出資した。ハットフィールド家とマッコイ家の歴史にちなむ野外散策路を訪れる観光客は増えている。町の未来には「非常に前向きな見通しを持っている」という。なぜそれほど確信を持てるのか——。「勝ち目のない『負け犬（アンダードッグ）』の立場にいることが好きなのかもしれない。でも、町の人々を知りさえすればわかることだ」。そうベケットは言った。

地域社会の再建に向けた努力を別の側面からも探ろうと、ウィリアムソンの町を出て車で数十分、鉱山地帯を走った。つづら折りの道路を、春の気配をまとう山の頂へと走る。長い坂を上り切ると、見晴らしの良い、石炭の露天採掘場の跡地が広がっていた。スティーブン・スプラ（30）は、数日前の大雨で倒れた木を削り、新たに開いた道を区切る柵をつくっていた。

スプラは、石炭産業依存からの脱却に向け、起業家支援や教育訓練を担うＮＰＯ「コールフィールド・ディベロップメント」を通じて働いてきた。直訳すれば「炭田開発」だが、もちろん採掘するわけではない。石炭と歩んだ地域の歩みを尊重した上で、産業構造の多様化に取り組んできた。

スプラが取り組むのは、採掘場の跡地を農園などに再生するための施設整備や土壌改良の準備だ。「コールフィールド」は、環境浄化や再生可能エネルギー開発などに取り組む起業家や地元企業と連携し、就労と教育訓練を組み合わせたプログラムを提供している。スプラも働きながら2年制のコミュニティー・カレッジに通い、農業や溶接の技術を学んできた。父や祖父たちの世代は、みな炭鉱労働者として働いてきた。スプラ自身、高校を卒業後はその道を継ぐつもりだったが、近くの炭鉱が閉鎖してしまった。親しんだ大自然のなかで働き続けることができ、充実しているという。

「我々の先祖が石炭を掘り出し、いまの世代にはこの環境再生の仕事を残してくれている。大きな人生（生命）の循環だよ」

コールフィールドのＣＥＯ、ブランドン・デニソン（34）は「現場の人々は、石炭依存からの脱却が現に進んでいることを認識している」という。「石炭は経済の原動力であり、地域社会への帰属意識を支える象徴でもあっただけに、多くの人がつらく思っている。でも、新たな発想や起業家が生まれる余地が広がってきた」

石炭産業の見通しは今後も厳しい。脱炭素に向かう流れも逆風だが、同じ化石燃料の中でも劣勢に立つ。２０００年代の「シェール革命」で、国産天然ガスの価格競争力と供給の安定性が高まり、アメリカでは11～19年、100を超える石炭火力発電所がガス発電に切り替わった。07年に発電用エネルギーの5割を占めた石炭の割合は、20年には2割に急減した。太陽光や風力など再生可能エネルギーの伸びも著しい。米エネルギー情報局によると、19年には、米経済が木材などの再生エネに頼っていた1885年以来初めて、熱量ベースの消費量で再生エネが石炭を上回った。こうなると、アパラチアの化石燃料から膨大な利益を吸い上げてきた「ウォール街」の動きも早い。金融大手JPモルガンは20年2月、売り上げの大半を石炭採掘で得ている企業への融資制限を打ち出した。

こうした構造的な不況に苦しむ労働者の不満を追い風にしようと「石炭の味方」をアピールしたのがトランプだった。ウェストバージニアは、過去の大統領選では民主党候補が勝った例も多かったが、16年、20年とも、トランプが7割の得票で圧勝した。トランプは就任後、石炭産業への規制緩和を進める。それでも、炭鉱企業の破産や雇用減は止まらなかった。

なぜ、ウェストバージニアのような貧しい地方が、貧困対策や社会保障の充実を掲げる民主党ではなく、トランプの共和党を選ぶのか——。トランプ台頭の背景を探る重要な問いだ。ワシントンの政策エリートへの取材では、十分に納得のいく答えは得られなかった。トランプを支持する炭鉱労働者らについても「古く汚い産業」にしがみつく後進的な人々、という視線で語られがちだった。

デニソンは「リベラル派には『ウェストバージニア人は自分たちの利益にならないトランプを支持した』と決めつける見方も多いが、そうではない」という。「人々は、石炭の採掘や軍役を通じて国に貢献してきたことをとても誇りに思っている。政府の支援に頼って生きろとでも言わんばかりの姿勢を感じると、誇りが傷つけられる。公共投資は重要だが、人々の誇りを土台に進める必要がある」

トランプを破って大統領に就いたバイデンは、21年1月20日の就任直後に、前政権が脱退した地球温暖化対策の「パリ協定」への復帰手続きを進める大統領令に署名した。さらに1週間がたった27日、気候変動対策関連の大統領令にも署名する。ただ、この際の演説は、過去の民主党の「失敗」を踏まえ、労働者の誇りに寄り添おうとする姿勢をにじませるものだった。

「石炭を掘り、国を築き上げた人々を忘れることは決してない。こうした人々を正当に評価し、米国や地域社会を今後も支えられるよう保障する」。さらに強調したのは、知事や市長、若い起業家らとの連携だ。「若い人々に、連邦政府がすべての力をかけて協力すると伝えたい」

バイデンは、コロナ禍を奇貨として連邦政府の財政支出や市場介入を強化し、格差是正などの改革につなげようとしていた。21年3月末、当初計画として8年間で2兆ドル超という巨額のインフラ投資案を発表する。「クリーンエネルギーが労働者や農民にもたらす好機を逃さない」。かつてアパラチアの鉱物資源が支えた鉄鋼の街、ピッツバーグでの演説でもそう訴えた。化石燃料依存からの脱却に向けた気候変動対策を柱に、先端産業の育成や雇用増を狙う。炭鉱跡地の埋め戻しなど具体的な項目を挙げ、気候・クリーンエネルギー関連の投資の4割は貧困地帯に充てる方針も掲げた。

こうした大胆な「パラダイムの転換」（バイデン）をどこまで実現できるかは財政権限を握る議会の動向しだいだ。特に上院は、与党から1人でも造反が出れば実現は危うくなる議席構成で、急速に影響力を高めたのが、ウェストバージニア州選出の民主党議員ジョー・マンチンだった。マンチンは21年4月19日、米国鉱山労働者組合（UMWA）議長と参加した講演で「なぜウェストバージニアが共和党の州になったか？」と聴衆に問いかけた。

「我々はベトナム戦争の帰還兵のように感じてきたからだ。求められるまま黙々と『汚れ仕事』を完璧にやり遂げた。それなのに、今やこれほどの苦境に立たされている。だからウェストバージニアを、またあらゆる製造業地帯を置き去りにしてはいけないのだ」

こうした流れは、10年に発足後、脱石炭依存に向けた地域再生に着実に取り組んできた「コールフィールド」のような団体にとって追い風にも見える。スプラの指南役として土地再生に携わってきた職員カレブ・ハンショー（32）は言う。「地域のニーズはその地域が一番よくわかっている。我々は過去100年の自らの歴史や誇りを絶対に手放さない。それをわかってくれるならいつでも心を開くし、連邦政府の指導力も一番うまく働くと思う」

ハンショーは親族などに民主党員が多い環境で育ったが、過去2回の大統領選ではトランプに投票した。「オバマは最高の演説家だったが、実行力が伴わなかった。トランプは粗野だが、言ったことをやろうとする率直さがある。ここで求められているのはロマンチックな演説ではなく、現実に向き合ってやり抜く力だ」。それでも、国を思う気持ちの強いハンショーは、オバマ政権のときもバイデン政権のいまも、大統領とその家族の平安を願って毎日祈りを捧げてきたという。

「権力者には敬意を払うし、難しい立場もよくわかる。バイデンが言葉通りに動いてくれればうれしい。でも、助けがあろうがなかろうが、我々は生き残る。偉そうだと思わないでほしいが、いつもそうしてきたのがここの人間なんだ」

知られざる「内戦」

21年3月6日、ウィリアムソンに近い山間の町、ウェストバージニア州メイトワンは、穏やかな土曜の朝を迎えていた。建物に男たちが集まり、コーヒーを片手に談笑している。「UMWA1440支部」の月例会合が開かれるのだ。

「ご起立ください」。時間になり、支部幹部がそう切り出すと、みな立ち上がってこうべを垂れた。

「恵み深い天の父なる神に感謝を捧げます。1440支部の兄弟が友愛のもとに集えるこの特権に感謝いたします。時として自らの命を含むすべてを犠牲にした同志のためにも、神に感謝します。団結し、目標を達成するために必要な強さと勇気をお与え下さい」

「アーメン」のかけ声の後、アメリカの小学校などで交わされる「忠誠の誓い」を唱和する。「私はアメリカ合衆国国旗と、その象徴する、すべての人民のための自由と正義を備え、神のもと分かつことができない統一国家である共和国に、忠誠を誓います」。組合員たちは、信仰あつい愛国者でもある。付近の炭鉱の閉山に伴い、集まるのは引退した労働者が中心だ。それでも、月例会合は欠かさない。炭鉱企業の破産が続くなか、どう年金基金を安定させるかなど、組合の課題は多い。

この日、前に出て説明したのはマッケンジー・ニューウォーカー（24）。支部が運営する「ウェストバージニア炭鉱戦争記念館」のディレクターだ（本章扉も参照）。「いつもご支援ありがとうございます。今年は、『ブレア山の戦い』から１００周年。９月のレーバーデーには式典を計画しています」

ここは20世紀初頭、南北戦争以来最大の「内戦」といわれた壮絶な炭鉱労働争議の舞台だった。古い銀行の建物を使った「記念館」は、その歴史を伝える。１９２１年の「ブレア山の戦い」では、１万人規模の炭鉱労働者と、会社側が雇ったスト破りとの間で激しい武力衝突が起き、何十人もの死者が出た。企業側の私兵は機関銃や上空からの爆撃を駆使し、争議は州兵の介入によって鎮圧された。

米国は第１次世界大戦の勝利後、巨大企業が次々に勃興するつかの間の繁栄へ入りつつあった。一方、ウェストバージニアの炭鉱では、労組が違法とされ、過酷な労働条件が常態化していた。「ブレア山」につながるきっかけとなったのが、１９２０年５月にいまの「記念館」の目の前で起きた「メイトワンの虐殺」だった。ニューウォーカーの案内で、「虐殺」の際に放たれた弾丸が壁に残る近くの建物まで歩く。「ウェストバージニアの石炭産業は、次第に豊かさをもたらさなくなった。でも、我々の歴史は、学び直すことでますます豊かになる」。そうニューウォーカーは言う。

当時の鉱山町では、労働者の社宅も学校も会社が管理し、買い物も会社の商店で、会社の発行する貨幣で買わなければならなかった。労働者側に立ったメイトワンの警察署長が、労働者の立ち退きを迫る企業側の探偵と小競り合いになったのを機に「虐殺」の銃撃戦に発展し、10人が死亡した。

ニューウォーカーも、近くの町ローガンで炭鉱労働者の父のもとに生まれた。祖父までの世代も多くが炭鉱で働いていた。小学生の時、父が炭鉱の閉鎖に伴い解雇されてしまう。「ツリーハウスの中で、兄が『これからどうなるかわからない』と話したのを覚えている」。教師をしていた母のすすめで、父は2年制のコミュニティー・カレッジに通い直し、看護師の資格を得た。兄も高校卒業後、すぐ炭鉱に勤めたが、解雇されて大学に入り直した。

母のように教師になろうと考えたニューウォーカーは、州の中核都市ハンティントンにあるマーシャル大学に進学する。歴史と政治学を学び、故郷の労働運動史に関心を抱くようになった。州の教科書では、この地域の労働争議の歴史は戦後も長くタブー視されていた。「メイトワンの虐殺やブレア山の戦いの記述はわずか。会社側の視点で、石炭がいかに地域経済にとって重要かを強調するものばかりだった。記念館は労働者の『物語（narrative）』を取り戻す上で、大きな役割を果たしてきた」

かつてウェストバージニア人の家には、UMWAを率いた労働運動家ジョン・L・ルイスと、民主党大統領ジョン・F・ケネディ、イエス・キリストの3人の肖像画が掲げられていると言われた。しかしそのウェストバージニアは、いまや米メディアに「トランプの州」とみられている。

ニューウォーカーは、こうした見方は一面的だと語る。「『トランプを支持する地域』を報じるメディアには、どこかでそこの人々を『ヒルビリー（山奥の田舎者）』として語ろうとする視線がある。父がよく言っていた。炭鉱労働者はとても賢い人々だった。昔は読み書きすらできない人もいたかもしれないが、彼らは地質学者であり、技術者であり、何もかも成し遂げる力を持っていた、と」

ニューウォーカーは「バーニー・ガール」を自認し、若い世代の仲間とともに、革新派の上院議員バーニー・サンダースを支持する。「労働組合と組合が守る雇用を支える、という姿勢を明確に示してきた」からだという。元炭鉱労働者のテリー・スティール（68）も賛同する。16年の大統領選では、民主党候補のヒラリー・クリントンの「ディプロラブルズ（悲惨な人々）」発言が激しい反発を招いた。「サンダースだったら、労働者の支持を得てトランプに勝てた」とスティールはいう。

ウェストバージニアの炭鉱戦争以降、米国の労働争議は厳しく鎮圧された。米経済には自由放任主義が浸透し、好況期に入る。しかし、富の格差が広がるなかで１９２９年の世界大恐慌が起き、民主党大統領フランクリン・ルーズベルトによる強力な市場介入と戦時経済へ突入していった。時代が巡るかのように、08年のリーマン・ショックや20年のコロナ禍は、富の不均衡が生む弊害や市場放任の限界を浮き彫りにしている。グーグル、アマゾンなどの巨大ＩＴ企業に極端に富が集中し、こうした企業の租税回避によって、国家が税金を集め、再分配する機能も弱まった。

だが、コロナ禍を境に、市場支配を強める巨大ＩＴ企業への世論の批判は高まり、21年に入るとアマゾンでも労組を組織する試みが始まるなど、労働者側の姿勢も変わり始めた。バイデン政権が現金給付や失業保険の拡充を柱とする大規模な経済対策を打ち、コロナ感染への恐れから人手不足が続いたことは、労働者の立場を強めた。インフレが本格化すると、食品大手ケロッグなど大規模な工場でも、賃金などの改善を求めるストライキが相次ぐようになっていく。過去数十年間、グローバル化や技術革新で賃金の下押し圧力を受け続けてきた労働者が、声を上げる機運が高まっている。

スティールの妻で、記念館の運営に尽力してきたウィルマ（69）は「十分な仕事がなければ、労働者はただ生きるために働かざるを得ず、『誰かに職を奪われるのではないか』と恐れる疑い深いワーキングプアになる」と語る。なぜ、地域の炭鉱が衰退してからも、労働者たちが毎月ここに集い続けるのか。「ここには、得がたい共同体の感覚ときずながあるからだ」。取材の別れ際に、かつて「炭鉱戦争」に加わった労働者らが首に巻き、団結の象徴にしたという赤いバンダナをくれ、ウィルマは言った。「今ほど、労働者の連帯が求められているときはない」

「復興」に向けて

バイデンが打ち出した大規模な財政出動による社会改革に対し、トランプが席巻したアパラチアの製造業地帯からも呼応する動きが出ていた。20年11月の大統領選直後には、ウェストバージニア州ハンティントン市長、スティーブ・ウィリアムズら8人が、「Middle America」（米中部・米中産階級）への「マーシャル・プラン」の発動を訴える記事をワシントン・ポストに寄稿する。[10] 第2次世界大戦後の欧州復興援助計画にちなみ、この地域への巨額投資を連邦政府に求める内容だった。

現地取材では、ウィリアムズにもじっくり話を聞いた。インタビューの前、市庁舎のある街の中心部を歩くと、街路は美しく整えられ、若者の姿も多く見かける。そのことをウィリアムズに伝えると、誇らしげな表情を見せた。「かつて、『マーシャル・プラン』などによるドイツや日本への援助は、敵国だった国々の復興を助け、今や我々は友好国として互いに投資をし、支え合っている。この歴史に、私は大きな希望を持つ。人間の不屈の精神に対する信頼だ」。そう語るウィリアムズは、アメリカを支えてきた「為せば成る」の精神（can-do spirit）を体現したような地方政治家だった。

ウィリアムズは、「厳しい現実に対し、まずは自分たちで正面から向き合わなければならない」と、地域社会の主体性を強調する。「エネルギー需要が変化し、石炭だけには頼れない。教育訓練が必要なのはもちろんだが、時間がかかる。炭鉱をやめた人の誰もがＩＴ業界に進み、プログラミングをしたいと思うわけでもない。市長としては、『慣れ親しんだ地域で家族と生きたい』と望む人々がその選択肢を実現できる道を残さなければならない。そこで、十分に整っていない道路や水道、高速インターネット、教育機関などについて、大規模な公共投資を求めたのが『マーシャル・プラン』だ」

町が生まれたのは１８７１年。鉄道王コリス・ハンティントンが、オハイオ川の川岸に鉄道車両工場をつくり、石炭や木材を運ぶ駅と鉄道網を生かして急速に発展した。しかし、グローバル化で町の製造業は衰え、世界有数のガラス工場やインク工場などが次々に姿を消した。そこで、ＮＰＯ「コールフィールド・ディベロップメント」のような地域社会の起業家たちや、町にあるマーシャル大学、病院などと連携しながら、地域の再開発や労働者の教育訓練などに取り組んできた。

人口約５万人のハンティントンは17年、地域活性化のコンテストで「全米最高の地域社会」に選ばれるまでに至る。小さな町でも、グローバル化の波に無力、というわけではない。大切なのは、地域社会が変化に適応するために十分な時間と予算をかけ、住民の創意を生かすことなのだ。

「私が言い続けてきたのは、都市計画について『小さくまとめるな』（Make no little plans）ということだ。荷物を載せたロバとこの地にやってきた先祖はみな、不自由な道具や設備で何とか工夫して町を築いた。アパラチアの人々には、独立心旺盛でへこたれない起業家、応用工学者としてのＤＮＡが息づいている。都市はイノベーションの実験場であり、とりわけ小さな都市こそ、ほかに先駆けて挑戦することができる『ペトリ皿』だ。例えば日本の山間部の町であれ、きっと同じような課題を抱えているはず。この町でできればほかの地域でも参考になる。そんな思いで取り組んできた」

アパラチアへの大規模な投資は、実現すれば１９３０年代のニューディール政策や、60年代のケネディ・ジョンソン民主党政権期に成立した「アパラチア地域開発法」以来となる。「ニューディール期に進められた電気の普及が、どれほどこの地域を助けたか。いま一番求められているのは高速ブロードバンド網だ」。その後の21年11月、厳しい党派対立を乗り越え、米議会は５年間で１兆ドル規模の超党派インフラ投資法を成立させた。ウィリアムズの前向きな見通しは、大きな方向として誤っていなかった。

ウィリアムズは「可能性を狭めてしまうのは、ほかの地域の人々ではなく、自分たち自身のとらえ方にすぎない」と学んだという。「一生に一度あるかないかというパンデミックだ。一生に一度の好機に変えることはできるし、これを逃せば機会はない」。アパラチアでも、従来はピッツバーグやシンシナティなどの都市圏に引き寄せられる傾向が強かったが、コロナ禍を機に、小さな地域社会に住みたいという人々も増えたという。「大都市には多くの資源があるが、こちらにも、人々からわき出るアイデアがある。アパラチアの祖先たちがそうしてきたように、へこたれずにしのいでいける」

ウェストバージニアの炭鉱地帯で地域再生に取り組む住民の姿は、同じ旧炭鉱都市の夕張など、日本の中山間地域の取材でかつて訪ねた人々と重なった。そこには、グローバル化に伴う産業構造の変化に直面しつつ、地域社会に根を張って生きようとする人々がいた。さらに言えば、アパラチアと日本全体がだぶってみえた。ウィリアムズは「生き残れるのは楽観主義者ではない」との信念を持っているという。楽観主義者は希望的観測を抱き、それがかなえられないと落胆しがちだ。「残酷な現実」を認識しつつ、それでもやり遂げるという不屈の信念を持ち続ける人間が生き残る、という。

単なる精神論ではない。地域経済の浮沈は、数世代をかけ、住民にへこたれない強靱さを育んだ。豊富な石炭を生かした鉱業や重化学工業が栄え、19〜20世紀の世界の工業化を牽引した米アパラチア地域。日本もそれを追いかけるかのように、急激な工業化を進めた。戦後は荒廃した国土と貧困から歩みを起こし、高度成長とバブル崩壊を経て、いま、少子高齢化や産業競争力の低下をはじめ無数の課題に直面している。厳しい現実を冷徹に認識しつつ、再生の好機をうかがい、へこたれず生きる。助けがあろうがなかろうが、生き残る——。日本もまた、そんな覚悟と英知が試されている。

第５章　半導体と空気調節

――国家の復権

スカイウォーター・テクノロジーの半導体製造工場で、機器を扱う従業員
＝2021年5月25日、ミネソタ州ブルーミントン（著者撮影）

ディストピアの首都

２０２１年1月19日、バイデン大統領の就任式の前夜。ワシントンの街を歩くと、気味が悪いほどの静けさが広がっていた。中心部は数々の検問所で封じられ、行き交うのは兵士ばかり。街路で目立つのはホームレスのテントくらいで、そこに感じる人間の営みにほっとする。世界最大の富と軍事力を誇る覇権国の首都は、ＳＦに描かれるようなディストピアの街だった。兵士たちは、米国民を外敵から守るためにそこにいるわけではない。大統領という最高権力者を、米国民から守るためにいる。しかし、潜在的な危険人物とみなされる米国民そのものが、すでに街から排除されているのだ。

翌日の就任式では、米政界の有力者が一堂に会した。有名歌手のレディー・ガガらが祝い、バイデンは米国民の団結を訴えた。しかし、閉ざされた会場で権力者と富裕層が盛り上がる構図は、国民の貧困をよそにエリート層だけが甘い汁を吸う、腐敗した権威主義国家のようではないか。

もちろん、一義的な責任はトランプ前大統領にあった。陰謀論にとらわれた支持者をあおり、約2週間前の1月6日、暴徒化した人々が米連邦議会議事堂を襲撃するという、前代未聞の事態を結果的に引き起こしたのはトランプだ。だが、トランプは問題の根源ではなく、その表出にすぎない。

就任式の朝、会場となった議事堂前を歩くと、ダグ・パジット（54）の姿があった。トランプの再選阻止の運動に携わってきた牧師だ。「トランプ氏はアメリカ社会の暗部を『共謀者』として利用してきた」という。暗部とは何だろうか。突き詰めれば、人種や職業、資産、学歴など、この国のさまざまなレベルに根を張る、デモクラシーの理念と相いれない差別や格差の構造だろう。

この構造について考え抜いてきた作家カート・アンダーセンを取材したのは、就任式の少し前だった。17年のトランプ政権発足後に出版された『ファンタジーランド――狂気と幻想のアメリカ５００年史』は、神秘主義に熱狂するアメリカ人の国民的心性が、米国史に深く根差すものだと分析した。「書いているときはトランプ氏が当選するとは考えてもいなかった」（アンダーセン）のに、陰謀論をあおるトランプの登場を予期していたかのような本として注目を集めた。[1]

そのアンダーセンが、トランプを生んだ「もう一つの問題」を考え抜き、新著を出した。「アメリカの政治経済システムは、なぜこれほど腐敗し、経済格差が広がったのか」。そんな問いだ。本のタイトルの *Evil Geniuses* は、「悪霊たち」「悪い感化を与える人々」といった意味である。[2]

１９５４年生まれのアンダーセンは、10年単位でアメリカの文化を振り返り、ある変化に気付く。音楽、デザイン、車……。「60年代風」などと形容できた特色が、90年代から途絶えたというのだ。アンダーセンは、この若い国の人々が、80年代から不思議な虚無と郷愁にとらわれたとみる。

そこに忍び込んだのが、市場原理主義を掲げる学者や企業家たちだった。政府は自由競争を邪魔する悪だと決めつけ、減税と規制緩和を「宗教的なドグマ」のように追求する。この「悪霊」の主張はアメリカ社会に浸透し、「勝者」への極端な富の集中を正当化した。アンダーセンは「強欲があまりに肥大化し、民主主義国家として修復できそうもない」と嘆く。コロナ危機が直撃した20年上半期には、最も富裕な50人のアメリカ人が持つ純資産が、全国民の半数、約1億６５００万人の資産合計約2兆ドルと等しくなるという、グロテスクなまでの格差を露呈するに至った。[3] アンダーセンは、コロナ危機と大統領選の重なった20年は、アメリカにとって建国期、南北戦争、世界大恐慌に次ぐ「４番目」の存亡をかけた試練の年として歴史に残る、と語った。

取材しながら、アンダーセンが市場原理の「宗教的追随者」と批判する、ある人物のことを思い出していた。経済学者アーサー・ラッファーだ。19年3月と12月の2回、テネシー州ナッシュビルのラッファーの事務所を訪れ、取材していた。ただ、ラッファーについては対面での取材以上に、20年あまり前の別の「出会い」の印象も強烈だった。

高校時代、あからさまに左翼的な教師が政治経済の授業を持ち、マルクス経済学の初歩を教えていた。その教師がある日、黒板に逆U字形の曲線を描き「ラッファー曲線だ」と説明した。横軸に税率、縦軸に税収をとる。税率が高すぎると経済活動を阻害し、税収はかえって下がる。この場合、税率を下げれば税収はカーブの頂点の水準まで増える。だから減税を進め、社会保障の削減や規制緩和を柱とする「小さな政府」を目指すべきだ――。そんな理屈で、レーガン政権の新自由主義的な経済政策（レーガノミクス）を支えた理論だと、教師は批判的に教えた。しかし、当時印象に残ったのはむしろ、その論理の明快さと曲線の美しさのほうだった。

現実はラッファーの理論通りにはならなかった。レーガン政権で総税収は増えず、ブレーンだったラッファーは「ブードゥー（呪術）経済学者」などと軽んじられ、経済学者の主流派からは遠ざけられた。ただ、「ラッファー曲線」やレーガノミクスがつくった「小さな政府」の世界的潮流を考えれば、現実世界に与えた影響力は大きい。そして、ラッファーが数十年ぶりに表舞台に復権したのが、減税や規制緩和を売りにしたトランプ政権だった。トランプは19年6月にはラッファーに「大統領自由勲章」を授け、「経済思想と政策に革命的変化をもたらした人物」と持ち上げた。

ラッファーの事務所には、国内外の要人とともに写った写真のほかに、いくつもの化石が飾られている。「進化の奇跡にただ魅了されるんだ」。ラッファーはそうしみじみと語った。愛するのは環境に適応した者が生き残っていく「適者生存」の競争である。「人々にお金をあげれば働かなくなる。減税と社会保障の給付削減でこそ、繁栄がもたらされる」。ラッファーはさらに言う。「汚い社会主義者たちめ、私の美しい『経済』に触るのはやめろ！　と言いたい」

映画「猿の惑星」で俳優のチャールトン・ヘストンが叫ぶ「汚い猿め、その臭い手で触るのをやめろ！」というせりふをまねたものだ。ヘストンはラッファーの友人で、全米ライフル協会（ＮＲＡ）会長を務めた保守活動家でもあった。ラッファーに言わせると、左派のノーベル賞経済学者ポール・クルーグマンや、ローレンス・サマーズ元財務長官など米経済学界の重鎮は、弱者保護を名目に政府を肥大化させ、自らの権力を追求する「経済がまるでわからないヤフー（『ガリバー旅行記』に登場する野人＝ばか者）」にすぎない。サマーズの方も、19年3月、ワシントン・ポストでＭＭＴ（現代貨幣理論）を批判する際に『ラッファー曲線』のサプライサイド経済学」を引き合いに出し、「ブードゥー経済学」「数十年間、米国経済に甚大な損害を与えた」などと述べた。[4]

ラッファーは、オハイオ州の大企業幹部の父のもとに生まれ、「非常に恵まれた人生を送ってきた」と語る。父や兄弟、自分も含め、一族の多くがイエール大学に進学し、「何世代にもわたって、特権的に恵まれ、きわめて高い教育を受けてきた家族だった」という。

ラッファーへの2回の取材の合間に当たる19年11月、ハーバード大学でサマーズにも取材していた。サマーズは、いずれも20世紀を代表する経済学者であるケネス・アローを母方のおじ、ポール・サミュエルソンを父方のおじに持つ。ハーバード大学長のほか、クリントン民主党政権で財務長官、オバマ民主党政権で国家経済会議議長を務め、学者として政府高官として、これ以上ない栄誉を得た人物である。研究室には、歴代の財務長官の肖像が描かれたパネルが飾られていた。

激しく反目しあっているであろうリベラル派のサマーズと保守派のラッファーだが、不思議な共通点も感じた。自らの出自に強烈なプライドを持ち、名声と権力をこよなく愛する志向である。もちろん、それ自体は何ら批判されるべきことではない。卓越した能力を生かして国家の中枢で貢献することは素晴らしいことだ。ただ、ラッファーが「大統領自由勲章」を受け、サマーズがハーバード大学長・財務長官となるに至ったのは、本人の能力以外の要因も明らかに大きい。自由な競争はもちろん重要だが、社会には環境に恵まれず、そもそものスタートラインがずっと後ろから始まっていたり、スタートラインに立つことすら難しかったりする人々がいる。「世の中とはそういうものだ」と開き直る保守派は、現状を怠惰に追認する方向へと傾きがちだ。一方で、格差の是正を訴えるリベラル派の中枢も、現代では、スタートラインから恵まれている人々が多く、大衆から遊離している。

歴史家ルイス・ハーツが述べたように、打ち破るべき封建制のなかった米国は欧州のような革命を必要とせず、「自由」が唯一無二のイデオロギーとなった。[5] しかし、自由をあまりに重んじる風潮は、逆に「スタートライン」の違いを覆い隠し、社会の階層構造を固定化する弊害を生む。トクヴィルは、身分制というくびきから解き放たれたはずのデモクラシーのもとで生きる人々が「指導されたいという欲求を感じ、同時に自由のままでありたい」という「二つの相反する情熱に絶えずとらわれている」とも論じた。[6] 自由と隷従は地続きでつながっている。ラッファー流の自由化路線の行き着いた先が、自らの虚栄と強欲をあけすけに示し、人々に盲目的崇拝を要求するトランプだったことは象徴的だ。

国家なき「楽園」

19年10月、私は『オズの魔法使い』の舞台、カンザス州の大草原にいた。そのただなかに、告げられた住所はあった。銃で武装した守衛から身元確認を受けると、ラリー・ホール（62）が出迎えてくれた。ここ「サバイバル・コンドー」の開発者である。

コンドーとは「分譲住宅」を意味する「コンドミニアム」の略称で、普通のマンションではない。特にこのコンドーは、核戦争や大災害のような「世界の終わり」がやってきたとき、生き残るためのシェルターだ。民主主義国家の中核的役割は、富の一部を税金として集め、再分配したり有事に備えたりすることだ。特に戦争や災害への備えは国家の根源的な役割のはずだが、それすら「市場」が担う究極の姿を取材することで、何かが見えてくるのではないかと思ったのだ。

地下15階、60メートル超の深さがある「サバイバル・コンドー」を移動するためのエレベーターを案内するラリー・ホール＝2019年10月24日、カンザス州中部（著者撮影）

入り口は防空壕のようだ。地下15階、深さは60メートル。もともとは冷戦期、ソ連に向けて発射する大陸間弾道ミサイルを格納する縦穴状の施設だった。ホールが「生き残りビジネス」の可能性に目をつけたのは、01年の9・11同時多発テロだった。米政府から近くの農家に払い下げられていたミサイル格納施設を08年に購入すると、何年もかけて改造したという。「08年にオバマが大統領に選ばれたときと、16年にトランプが選ばれたとき、どちらも顧客の関心が高まるのを感じた。（政治的な党派で）両極端の人々がそれぞれ、まずはオバマを、次いでトランプを恐れたからだ」

顧客のターゲットは富裕層だ。分譲しているのは12のユニットで、計75人まで収容できる。単価は１５０万ドル～５００万ドルほどで、毎月の維持費もユニット当たり数十万円はかかる。買うのは「たたき上げの大金持ち」ばかりだという。複数のユニットを持っていた億万長者が「世界の終わり」を見ることなく亡くなったため、取材に訪れた時点では未分譲の物件もあった。顧客の関心は高く、ホールは「買い手が決まるのにそう時間はかからないだろう」と語った。

コンドーの中は、まるでSFだ。淡水魚ティラピアを食用に養殖し、そのフンを肥料にした野菜の水耕栽培施設もある。ジムや室内シアター、ペットの遊び場、教室のほか、滑り台付きの温水プールまである。新型コロナウイルスも排除できる高性能フィルターで施設内は清浄に保たれ、潜水艦用の電池や地熱発電を使って、居住者は「無期限に」暮らすことができる。閉塞した環境で暮らすストレスにも配慮した。心理学者の助言で、部屋には外の風景を映し出した液晶パネルの「窓」もある。

「写真は撮らないで」。ホールがそう注意した場所がある。壁にいくつもの銃がかけられた武器庫だ。世界の終わりが来れば、飢えた群衆がコンドーを見つけ、暴徒と化して押し寄せるかもしれない。そのときは重武装の警備員だけでなく、コンドーの住民も自衛するつもりだ。ホールは「トラックのエンジンを破壊できる狙撃用ライフルもある。ヘリコプターだって撃ち落とせるよ」と話した。コンドーが米メディアで取り上げられると「一部の金持ちの恐れにつけ込んでいる」と批判も浴びた。しかし、ホールは「大量破壊兵器のあった場所を、命を救う世界最高の施設に変えた。最高に幸せ」と誇らしげだ。

コロナ危機が襲来した20年3月、私はホールに電話をした。パンデミックの発生は、まさにホールが想定していた事態の一つであったからだ。

「妄想にとらわれているだけだとバカにしていた人々もいたが、明らかに変わった。問い合わせの電話がどんどんかかってくるよ」。ホールの口調は自信に満ちていた。コロナの感染が広がってから問い合わせが急増し、施設内の画像を見ただけで購入を決めた客もいたという。

フロリダ州に住む不動産ディベロッパーのタイラー・アレン（51）は、08年の開発後まもない時期からの顧客だ。電話取材に「ウイルスへのパニックや、経済崩壊による社会不安が気がかりだ」と話した。アレンがサバイバルに関心を持ち、コンドーのユニットを買ったのも、「9・11」がきっかけだった。「生き残るためには準備しておくしかない」と思い切ったのだという。

シェルターを自分で造ったり、物資をため込んだりして有事に備えるのを信条とする「サバイバリスト」は全米に相当数いる。カンザス大学教授のジョン・フープスは「社会に広がった不安感が、世界が終わりつつあるという個人的な信仰と結びついた運動」だと解説した。18年には、極端なサバイバリストの父親を持ったタラ・ウェストーバーの自伝『エデュケーション』がベストセラーになる。父親は政府の陰謀を疑いウェストーバーを学校に通わせず、Ｙ２Ｋ（コンピューター２０００年問題）による世界の滅亡を疑わなかった。そのウェストーバーが小さなきっかけから大学に進み、英ケンブリッジ大学で博士号をとるに至る半生をつづった自伝は、サバイバリストの心象風景を広く世に知らしめた。[7]

コロナ危機後、全米でスーパーからトイレットペーパーなどの日用品がなくなる事態が起き、銃弾の売り上げも伸びた。サバイバリストが想定していたような事態だ。「コロナは９・11のように世界を変えた。人々は互いに距離を取り、未来に対して身構えるようになる」。ホールはそう断言した。

取材で実感したのは、市場競争の「勝者」である富裕層が「いざという時」の国家の力を信用していないことだ。本当に「世界の終わり」がやってきたら、同じ米国民に銃を向ける覚悟でいる。一方、富裕層ではない大多数の人たちは国家を信頼しているのかといえば、そうではない。トランプ自ら「ディープステート」（影の政府）なる言葉を使い、自分は国家の真の支配層から迫害される被害者だと訴えてきた。そんなトランプに留飲を下げる支持者がいる。富める者も貧しい者も、民主主義国家を自らが担い、支え支えられているという当事者としての感覚が持てないでいる。だからといって、市場が国家以上に信頼できるという保証などないし、国家の機能を完全に代替できるわけでもない。

人々が政治に参加し、その手続きを経て税金による富の再分配が行われ、危機の際には国家が先頭に立ちつつ連帯してことにあたる。そんな民主主義や公共精神（パブリック・スピリット）を「きれいごと」としてはぎ取った、むき出しの姿。それがサバイバル・コンドーなのかもしれない。

だが、「世界の終わり」が来たとして、我が身ひとりただ生きながらえても、それで心は満たされるのだろうか。取材を終えた後も、コンドーのプールの壁に描かれた場違いなヤシの木とオウムの絵が脳裏に焼き付いていた。壁にはこんな文字もあった。

トクヴィルが「一種の絶えざる震え」に置かれているとみたアメリカ人の孤独な魂が、サバイバル・コンドーで極致に至り、文字通り迷子になっている（lost）かのように感じられた。

スリーピー・ジョーの登場

大統領選が最終盤を迎えた20年10月27日、トランプに挑む民主党候補バイデンが遊説の舞台として選んだのは、ジョージア州ウォームスプリングスだった。民主党大統領フランクリン・ルーズベルトが療養に通い、１９４５年４月に病没した、小さな温泉地である。

「ルーズベルトはこの地を訪れては、米国と世界をどう癒やすか、思いをはせた」

バイデンはそう言及した。このころから、ニューディール政策を推し進めたルーズベルトを意識する言動を強く打ち出すようになっていく。コロナ禍で政府の役割が急拡大し、富裕層課税や経済対策を通じて富を再分配する「大きな政府」が支持されやすい状況になったことを、追い風とみていた。

１９２０年代の自由放任主義が格差拡大と大恐慌を招いた末、政府が市場介入を強める転換点となったのがニューディール政策である。本格的な景気回復は、軍需が急拡大した第２次世界大戦を待たなければならなかったが、この時期にできた最低賃金や老齢年金などの制度や、テネシー川流域開発公社（TVA）による公共事業はアメリカの経済、社会のありようを一変させた。

21年１月、大統領に就いたバイデンが打ち出したのは、トランプに「スリーピー（ねぼすけ）・ジョー」と酷評されたイメージとは裏腹に、歴史軸を意識した野心的なものだった。冷戦終結後のグローバル化の行き過ぎや市場原理の偏重を見直し、国家の復権を図る方向性である。

3月11日には、米議会が与党民主党単独で可決した総額1・9兆ドルにのぼる追加経済対策の法案に署名し、同法が成立した。続けざまに3月31日には、8年間で2兆ドル超のインフラ投資案を発表した。バイデンはピッツバーグで地元労組の労働者に紹介されて演壇に立ち、「第2次世界大戦後最大の雇用を生む投資」「富（資産）にだけではなく、労働にこそ報いる政策」だと訴えた。「米国雇用計画」と銘打ったインフラ投資案は、①コロナ禍からの復興を目指す経済・雇用対策、②脱炭素に向けた環境政策、③中国との軍事・経済競争を意識した産業政策――という互いに重なり合う政策目的を詰め込んだものだ。バイデン政権はさらに、グーグルなどの米巨大IT企業に対しても、反トラスト（独占禁止）や国際的な課税強化の動きで対抗する姿勢を明確にしていった。

政府が強力に介入して経済の育成を図るのか。自由な市場競争に委ねるのか。アメリカの経済政策は建国以来、この対立軸のはざまで揺れ動いてきた。振り子が振れすぎて政府や市場の「失敗」が浮かび上がるたび、修正が図られてきた。

バイデンが上院議員に就いたのは1973年。その年の石油危機後、アメリカはインフレと不況が共存するスタグフレーションに陥り、ニューディール後の「大きな政府」が行き詰まっていく。80年代の共和党レーガン政権はラッファーらをブレーンとし、減税と規制緩和、金融引き締めを軸に、企業の活力強化を狙う「小さな政府」に転換した。その後、ソ連崩壊で自信を深めた米国は90年代、グローバル化と金融・IT革命の波に乗り、超党派で自由化を推進する。「大きな政府の時代は終わった」。96年の一般教書演説でそう宣言したのは民主党のクリントン大統領だった。

自らもクリントン政権の財務省高官だったカリフォルニア大学教授のブラッドフォード・デロングは『『大きな政府の時代は終わった』という考えは、時機や立場に恵まれて富を蓄え、課税を恐れる人々にとって魅力的なだけだった」と語る。16年の大統領選では、自由化による成長から「取り残された」労働者を助ける、と訴えたトランプが勝つ。続くコロナ危機がだめ押しとなった。半導体などの戦略物資や医療サービスの供給が滞る事態が起き、格差の拡大にも注目が集まって、政府による介入を求める世論が勢いを増した。バイデンが「パラダイム転換」を訴える基盤が整ったのだ。

財政政策の復権

「パラダイム転換」を理論面で支えるマクロ政策の枠組みにも変化が起きていた。バイデンは21年2月末の演説では、「私の政治経験で初めてだが、経済学者の間で『財政支出をしてもしすぎることはない』との圧倒的合意がある」と強調した。アメリカ経済が日本ほどではないにせよ、コロナ前から低インフレ、低金利、低成長の「長期停滞」傾向にあり、低金利下で国債の利払い負担も抑えられることなどから、主流経済学者の間で財政拡大を求める声が勢いを増していたのは事実だった。

国際通貨基金（IMF）の元チーフエコノミスト、オリビエ・ブランシャールがそうした経済学者の代表格であった。IMFといえば、かつては発展途上国などに経済自由化と財政緊縮を求め、新自由主義の牙城とみられた機関である。だがブランシャールは19年1月、アメリカでも低金利が続く限り「公的債務のもたらす財政コストは、通説よりもずっと小さいかもしれない」と述べ、議論を巻き起こした。

19年6月に取材した際には、日本がその数カ月後に予定していた消費増税にも反対の姿勢を示した。「消費増税を実施すれば不況になるかもしれない一方、債務残高のGDPに対する比率は大して改善しない。私なら期限を定めず延期して、『引き上げられる時期が来たら直ちに引き上げる』と言うだろう」。逆に強調したのが、日本の長期停滞の要因でもある少子化を食い止めるため、子育て支援などに積極的な財政支出を進めるべきだという点だった。日本では「今後も長く長期金利が名目成長率を下回り続ける」ことが見込まれる。この条件が満たされる限り債務のGDP比は大きくは悪化しない。さらに、「金融緩和を進める日本銀行が長期金利を押し下げ続けると約束している」ため、投資家が財政赤字拡大を懸念して国債が売られるようなリスクは「取り除かれている」とも述べた。

財政拡大を通じて政府の強力な市場介入を求めるこうした主張は、まるでコロナ後の展開を準備するかのように、コロナ前から勢いを増していた。それを強く実感させられたのが、日本の消費増税後、19年11月に訪ねた元米財務長官ローレンス・サマーズの取材だ。

リーマン・ショック後、当時としては大規模な財政金融政策をとったのに、アメリカでも成長率や物価は伸び悩んだ。米経済の潜在的な成長力が衰えているのではないか――。そんな懸念から、サマーズを中心に「長期停滞」を巡る論争が起き、グローバル化や技術革新、それに伴う経済格差の広がりなど、停滞の原因を探る研究が続けられた。サマーズは取材に対し、次のように解説した。

「世界的に投資不足・貯蓄過剰に陥り、それが低金利とさえない成長、インフレ圧力の減退につながったという現実は、ほとんど誰もが認識している。私のように『長期停滞』という言葉を使う人もいれば、そうしない人もいるが、根底にあるのは同じ現象だ。リーマン・ショック後の事態を短期的な落ち込みとみる見方は説得力を失った」

日本のバブル崩壊後の経済政策には多くの失敗があり、欧米の政策担当者はそれを十分に踏まえてリーマン後の対応にあたったのではなかったのか。そう訪ねると、サマーズは「欧米の政策担当者が日本に対して感じたある種の優越感は、当時思われていたほど妥当なものではなかったようだ」と語った。「アメリカも欧州も、日本の失敗を繰り返す傾向があった。景気が正常に戻ったと宣言したいばかりに、財政政策を中途半端な段階で終えてしまい、低迷がぶり返すという失敗だ。日本では低金利が続き、金融政策の効果は低下した。にもかかわらず、市場はいつか金利が上がるのではないかと警戒し、その警戒感は日本の財務省の官僚から欧米の投資家に至るまで共有されていた。しかしこうした懸念は現実化しなかった。投資不足・貯蓄過剰の状況で金利が下がる力が働いていたからだ」

この間、日本でもアメリカでも、景気や雇用が持ち直しても、賃金上昇などを通じたインフレが進まない現象が起きていた。サマーズは「原因は私にも定かではない」と率直に述べつつも、グローバル化や技術革新、労働組合の組織力の減退により、先進国で賃金に下押し圧力が加わり続けていたことを強調した。「株主によるコスト削減の圧力は高まる一方、労働者の側から賃上げを求める力が弱まり、賃金上昇を通じて物価上昇につながるインフレの循環が起きにくくなっている」

グローバル化が一部の企業や富裕層に大きな富をもたらす一方、主要国では、低体温症とでもいうべき経済の活力の低下が起きていた。コロナ危機の前、サマーズがこれに対する答えとして考えたのが、次世代の技術振興のため、国家が積極的な公共投資を進める財政拡張路線だったのだ。

「日本化」の恐れ

サマーズに取材する直前の19年10月30日。私は、FRBが金融政策を決める連邦公開市場委員会（FOMC）の後の記者会見で、必死で挙手をしていた。FOMC後の記者会見は、会見室の前列を占める米主要メディアの質問でほぼ時間切れとなり、後列の外国メディアが指されることはほとんどない。しかしこの日は質問が早めに途切れ、最終盤で私が当てられた。パウエルに、「アメリカ経済も、低インフレ・低金利が長引く『日本化』のわなにとらわれているのか」と尋ねた。

パウエルは「我々が著しい低インフレの圧力から免れているとは思っていない」と答え、続けた。「我々が見てきたのは、低インフレの道筋に入った国が、そこから抜け出すのは極めて難しかったことだ。我々はこのリスクをきわめて真剣にとらえている」。「日本化」への強い懸念がにじんでいた。懸念は直後の20年3月、思いもよらない形で現実味を帯びる。コロナ危機だ。FRBの動きは速く、3月に2度の臨時のFOMCを開き、ゼロ金利や量的緩和政策を直ちに導入した。金融危機を食い止め、「低インフレの道筋」に入り込むのを防ぐという強い意思の表明だった。FRBがちゅうちょなく動いたのは、バブル崩壊後の日本や、リーマン・ショック後の先例が蓄積されていたためだ。

「将軍は一つ前の戦争を戦う」という。リーマン・ショック後の財政支出をもっと大胆に進めることができたはずだったとの反省に立ち、バイデン政権は賭けともとれる大胆な財政金融政策の拡大に打って出た。21年3月、バイデン政権が巨額の追加経済対策を成立させると、アメリカ経済はさらに順調な回復を続けた。この局面で再び注目を集めたのがサマーズだった。財政政策の復権を訴えてきた彼が、逆に、バイデン政権の経済対策は規模が過大で、インフレをもたらすと警告を発したのだ。個人への現金給付などの規模が大きすぎるあまり、「アメリカの最大の優先事項であるべき（インフラ整備などの）公共投資に必要となる、政治的、経済的な政策の余地が狭まってしまう」と訴えたのだった。[8]

結果的にはサマーズが正しかった。21年に入ると、パウエルらが恐れていたようなデフレではなく、数十年ぶりにインフレが問題化したのだ。手厚い給付金や感染への懸念から、人々が就労をためらうようになった。さらに、コロナ下で半導体などの供給や物流に混乱が生じ、自動車の生産が遅れたり、港湾に荷物が滞留したりした。この結果、製品や労働力など、経済の「供給」面に著しい障害が生じ、旺盛な「需要」との間にミスマッチが起きて、インフレを引き起こしたのである。

パウエルの動きは鈍かった。8月27日に開かれた経済政策シンポジウムでの講演でも、「過去四半世紀にわたる世界的な低インフレの圧力」にあえて触れ、「再び物価上昇の重しになり続けるだろう」と改めて強調した。このころまでは、まだ「低インフレの圧力」、日本化への恐れが、パウエルに確固として根を下ろしていたのだ。ようやく認識を改めたのは21年秋に入ってからだ。約40年ぶりの高水準にまで達したインフレについて「想定より大きく、持続的だと判断し始めたのはレーバーデー（9月6日）の後だった」（パウエル）という。22年3月には利上げに踏み切り、過熱した経済の引き締めに動いた。しかし、22年から始まったコロナ後の金融引き締めは、必ずしも政府の役割を弱める方向に働くようにはみえない。米国の長期停滞や「日本化」の恐れをもたらした構造的な要因そのものが変わらないどころか、コロナ禍でむしろ悪化していることも背景にある。

その要因が激しい経済格差だ。一握りの超富裕層に集まったけた違いの富の一部は投資に回るが、多くが金融機関にため込まれる。誰かが貯蓄すれば、誰かが貯蓄を取り崩して消費や投資をしなければ経済は回らない。経済の主軸が設備投資をさほど必要としない知識経済へと移ったこともあり、米企業の設備投資はＧＤＰ比で横ばい状態だ。これまで、消費や投資の役割を担ったのが、政府や、貧困・中間層だった。気鋭の経済学者、プリンストン大学教授のアティフ・ミアンらは、特に、非富裕層が低金利で銀行などから借りて消費に回す「借金に支えられた需要」に頼る構造が続いてきたとみる[9]。

だが、非富裕層が永遠に借金を重ねることはできない。非富裕層は所得のうち消費に回す割合が高いのに、利払いを通じてお金は富裕層に流れる。その結果、経済全体の需要は先細り、物価も伸び悩んだが、「借金による需要」の前倒しを続けるには、ＦＲＢが低金利政策を継続せざるを得ない――。そんな悪循環に陥ったのがリーマン後の状況だった、というのがミアンの説だ。

21年から進んだインフレは、コロナ禍やウクライナ戦争による供給制約が主因であり、金融政策で供給網の問題を解決することはできない。ＦＲＢが22年に始めた金融引き締めで金利は上がり、借金を負う非富裕層の負担は膨らむ。金融引き締めは、景気にあえてブレーキをかけ、貧しい人々の雇用に短期的に悪影響があっても、インフレ抑制を優先させる政策だ。物価の沈静化で経済が好循環に戻ればよいが、そのまま消費や投資が弱まり続けるリスクも伴う。

ミアンは取材に対し、「長期的には、再び停滞の均衡に逆戻りするのではないか。本質は格差による根深い構造問題で、金融政策では解決できない」と指摘した。富裕層への所得税や資産税の課税強化など、財政政策を通じた再分配が望ましいが、中央銀行の裁量で行う金融政策と違い、議会の審議が必要で時間もかかる。ミアンは「いま直面している政治の分断を考えれば難題だ」と語った。

金融緩和は当座の危機対応や需要の前倒しとしては重要だが、中央銀行のトップは選挙で選ばれず、直接的な民主的統制も利かない。アメリカでも日本でも、議会の機能不全を放置して、比較的早く政策が動く中銀に安易に頼ってきた構図がある。本来、民主主義国家の経済政策の主役は、選挙で選ばれた政治家の議論を通じた財政政策なのである。経済の不均衡や格差の是正を前面に掲げた増税や、それを財源とした財政出動による社会改革の議論を、政治家が責任を持って進める。そんな政府の機能的なリーダーシップと、政府を統治し、使いこなすための民主主義の質が問われているのだ。

「底辺への競争」に歯止め

国家の復権の潮流がもう一つ、わかりやすく現れたのが、国際課税だった。徴税は国家主権の中核である。80年代、英サッチャー政権が先導して企業の税負担軽減を図り、「底辺への競争」と呼ばれることになる、各国による法人税率引き下げの応酬につながった。自国に企業を引き込もうと減税を進めた結果、多くの国々が税収減に見舞われ、政府の権能と社会の連帯を弱める結果を招いた。その流れを反転させ、国家が足並みをそろえて、巨大企業への課税を強める機運が高まったのである。

アメリカ経済の「パラダイム転換」を掲げたバイデンが財務長官に選んだのが、オバマ民主党政権でFRB議長を務め、リーマン後の回復局面を担ったジャネット・イエレンだった。イエレンは16年の講演で、物価上昇のリスクをある程度受け入れて経済を過熱気味に保つ「高圧経済」に言及し、デフレ回避のためには財政拡張をいとわない姿勢は明確だった。19年1月19日の上院での指名公聴会では「金利が歴史的低水準にある現状で、最も賢明な選択は大きく出る（act big＝大規模な財政出動）ことだ。長期的には、これによる利益はコストを遥かに上回ると確信している」と宣言した。

「大きく出る」ための原資となり、格差是正のツールともなるのが税制である。イエレンは21年4月、多国籍企業への課税を強める方向で各国と協議し、「法人課税の『底辺への競争』を止める」と表明した。21年7月10日、イタリア・ベネチアで開かれた主要20カ国・地域（G20）の財務相・中央銀行総裁会議は、グーグルなどの巨大IT企業の課税逃れに歯止めをかける、新しいルールづくりで大枠の合意に達した。「ごく普通の人々にとってうまく機能する世界経済を築くという、広い負託に応えるものだ」。イエレンは、歴史的な国際課税の合意について、ベネチアでそう強調した。

冷戦終結後のグローバル化では、貿易の拡大とともに資金移動の自由化も進んだ。データ、特許など無形資産に経済の重心が移り、ITの技術革新に拍車がかかった。タックスヘイブン（租税回避地）の子会社に無形資産を所有させ、そこに使用料を支払うことなどを通じ、企業グループ全体で税負担を減らす。そんな手法が常態化してきた。無形資産をもとに巨額の利益を稼ぐ多国籍企業が課税逃れをした分、格差是正のための国家の財源は失われる。国内で雇用を支える中小企業など、課税逃れができない企業との間で税負担が不公平になり、市民にも負担増や給付減の形でしわ寄せが生じた。

132カ国・地域の事務方が固め、G20で承認した新ルールは大きく二つにわかれる。一つ目は、法人税の最低税率の導入だ。実際に企業が納めた額からはじく実効税率ベースで「15%以上」とすることで合意した。二つ目は米グーグルなど、世界で100社ほどの巨大多国籍企業を念頭に置く「デジタル課税」の導入だ。多国籍企業が世界で稼いだ利益のうち、利益率10%を超える部分を「超過利益」とし、そのうち20〜30%について、サービスの利用者がいる国（市場国）による課税を認める。課税権は売り上げに応じて各市場国に配分される。工場などの物理的拠点がなければ課税できない、とする1920年代以来の原則の一部を見直すことになる。

豊富な資金力を背景に各国でロビー活動を仕掛け、規制や課税強化に抵抗してきた多国籍企業に対し、国家が連帯して動いた背景にもコロナ禍があった。各国とも危機対応で巨額の財源を必要とし、租税逃れを図ってきた巨大企業への徴税強化に対し、世論からの支持が得やすくなったのだ。

歴史的にも、「大きな政府」による課税強化への急旋回を進めたのは戦争や経済危機だった。イエール大学教授のケネス・シーヴらは、富裕層への累進課税など、政府が権限を強めて富の再分配をはかる政策は、世界大戦で徴兵され、犠牲を払った大衆に対する「補償」として進んだ、と指摘した。[10]戦争にもたとえられるコロナ禍でも、飲食業などで働く低賃金の労働者が打撃を受け、在宅勤務が可能なIT・金融業や資産家などとの格差は拡大した。

ただ、バイデンのジレンマは、大規模な財政出動で経済が回復すればするほど、改革の機運も弱まってしまうことだった。シーヴは取材に「景気回復が早ければ早いほど、コロナ対応策を永続させるべきではない、という主張も強まる」と語った。「（コロナ禍が改革を促す効果は）10年間はあるかもしれないが、第1次、第2次世界大戦のときほどの大きな政策転換は望めないのではないか」。21年以降、アメリカの景気が堅調に回復し、かえって急激なインフレが問題化したことは、シーヴの懸念を強めるような事態だ。一方で、22年2月にはロシアがウクライナに侵攻して現実の戦争が起き、長期化の様相となった。コロナ禍を契機とした国家の拡大がどの程度の勢いを持つものなのかは、後世の歴史家が判断することになる。

「釘一つないために……」

国家の復権は、産業政策の分野でも明確になった。特に焦点となったのは、極小の空間で展開される半導体である。21世紀は、高速通信で行き交うデータや知的財産が軍事力や企業競争力を決める。その基盤となる半導体は、20世紀の石油と同じような戦略物資となった。各国が、半導体の供給網のなかで自国産業に有利な「陣取り」を目指すパワーゲームが本格化した。コロナ下の半導体不足はインフレの一因ともなり、バイデン政権にとっても最優先課題となっていく。

21年2月24日、ホワイトハウスの演壇に立つバイデンは小さな半導体チップを掲げ、訴えた。

「釘一つないために蹄鉄が使えなくなり、蹄鉄がないために馬も乗れなくなった……。そんな古いことわざを思い出してほしい。行き着いたのは、王国の滅亡だった。現代の蹄鉄の釘とは、半導体だ」。まもなく署名した大統領令では、半導体や、最新兵器の製造に不可欠なレアアースなど重点4分野の供給網の見直しを指示し、同盟国との連携も促した。

バイデンは4月12日には、ホワイトハウスの「ルーズベルトルーム」から、オンライン会議で企業幹部らを集め、「半導体と供給網弾力化のためのバーチャルCEOサミット」を開いた。会議が終盤に入ったころ、バイデンは、長机の上から直径20センチの円盤を取り上げると、玉虫色に輝く表面を掲げてみせた。半導体の集積回路（IC）の基板、シリコンウェハーだ。

オンライン会議の向こう、ミネソタ州ブルーミントンのオフィスで、トマス・ソンダーマン（58）はかたずをのんで見守った。バイデンが掲げたウェハーは、ソンダーマンがCEOを務めるスカイウォーター・テクノロジーの製品だ。「このウェハーこそ『インフラ』だ」。バイデンは画面を見すえて力説した。「インフラへの投資で何百万もの雇用を生み、供給網を守り、米製造業を生き返らせる」

私はかねて、このスカイウォーター社に興味を持ち、取材の交渉を続けていた。ブルーミントンの本社を訪れたのは、オンライン会議の約1カ月半後、21年5月のことだ。アメリカの大動脈、ミシシッピ川に支流ミネソタ川が流れ込む要衝に立地していた。ミシシッピの豊富な水資源と、すぐ近くのミネアポリス・セントポール国際空港が、この半導体工場を支える両輪なのだ。

取材に応じたソンダーマンは、西海岸シリコンバレーにいるような華のある起業家タイプではない、実直な米中西部の技術者の雰囲気を漂わせていた。ＣＥＯサミットについて、「全従業員の名誉だ。米国が半導体の重要性を認めたのが誇らしかった」と振り返った。

「ルーズベルトルーム」の大型モニターに映し出されたＣＥＯサミットの企業側参加者は約20人。半導体大手インテルのパット・ゲルシンガー、グーグルのスンダー・ピチャイ、半導体受託生産の世界最大手ＴＳＭＣの劉徳音ら、そうそうたる顔ぶれだ。半導体不足で減産を余儀なくされたゼネラル・モーターズ（ＧＭ）など米自動車大手「ビッグ３」のＣＥＯもみな出席した。

そのなかでスカイウォーターは異色の存在だった。ＣＥＯサミットのわずか9日後の4月21日、新規株式公開（ＩＰＯ）でナスダック市場に上場したばかり。従業員約６００人の小さな企業で、規模では半導体業界の巨人インテルなどとは比較にならない。そのスカイウォーターが、なぜ世界的な大企業と肩を並べ、サミットに招かれたのか。その背景を解くカギになるのが、「大きな政府」へ向かうバイデン政権下で、半導体分野の産業政策と官民連携の機運が復活したことだった。

スカイウォーターは17年、米半導体企業サイプレス・セミコンダクターから独立する形で発足した。自社ではＩＣの設計をせず、顧客の設計に基づいて製造だけに携わる。ＴＳＭＣのような受託生産企業（ファウンドリー／ファブ）だ。ただ、「アメリカで唯一の、完全な米国資本のファブ」であることを前面に出してきた。例えば米ファブ大手「グローバルファウンドリーズ」にはアラブの投資ファンドが出資しており、こうした企業との違いを強調するものだ。「グローバル化は止まらない。一方で、国家として守るべき決定的に重要なインフラがあることも確かだ」とソンダーマンはいう。

半導体は、冷戦終結後のグローバル化を象徴する存在だった。企業は自由なモノや資本の移動を前提に、国境をまたぐM&A（企業合併・買収）や、製品供給網の効率化を進めてきた。スマートフォンなど民生需要に支えられ、設計、製造などの各段階で国際分業が進んだ。米企業も製造分野では台湾などの「ファブ」に多くを委ねつつ、研究開発や設計など付加価値の高い分野に注力し、インテルやエヌビディアなどを中心に世界トップ級の競争力を誇る。いまや平均的な半導体製品が完成するまでに、部品などが70回国境を越えるとされる。

「ジャスト・イン・タイム」の緊密な供給網は、世界経済の成長の源だった。しかし、米中2大国の覇権争いの激化で、その網が逆にリスクとして認識され、ほころび始めている。米議会・政権には、最先端半導体の生産をTSMCに頼っていることへの危機感が特に強い。台湾は米中対立の核心で、「有事」で最先端半導体の供給が混乱した場合、アメリカ経済や軍事戦略に甚大な影響を及ぼす。

スカイウォーターは上場後も株主構成の監視を続け、「完全米国資本」の特色を守る。グローバル経済で生き残る上では資本政策上、足かせにもなりかねない。だがこれが、半導体産業のカギを握る領域でユニークな強みとなっている。供給網の安全性や、機密を最重視する米軍との関係だ。徹底した顧客情報や知的財産の保護が、スカイウォーターの売りだ。主要顧客の米軍だけでなく、一般のIT企業からも発注を受け、生産を軌道に乗せるための技術開発サービスを提供している。

工場の見学通路を歩くと、「ソートフロア」と呼ばれる大きな部屋には、信号機のような数色の電灯がついたウェハーの検査機器が一面に並んでいた。密集した機器の間を、宇宙服のようなクリーンウェアを着た作業員が行き交い、機器の動作状況を確認している。効率的に作業が進められるよう、天井にもレールが取り付けられており、上階へとウェハーを自動的に運んでいく。部屋を清潔に保つため、作業員の電話の利用も制限されており、急なやりとりが必要な場合は「ポケベル」で連絡する。

「奥にみえるのが『スカイテックセンター』だ」

ベテランの生産現場ディレクター、エリック・シュナイダーが教えてくれた。工場の一角に、空気中のホコリを極限まで減らせるよう改造したクリーンルームがあった。米国防総省や傘下の米国防高等研究計画局（DARPA）から資金を得て研究開発を進める、スカイウォーターの中枢だ。

米半導体産業はその起源から、軍事技術や、軍事と密接に関わる航空宇宙開発と深い関係を持ってきた。米中間の経済・軍事競争でも、あらゆる局面で、半導体の性能や安定供給が決め手となる。アメリカの技術開発で特に重要な役割を果たしてきたのがDARPAだ。1957年、旧ソ連が人工衛星「スプートニク1号」を打ち上げたのに危機感を強めたアメリカ政府が、翌58年に創設した機関が母体だ。長期的な軍事的課題に対処するため、奇想天外にみえる研究も含め、革新的な技術開発を後押ししてきた。インターネットも、源流をたどるとDARPAが資金を出した研究から始まっている。新型コロナウイルスワクチンを開発した米モデルナにも、2010年の創業後、資金支援をしていたことで知られる。

DARPAの設立と同じころ、米フェアチャイルド・セミコンダクターや米テキサス・インスツルメンツが商用ICを実用化する。DARPAなどを通じた軍・航空宇宙開発の需要に支えられる形で、半導体産業が離陸を始めた。その後は基本的には民間主導で進み、現在の米半導体産業やシリコンバレーの隆盛がある。ただ、スカイウォーターの最高政府業務責任者ブラッド・ファーガソン（50）は「DARPAや国防総省は、アメリカの技術革新に重要な役割を果たし続けてきた」と語る。「そしていま政府は改めて、使命を果たすためには企業を活用しなければならないと認識している」

米国防総省は、半導体産業のグローバル化に強い懸念を抱いてきた。戦闘機であれミサイルであれ、現代の兵器は最新技術と知的財産の塊だ。しかし、一つの戦闘機をつくるのにも、世界中の部品を集め、完成品になるまで何度も国境をまたがなければならない。この過程のどこかで、サイバー攻撃に対する弱点となる仕掛けを施されたり、重要な技術情報を盗まれたりする可能性がある。戦争や災害で供給網が途切れれば、半導体不足で軍需生産も大きく滞りかねない。

危機感を強めた国防総省は04年、「信用あるファウンドリー計画」を本格始動させ、保秘など厳格な条件下で選んだ企業に供給を担わせることにした。米ＩＢＭがこの供給元として指定されていたが、14年、工場をアラブ資本のグローバルファウンドリーズに売却すると発表すると、安全保障上の懸念が意識されるようになった。産業の草創期には半導体の主要顧客だった米軍も、現在の調達量は世界の半導体需要全体からみればわずかで、調達力を背景に民間企業を動かすことは難しくなっている。こうした危機意識を背景に素早く動いたのがスカイウォーターだ。サイプレスからの独立にあたり、直ちに「信用あるファウンドリー」の資格を引き継いだ。

「スカイテックセンター」では何をしているのか。ＣＥＯのソンダーマンは言う。「『ムーアの法則』のリセットだ」――。どういうことか。そのカギを握る極小の世界を見せてもらった。

極小の宇宙で「官民連携」

顕微鏡をのぞき込むと、迷宮の見取り図が、光に照らされて浮かび上がるようだった。「ナノメートル（１００万分の1ミリメートル）」の世界に広がる、半導体の電子回路が目の前にあった。「美しいですね」。思わず言うと、「これを見てほしかったんだ」と、スカイウォーター・テクノロジー副社長ジョン・スパイサー（63）がつぶやいた。米半導体大手ＡＭＤなどで働き、これまで世界六つのファブの運営を担った製造一筋のプロだ。

少年時代、アイダホ州ポカテロの半導体工場のすぐ近くで育ち、その際に抱いた好奇心そのままに仕事人生を歩んだ。「この極小のチップの発明に始まって、何百万もの半導体に支えられた我々の日常生活がある。とにかく驚異的だ」

「『ムーアの法則』のリセット」。ソンダーマンの言葉を探るには、精妙きわまる半導体の「ものづくり」の世界をのぞいてみる必要がある。バイデンもホワイトハウスで掲げた半導体ウェハーには、同じ設計のＩＣがいくつも焼き付けられ、それをさいの目状に切り分けて「ダイ（さいころ）」と呼ばれるチップをつくる。「当然、ウェハーあたりどれだけ多くの良いダイをつくれるかが勝負になる」とスパイサーは語る。ＩＣの幅が微小になればなるほど、面積あたりに詰め込めるトランジスタの数も増え、性能も高まる。そして、トランジスタの集積密度は18〜24カ月ごとに倍増する——。これが、インテルの共同創設者ゴードン・ムーアが１９６５年に唱えた「ムーアの法則」だ。

この法則に従い、半導体産業は微細化に突き進んだ。冷戦終結後のグローバル化が可能にした国際分業は、効率化を突き詰めるこの競争を沸き立たせた。多機能のスマートフォンが多くの人々の手に届くのも、半導体産業の進化なしには考えられない。その生存競争で生き残ったスーパースター企業が、ＴＳＭＣだ。スマホやＡＩなどに欠かせない最先端の「ロジック半導体」の製造分野で頂点を極め、10ナノ未満の半導体では、世界の生産能力の9割が台湾に一極集中する。ＴＳＭＣは寡占がもたらす巨大な利益を基盤に、他社の追随を許さない巨額投資を重ねる好循環を続けてきた。

「ＴＳＭＣの栄華はずっと続くんでしょうか」。長く半導体企業の興亡をみてきたスパイサーに尋ねると迷わず、「それはない」と即答した。「ローマ帝国も最後は滅びただろう？」

スパイサーがスカイウォーターに入ったのは21年3月。「小さな企業の方が、１人の決断が生み出す効果が大きくてワクワクする」と思ったためだ。「技術は常に進歩し、それまでの技術をかき乱していく。ムーアの法則を追い続けるのはもうカネがかかりすぎる。スカイウォーターのような企業なら、これまでのやり方をかき乱すやり方を見付けられるかもしれない」

微細化で頂点をきわめたＴＳＭＣに、正面からぶつかっても意味はない。直径30センチのウェハーで３ナノの半導体の生産を目指すＴＳＭＣに対し、スカイウォーターは90年代から確立された直径20センチのウェハー生産が中心で、回路幅は90ナノが主体だ。別次元で勝負する必要がある。

企業としてのスカイウォーターの生き残り戦略と思惑が合致したのが、米国防総省と傘下のＤＡＲＰＡだ。ＤＡＲＰＡは17年6月、半導体確保に向け「電子再興計画」を発表し、企業との連携を模索した。それに呼応したのが、17年に米サイプレス・セミコンダクターから独立したスカイウォーターだった。18年8月、ＤＡＲＰＡが採用したスカイウォーターとマサチューセッツ工科大学（ＭＩＴ）による「３次元積層」の共同研究が始まった。

研究は、１９９１年に飯島澄男・ＮＥＣ特別主席研究員が発見した「カーボンナノチューブ」を半導体素材として用いる。シリコン素材に比べてエネルギー効率がよく、室温での製造も可能といった利点がある。従来のように極小のＩＣを平面状に組み付けていくのではなく、トランジスタを縦に積み上げ、コンピューターの「頭脳」となるロジック半導体とメモリー半導体とが積み重なる構造をつくる。スカイウォーターＣＥＯのソンダーマンは「摩天楼をつくるようなものだ」と説明する。

ＴＳＭＣの繁栄は、世界中で誰もが手にするようになったスマートフォン時代があってこそだ。ソンダーマンは「２０１０年代後半にはスマホは飽和し、新たな好機の種がまかれた」とみる。「あらゆるモノがネットでつながり、自動運転などに活用する『ＩｏＴ』とＡＩの時代に入った。それと時を同じくして、『ムーアの法則』が限界に達した。いまこそ、技術革新の出番だ」

従来は、膨大な数が売れるスマホなどで投資が回収されることを前提に設備投資が進められてきた。

最先端ファブの建設に必要な資金力を動員できる企業は、ＴＳＭＣなどごく少数に限られてしまう。ただ、ＴＳＭＣと韓国・サムスン電子が製造を独占する10ナノ未満の最先端半導体は、世界のウェハー生産の全体からみればごくわずかに過ぎない。ＤＡＲＰＡの支援でスカイウォーターとＭＩＴが進める研究の利点は、米国内にも多く残る古いウェハー生産設備などを活用できることだ。実用化すれば、多くの米企業が参入し、国内での生産拡大が見込める。追い風は、米中対立を背景に、米議会・政権で補助金を出し、半導体産業を支えようとする機運が急激に高まっていることだ。

「グローバル化は現実だが、その振り子は揺り戻しつつある」とソンダーマンはみる。「医療物資などの供給が滞ったコロナ禍をきっかけに、人々は、重要な供給網のなかに（その部分が滞ればシステム全体が壊れる）『単一障害点』がきわめて多くあるということに気付き、懸念を抱き始めた」

スカイウォーターは19年から国防総省の資金で、宇宙での使用にも耐える放射線に強い半導体の生産にも取り組んでいる。軍との協力は技術革新を育む呼び水と位置づけ、最終的には工場での生産ラインに乗せて民間の宇宙開発などの需要にも応えるのが目標だ。政府や軍による産業育成の介入がどれほど効果を上げるのかについては意見がわかれる。ただ、ソンダーマンは呼び水としての効果を疑っていない。「我々は小さな企業だが、革新を生むための官民連携の進め方を知っている」

日米の信頼が支える供給網

ミネソタ州のミネアポリス・セントポール国際空港近く。スカイウォーターの半導体製造工場（ファブ）から車を数分、走らせると、もう一つのファブに着く。二つの工場は同じ源流を持つが、グローバル化の荒波のなかで全く別の道を歩むことになった。「完全な米国資本のファブ」を強みとするスカイウォーターに対し、他方の工場は、日本企業の傘下に入ったのだ。

サンケン電気子会社、米ポーラー・セミコンダクターの半導体製造工場では、クリーンウェアを着た作業員とともに、ウェハーを運ぶオムロン製のロボットが動き回る＝2021年5月26日、ミネソタ州ブルーミントン（著者撮影）

工場を運営するのは「ポーラー・セミコンダクター」。2005年、電力制御用のパワー半導体大手、サンケン電気（埼玉県新座市、東証プライム）が買収した。入り口でまず出会ったのが日本の学校の昇降口のような、靴を上履きに履き替える場所だった。清浄な環境を保つため、全従業員が靴を履き替えるが、アメリカの半導体工場では一般的ではない。建物の生産区域に入る際には、さらに全身を厳重にクリーンウェアやメガネ、帽子でおおう。

コロナ下で深刻化した世界的な半導体不足に対応するため、フル生産が続いていた。技術開発担当の副社長、ラジェシュ・アパト（43）は「21年1月の75%くらいの稼働率から坂を上るように上げてきて、5月のいまは90〜95%。ほぼエンジン全開の状態だ」と話す。白を基調とした工場で、これまた白一色の従業員が行き交う姿は、まるで宇宙船の中のようだ。整然とした工場内では、ウェハーを運ぶオムロンの産業用ロボットが動き回り、人間と協力し合いながら効率的に作業を進めていた。

コロナ禍は半導体産業に大きな荒波をもたらした。

アメリカは戦後最悪の経済危機に見舞われ、工場の稼働停止や需要減が長引くとの見通しから、自動車メーカーは当初、半導体の注文を減らした。一方、巣ごもり需要でゲームやパソコン関連の需要が伸び、半導体メーカーはこうした需要向けの生産に軸足を移した。だが20年後半からは予想を超えて自動車需要が戻る。21年3月には日本の半導体大手ルネサスエレクトロニクスの工場で火災が起きたことも重なり、世界的な半導体不足が深刻化した。米中対立や、台湾での干ばつによる水不足などもあって、供給リスクへの懸念が強まった。

ポーラーの半導体も車載用が主力だ。アパトは「コロナ禍の直撃した時期は稼働率が30%くらいに落ちた」という。「それでも1人も解雇しなかった。誰もが不安だからこそ、経済や雇用面で安心してもらいたかった」。コロナ禍では多くの米企業が一時解雇に踏み切り、失業者１０００万人規模の雇用危機が起きた。産業の盛衰とともに人材が動き、企業側も解雇しやすい米国流には利点と欠点の両面がある。ただ、ポーラーでは短期的には過剰な労働力を残した結果、今年の増産に対応できている。

雇用重視の文化や「げた箱」、文字通りチリ一つない工場をみると、日本的「ものづくり」をそのまま移植したかのようだ。だが、サンケン取締役でアメリカでの事業に長く携わるポーラーＣＥＯの鈴木善博（63）によれば、むしろ、やみくもな「移植」の失敗から学ぶ試行錯誤の日々だった。

いまは日米に分かれたポーラーとスカイウォーターという二つの「兄弟」工場は、起源をたどると、いずれもかつて一時代を築いた米コンピューター企業「コントロールデータ」に至る。第2次世界大戦中、米海軍で日本やドイツの暗号を解読する機器の開発を担ったウィリアム・ノリスらが率い、一時はＩＢＭとも激しく争う勢いがあった。サンケンも敗戦で解散した研究所を引き継ぎ、半導体産業の未来に憧れを抱いた技術者小谷銕治（てつじ）が設立した。小谷は58年、米ベル研究所を視察し、主力商品となるシリコン整流器の製法について「天啓のような示唆」を与えられ、その後の成長の足がかりを得た。日米の半導体産業は互いに強い影響を及ぼし合い、人材や供給網の結びつきを強めてきた。

サンケンは90年、アメリカの取引先企業の半導体部門を買収し、米子会社「アレグロ・マイクロシステムズ」を設立する。技術の進んだ米企業のM&Aでグローバル化の波に乗れる、との期待が強かった。しかし、アレグロの経営実態を十分に掌握できず、日米間で不信感が高まる悪循環に陥り、90年代は経営不振が続いた。99年、アレグロ再建を死活問題と受け止めたサンケンは、山形の工場で技術者として経験を積んだ当時40代の鈴木ら4人を送り込む。現地では、日本から一方的に与えられる工場の運営手法や売り上げ計画に反発を覚えながら、アメリカ人幹部が面従腹背する状態が続いていた。鈴木は会社の将来像について、米国人従業員と腹を割って話すことが必要だ、と考えた。

「日米貿易摩擦の緊張が残るころで、『日本人の若造が来た』と相手にしてくれない人も多かった。しかし、『会社を一緒にこうしていきたい』と夢を語りかけるうちに、わかってくれる人も出てきた」。鈴木は、アメリカ人はいちど納得すると創意工夫を進めて自ら動く、と気付く。信賞必罰の人事など米国流の良い点を取り入れつつ、アメリカ人の主体性を尊重して改善を促すようにした。アレグロの業績回復に手応えを得たサンケンは、２００５年7月、アレグロの生産委託先だったポーラーを買収した。鈴木の人材管理や生産現場のノウハウは、ポーラーを統合する過程でも生きた。

工場の取材で強く感じさせられたのは、アメリカの開放性が引きつける人材の質の高さと多様性だ。製造担当副社長（工場長）のスルヤ・アイヤー（52）は、アパトと同じくインド出身だ。グーグルCEOのスンダー・ピチャイなどを輩出したインド最高峰のインド工科大学を卒業後、米ワシントン大学（セントルイス）で博士号を取得した。その後、米アプライドマテリアルズやサイプレス・セミコンダクターなどで生産現場の経験を積んできた。

アメリカでも、半導体製造はアジアに移す動きが長く続いたが、アイヤーは、半導体産業の神髄は生産現場の「職人芸・熟練（art）」にあるという。ウェハー生産だけで４００～１４００の細かい工程があるとされる。まず、表面に酸化膜をつけ、感光剤を塗る。次は写真の原理を使い、ガラス板に描かれた回路パターンに紫外光を当ててウェハーに焼き付ける。その後、不要な酸化膜は取り除く（エッチング）。さらに不純物となるイオンを注入するなどし、シリコンが露出した部分が半導体になる。こうした工程をひたすら繰り返し、トランジスタをつなぐ電気の道を作り込んでいく。確かに、記者として駆け出しのころ取材した「輪島塗」の工程に近いものを感じた。

「この職人芸がなければ、半導体づくりのパズルが完成しない。例えば中国が多くの優秀な人材と膨大な補助金をかけて国内の半導体産業を支援してきたのに、なぜ半導体製造の競争力が高まっていないのか。何十年もかけて育む職人芸が育っていないからだ」。そして、職人芸の基盤となるものは何か。アイヤーは、自由なアイデアを生み出す文化と、信頼関係に基づく他者や他国との協業にあるという。アイヤーは渡米した大学院時代、教授にも堂々と異論を唱えられる環境に感銘を受けた。

シリコンウェハーでは日本は独自の「職人芸」を維持し、信越化学工業やＳＵＭＣＯなどが高いシェアを持つ。「供給網は、『日本から買うなら高品質だ』というような信頼が重要だ。突然『お前の国にこれは供給しない』と言われるようなことがないという信頼だ。自由で民主主義的な国同士の取引では信頼が保ちやすく、供給網はよりしなやかで回復しやすいものになる」。そうアイヤーは語る。

半導体産業はいま、米中の覇権争いの中心的な舞台だ。中国は自国の市場規模の大きさを「武器」として使い、外国企業に技術移転を強要したり、知的財産を侵害したりし、米中の信頼関係は傷ついた。サイバー攻撃や企業スパイなどの知財侵害は、米中の「貿易戦争」の直接の原因ともなった。

そして、鈴木は「結局、最後は人と人との信頼関係だ」と語る。その苦労は実を結んだようにもみえる。アレグロは連結売上高でサンケンの４割を占めるまでに成長し、20年10月、ナスダック市場に上場した。その後も時価総額で親会社サンケンの数倍という市場の評価を受けている。

「シリコンバレーの問題児」の憤懣

アメリカは半導体産業への国を挙げた支援の方向にかじを切ったが、それに真っ向から異を唱える経営者もいるのがこの国だ。米サイプレス・セミコンダクターの創業者T・J・ロジャース（73）だ。サイプレスは、スカイウォーターのファブをかつて傘下に収めていたこともある。

「政府は干渉だけで助けにならず、官民連携などあり得ない」。カリフォルニア州のオフィスと結んだオンライン取材に、ロジャースは断言した。米メディアに「米国で最も過酷なボス（上司）」「シリコンバレーの問題児」などと呼ばれた筋金入りの自由競争主義者だけに、信念は揺らがない。

米半導体産業が急成長した１９７０年代、ロジャースはＩＣの世界にとりつかれ、75年にスタンフォード大学で博士号を得た。82年にサイプレスを創業。以来、生き馬の目を抜く半導体のグローバル競争のなかで、２０１６年まで34年間にわたってＣＥＯを務めた。自由競争至上主義の信念は一貫しており、日米半導体摩擦の時も、アメリカ政府の介入や米企業への支援を徹底批判していた。

80年代、日本企業はデータを記憶する半導体メモリー「ＤＲＡＭ」を中心に急速に台頭し、激しい貿易摩擦が起きた。米政権・議会が主導する現在の米中貿易摩擦とは異なり、対日摩擦は、米企業と業界団体の米半導体工業会（ＳＩＡ）が先導して進んだ。ＳＩＡは85年6月、日本の半導体市場が閉鎖的かつ不公正だとしてＵＳＴＲに提訴し、日米政府は86年9月、日米半導体協定を締結した。公式の協定と非公式の「サイドレター」からなり、日本市場開放を促す「数値目標」的な規定や、「ダンピング」防止のための公正市場価格の設定を定めていた。しかしアメリカ製半導体の日本市場でのシェアは高まらず、アメリカは87年、対日制裁としてパソコンやカラーテレビなどに１００％の関税をかけた。協定が失効する96年までは「日の丸半導体」が衰退していった時期と重なる。

70〜80年代、米国は当時の通商産業省の産業政策に畏怖のまなざしを向けた。特に注目されたのが、通産省が76〜80年、日本企業を巻き込んで進めた研究開発事業「超ＬＳＩ技術研究組合」だった。アメリカ側も対抗しようと87年、ＳＩＡが中心となり、十数社の米半導体企業が官民共同の研究組織「ＳＥＭＡＴＥＣＨ（セマテック）」を設立し、米議会がＤＡＲＰＡを通じ資金供与した。

その後、ＤＲＡＭから撤退したインテルなど米企業は、研究開発や設計など付加価値の高い分野に注力し、米半導体産業は息を吹き返す。米ピーターソン国際経済研究所によると、90年にはトップのＮＥＣ、２位の東芝を筆頭に、世界の半導体企業の売上高トップ10の５社を日本企業が占め、米企業は４社だった。これが20年は日本企業はゼロ、米企業は首位のインテルをはじめ６社と大きく様変わりした。米国の官民一体となった対日圧力やセマテックなどの産業政策が、こうした日米の勢力図の変化にどう影響したかについては専門家の意見も割れる。ただ、ロジャースの立場は明快だ。

「『セマテックは素晴らしかった』などと言っていたのは政府かセマテックの従業員だけ。会社のためにまともなカネを稼いだことがないような連中ばかりだ」。セマテックは大企業に補助金を出しただけで「悪影響しかなかった」とみる。「当時の議論は『日本に制覇される』『日本企業は補助金で不公正な競争をしている、だから米企業も補助金をくれ』……なんて調子だった。そうではなく、日本の半導体の品質がよかっただけ。私は品質を高めなければ倒産すると確信し、向上に取り組んだ」

「米国の半導体業界が力を失ったのは、会社が肥大化したためだ」。91年６月、ロジャースを取り上げた朝日新聞の記事は彼のそんな発言を伝えている。記事は「(日本が) メモリーの製造技術で勝った、とうかれてはいられない」と締めくくられた。結局、日本についてのこの懸念は現実化した。

グローバル市場での激しい生存競争を通じ、半導体産業の進化とすみ分けが進み、米企業は設計などの知的財産が支配する新しい経済に柔軟に対応した。「若い世代は利幅がとてつもなく大きいソフトウェアに注目した。そして米国はグーグルを生み出した。きわめてまっとうな判断だ」。ロジャースは、半導体産業に米軍やDARPAが果たした役割についても「役人が語りたがるおとぎ話」と否定的で、自らがCEOを退任した後にサイプレスから独立したスカイウォーターに関しても「民間の競争環境で大きなもうけを出せなくなった古い設備に軍が関心を持った結果だ」と冷ややかだ。ロジャースに言わせれば、受託生産に特化して頂点を極めたTSMCさえ「最も重要な米企業の一つ」にすぎない。「TSMCの半導体の価値の大半は（ICを設計する）米企業に由来する」からだ。

ただ、こうしたロジャースの考えは、いまのアメリカでは旗色が悪い。トランプ政権の通商代表ロバート・ライトハイザーは20年6月の下院公聴会で「アメリカがポスト製造業の時代にいるなどという人も多いが、ナンセンスとしか言いようがない。そんな国には絶対にしない」と宣言した。バイデン政権もこうした指向の延長線上にいる。

バイデン政権の大統領補佐官ジェイク・サリバンは、16年の大統領選に立ったヒラリー・クリントンの側近としてトランプの勝利を目の当たりにし、製造業地帯の怒りを肌で理解した。20年2月にはフォーリン・ポリシーで「今日の安全保障専門家は、過去40年続いた新自由主義の経済哲学から脱却する必要がある」と訴えた。[11] バイデン政権が発足すると、サリバンは大統領の最側近として「中間層の外交」を掲げ、イエレンら経済閣僚と連携しながら、経済・軍事政策を包括的に視野に入れた安全保障戦略を仕切る。4月12日の「バーチャルCEOサミット」でも、ウェハーを掲げるバイデンを隣で見守っていたのは、国家による半導体産業の育成を目指すサリバンだった。

ロジャースは憤懣やるかたない。4月末、ウォールストリート・ジャーナルに「政府は半導体不足を解決できない」と題して寄稿。「SIAが補助金ほしさでセマテック時代の古い議論をリサイクルしているだけだ」と「ロジャース節」を展開した。これには後日、ＳＩＡ会長のジョン・ニューファーが「長期的な供給網の強化には政府の緊急の行動が必要であり、それを軽視している点でロジャースは誤りだ」とする反論を寄せた。[12]

「市場主導の産業政策」

後日、ＳＩＡ会長のジョン・ニューファーにも取材した。ニューファーは、三井海上基礎研究所に務めたことがあり、11年間、日本で暮らした知日派である。小渕恵三首相を評して有名になった「冷めたピザ」という言葉は、三井海上基礎研究所のアナリストだったニューファーがニューヨーク・タイムズに語った言葉だ。ニューファーはその後、ＵＳＴＲの代表補代理などを経て、ＳＩＡ会長に就いた。政府の産業政策に対する懐疑が根強いアメリカでも、政府の介入で国内の半導体生産を強化しようとする機運が高まったことについて、まずこう分析した。

「コロナ危機が、サプライチェーンと戦略物資の確保について、誰の目にも明らかな形で警鐘をならしたことが大きかった。危機に際して国内に十分な生産能力がないという弱点の認識と、技術革新の主導権を取り戻さなければならないという危機感とが、アメリカ政府を動かす要因となった」

半導体はかつての日米貿易摩擦でも焦点となったが、その際の対日批判はＳＩＡなど「民間主導」だった。半導体は米中摩擦の焦点でもあるが、かつての日米摩擦とは異なり、「政府主導」の対立だ。米半導体産業は生産部門の力は衰えたものの、半導体製造装置や設計などで世界トップクラスの競争力を保ち、設計データなどの輸出によって中国市場で大きな利益を挙げている。「日米半導体摩擦が起きた１９８０年代、日本市場で米国製半導体は大して売れていなかった。これに対し、いま中国は米半導体産業の最大顧客だ。逆に、日本は米国市場に半導体を大量に輸出していたが、中国から米国への半導体の輸出はほとんどない。この構図の違いがまずある」。ニューファーはそう説明した。

トランプ政権は中国の通信機器大手、ファーウェイなどに対し、米国の技術を使った高性能半導体の輸出を禁じ、バイデン政権も踏襲した。SIAなど米半導体産業はこの輸出規制の強化にも、慎重な立場だった。中国市場でのもうけをアメリカでの研究開発に生かす循環が損なわれる、との懸念からだ。ニューファーは「米政府には常に『輸出規制は標的を狭く絞り、正当な安保上の懸念のある場合に限ってほしい』と伝えてきた」という。「(主要顧客である中国市場での商機を失うことで)不用意な形で米半導体産業の体力を損なうのは避けてほしい、ということだ」

そして、日米と米中の摩擦のもう一つの決定的な違いが、「日本が安全保障上の同盟国だったこと」だとニューファーは言う。かつての日米摩擦でも、一部の識者が日本脅威論を唱えたが、アメリカが安全保障の首根っこを押さえている日本が、軍事的に米国を脅かすなどということはあり得なかった。一方、中国との関係では、半導体産業の優劣が直ちに彼我の軍事力の決め手になる。台湾にTSMCという戦略的重要企業が立地することも相まって、文字通り地政学的な対立の構図が色濃い。

対日石油全面禁輸が日米開戦の一因にもなったように、20世紀、最大の戦略物資は石油であった。しかし、米国では「シェール革命」で2000年代後半から国内の石油・ガスの生産量が急増する19年には純輸出国に転じ、中東でエネルギーを確保する必要性が薄まった。これとともに、米国の世界戦略の焦点は石油から半導体へ、中東地域から台湾海峡へとシフトした。SIAとボストン・コンサルティング・グループの調査では、台湾の半導体生産が1年間、混乱に見舞われる極端なシナリオでは、電子機器メーカーの売り上げが計4900億ドルも減る可能性がある。さらに、半導体の供給網には、その部分が滞ればシステム全体が壊れる「単一障害点」が約50もあるという。

「ただ、その大半は米国の同盟国のなかにあり、それが続く限りは怖くない。中国の行動をより市場経済に親和的な方向へと促すためにも、日米欧などの連携が望ましい」。そうニューファーは言う。半導体産業では供給網のさまざまな段階で、アメリカや日本、台湾、韓国、欧州などがカギを握る企業を擁する。先端技術の輸出規制も、こうした国同士の連携が欠かせない。日米半導体摩擦の時代とは異なり、半導体はいまや、対中国を意識した日米などの同盟協力の柱となっている。22年7月にワシントンで開かれた閣僚級の「日米経済政策協議委員会」（経済版2プラス2）の初会合では、次世代半導体の量産に向け、日米が協力して研究開発を進めることで合意するに至った。

「空気調節」

コロナ禍を機に、アメリカが国家機能の拡大や統制の強化へと急速にかじを切る潮流を目の当たりにして、尊敬する戦前期のジャーナリスト、清沢洌（きよさわきよし）の本を何度も読み直すようになった。とりわけ、第2次世界大戦前夜の1937～38年、清沢が国際ペン・クラブのロンドン会議に出席するため、アメリカを経て欧州各国を歴訪した際の見聞をまとめた『現代世界通信』である。読み返すたび、現代との類似点に驚かされることが多かった。特に学ぶところが多かったのが、ニューディール政策たけなわのアメリカを駆け足で旅したときの、清沢の観察である。

清沢は、ホテルの広告や列車の案内に「無暗（むやみ）に出て来る」ようになった「Air Conditioning」という言葉に注目する。「エアー・コンヂショニング」は『空気調節』とでも翻訳すべきだろう」とした上で、清沢は「思想的にも、社会的にも、政治的にも、国際的にも、いまアメリカはどうして国内の空気を酸素化し、同時に外界から室内の温度を保とうかに苦心している」と指摘する。かつて清沢がアメリカを訪れたときには、政府による失業者救済は「人間を怠惰にするもの」だという議論が一般的であった。だが、ニューディール政策が実行に移され、時代の雰囲気ははっきりと変わった。「どこの州に行っても売上税をとられる。……それが多くは失業者、貧窮者に対する事業費になるのだが、最早これに対して不平をいうものはない。悪税も馴れると善税だ。そして失業者に対する社会的共同責任感は、漸く実際問題にぶつかって米国民を納得させつつある」[13]。そして、清沢は、大恐慌の打撃に苦しむアメリカに、隠れた強さをみる。「アメリカは今、空気調節中なのだ。その空気調節のためには、言論に対して何等の統制と圧迫がないことが、落ち着くところに落ち着くのに非常な便利を与えている。ドッと左に落ちるかと思うと、いつの間にかそれを食い止める力が右に働いている[14]」

バイデンの大胆な政策構想も、野党共和党の抵抗はもちろん、民主党内の分裂にも悩まされて一進一退を続けた。21年7月23日、バイデンは22年の米中間選挙の試金石となるバージニア州知事選に向け、民主党候補の元同州知事、テリー・マコーリフの応援演説に入った。バージニア州アーリントンの演説会場を訪ねると、聴衆はもうマスクをせず密集していた。登場したバイデンも高揚していた。半年間の自らのコロナ対策の手応えを感じたのかもしれない。力を込めた言葉が空(そら)に響いた。

「トリクルダウンは失敗だった。中間層や労働者を大切にすれば富裕層が苦しくなるなんてことはない。富裕層はいつだってうまくやる」

政府が規制緩和で自由な競争を促せば、勝者の富が増し、その富が低所得者にしたたり落ちるとみる「トリクルダウン」は、レーガノミクス以来の「小さな政府」を象徴する言葉だ。バイデンはイエレンやサリバンの助言に沿い、インフレや景気過熱のリスクを知りつつ「空気調節」の賭けに出たのだ。演説をこう締めくくった。「約束する。50年後、我々の子孫はいまこのときを振り返り、『あれが、米国が21世紀の世界でも再び勝者となった瞬間だった』と考えるだろう」

アメリカでは大統領の権限は決して強くなく、連邦政府の財政支出や税制の決定権限は議会が握る。バイデンの演説をバージニアで聞いた少し前の7月20日、私は米初代大統領ワシントンの壁画がかかる米議会議事堂の一室で、与党民主党の会見が始まるのを待っていた。米政権・議会が３月に発動した経済対策の目玉、「児童税額控除」の拡充が始まるのにあわせた機会だった。この「児童税額控除」では、ほとんどの子育て世帯が、６歳未満の児童１人あたり年３６００ドル、６～17歳は年３０００ドルを受け取れる。

会見に参加した高校の英語教師、サラ・テイラー（44）は「コロナ禍のトンネルの先に光が見えてきたからといって、子どもたちが昨年、学業や情緒面で受けた傷が癒えたわけではない。この資金は、子どもたちの回復を助けてくれる」と語った。バージニア州の小さな町で、シングルマザーとして３人の子どもを育てた。高校の英語教師としての給与は「経済的にはギリギリの暮らし」を支える水準だ。コロナ下で、幼い家族を支えるため学校を中退する生徒らの苦境も目にしてきた。傍らでは米議会の最高権力者、ペロシ下院議長が見守った。ペロシは「我々が約束を果たすことができた幸せな瞬間だ」と語り、盟友のバイデンも好んで使う言葉を続けた。

「もう、助けは来ている（Help is on the way）」

ただ、この「助け」という言葉が、いまのアメリカでは党派の分断を象徴するような言葉になっている。作家カート・アンダーセンが「悪霊」と表現する市場原理への「信仰」も手伝って、連邦政府からの「助け」は、共和党支持者にとって無条件に歓迎されるものではなく、むしろ、個人の自由を侵害しかねない介入であるとして反発も呼び起こす。そして、「児童税額控除」のような大盤振る舞いの政策は実際に、米国民の消費需要を想定以上に刺激し、秋口から明確にインフレを助長し始めた。さらに、バイデンの大きな躓き（つまず）の石となったのが、21年８月の米軍アフガニスタン撤退をめぐる混乱だ。こうした逆風が重なって、バージニア州知事選では、共和党候補で投資ファンドのカーライル・グループ元CEO、グレン・ヤンキンが勝ち、バイデンと民主党に大きな打撃を与えた。

詰まるところ、バイデンにとって最大の壁となっているのは、アメリカでは、経済力で劣る地方や農村部が、徴税と財政支出を通じた富の再分配を重視する民主党ではなく、減税や規制緩和の「小さな政府」を志向し、経済的勝者を利する共和党を支持している点だった。大規模な財政出動で格差是正をめざすバイデンが、皮肉なことに、支援の手を差し伸べようとする農村部にそっぽを向かれているのだ。その背景をさらに探りたいと考え、トランプの牙城である「深南部」の農村へと向かった。

「9割がトランプ投票」の町で

21年8月21日、南部アラバマ州カルマン郡の農場を訪ねると、開始までまだ4時間はあるトランプの演説を聴くため、数千人が保安検査に列をなしていた。雷雨になり、入場手続きが止められても黙々と待っていた。カルマン郡は、20年の大統領選では実に88・1%がトランプに投票した地域だ。支持者のトランプへの「忠誠心」に改めて圧倒されるとともに、個人の自由や多様性が尊重される都市部とは相当に異なる米農村部のエートスを改めて感じた。日々、厳しい自然と向き合って暮らすこうした地では、規律と物事に動じない頑健さが尊ばれる。多くの人々が家庭で銃を持ち、危険があれば自衛する覚悟を持つ。良い悪いは別として、この雷雨のなか整然と待つ人々は、アメリカの野性を象徴している。アメリカに、高坂正堯のいう「通商国家として豊かになったときに不可避に起こる頽廃」に押し流されない強さがあるとすれば、こうした人々の存在抜きには考えられない。

集会では、トランプの登場直前に映画「パットン大戦車軍団」が映し出された。第2次世界大戦で米軍を率いたジョージ・パットン将軍が、ノルマンディー上陸作戦を前に将兵を鼓舞するシーンだ。「アメリカ人は闘争を愛する。勝者を愛し、敗者を許さない」。20年の大統領選で敗れたトランプの集会で使うのは冗談のようだが、会場では「トランプは勝った」と大書したTシャツを着た人も目立つ。トラ

雷雨のなか、トランプ前大統領の集会の開場を待つ人々＝2021年8月21日、アラバマ州カルマン郡（著者撮影）

ンプの主張通り、選挙には不正があったと信じている聴衆も多いのだろう。

演説を始めたトランプは政権末期より生き生きして見えた。アフガニスタンの首都カブールの陥落や、インフレの高進はバイデンを攻撃する恰好の材料だった。「不正選挙で決まったアメリカ大統領は（アフガンの反政府勢力だったタリバンに）ひざを屈して『どうぞお越しになって、何でもお好きなものを取っていって下さい』と言った。史上最大の恥さらしだ」「過激な民主党の社会主義政策が続けば、米経済は壊滅する。ガソリンがいまほど高くなるなんて誰も思わなかった」……

聴衆は強く共鳴していた。養蜂業を営むロバート・デュランド（51）は、潤沢な給付金は働く意欲を失わせ、物価を上げているだけだと言い、「バイデンは経済を破壊している」と批判した。「民主党政権が分配しようとしているカネの出どころは税金だ。民主党は税金や国の借金を使って票を買っている」。牧畜業のアンディー・スターンズ（52）も「トランプが政治家ではなくビジネスパーソンであり、現実の経済がどう動いているか知っているのは高く評価できる」と話す。

かつては労働組合に支えられた民主党と大企業寄りの共和党という構図があった。いまや様変わりし、「都市と農村」の分断線がより重要になった。18年のピュー・リサーチセンターの調査によると、民主党は都市部では62%の支持を得るが、農村部では38%で、共和党は都市部で31%、農村部では54%と支持傾向が逆転する。20年の大統領選では、保守的な「深南部」のアラバマ州でも、バーミングハムなど都市部ではバイデンが支持された。激戦州の製造業地帯オハイオ州でも都市部はバイデンが制した一方、農村部はトランプ支持で一色となり、州全体ではトランプが勝った。

民主党は、多様な年代や人種から構成され、知識労働に携わるエリート層や専門職を代表する政党という性格を強めている。かつて民主党の支持基盤だった労働組合は、米経済の主軸が製造業から金融やITなどのサービス業に移るにつれて影響力を落とし、労組が格差を是正する働きも衰えた。米経済政策研究所（EPI）によると、米国民の79～18年の実質年収は、トップ0・1%の超富裕層では4・4倍に増えたが、国民の大半を占める下から90%の低中所得層では約24%しか増えていない。[15] 16年の大統領選でヒラリー・クリントンが「米GDPの3分の2を占める地域では勝った」と発言して反発を招いたが、この傾向もさらに加速している。ブルッキングス研究所によると、16年はトランプ支持地域のGDPは全体の36%だったが、20年は29%に下がった。[16]

アメリカの農村部で大地に根差して生きる多くの人々にとって、都市の洗練や多様性という「正義」を振りかざし、連邦政府による分配や規制強化を重視する民主党の姿勢は、受け入れがたい。見下すような目線で暮らしに介入し、勤労精神や自由、誇りを損なうものと映ってしまうのだ。いまのアメリカでは、都市と農村との間にある経済や価値観をめぐる格差が、それぞれの生活圏のなかで増幅、固定化され、激しい反目を生んでいる。二つの世界の住人はほとんど交わることなく、党派性の強いメディアやSNSで踊る言葉にもあおられながら、「塹壕戦(ざんごう)」を繰り広げている。

ニューヨークの富裕な家に生まれ、不動産王となったトランプは「都会の人間」そのものにも思えるが、農村部の人々の心理をつかむのはたくみだ。例えば、集会の冒頭で唐突に「パットン」を登場させる演出だ。トランプ氏は「なぜあのパットン将軍のシーンを見せたか」と呼びかけると、「パットンは『ウォーク』ではないからだ。ウォークな将軍には、もうあきあきしている」と語った。

ウォーク（woke）とは日本ではなじみのない形容詞だが、「社会的不正や人種差別、性差別などに対する意識が高いこと」を指し、都市と農村の文化的分断を知る上でもカギを握る。こうした価値観を強調する民主党や、CNNやニューヨーク・タイムズなどのメディアを批判する文脈で使われることも多い。米国でも差別の害悪については幅広い社会的合意があるが、「ウォーク」を前面に出して独善的な主張をする左派に対しては反発が強く、トランプはそれをすくいとってきた。

こうした農村部の草の根の保守主義と、80年代以降に有力になった市場原理主義的な政策思潮とが強固に結びつき、「トランプ支持」の岩盤になっている。この結果、最も大きな利益を得ているのは、実は都市部を中心とした富裕層という面がある。作家カート・アンダーセンは私に、「60～70年代のベトナム戦争後、右派、左派の双方で広がった連邦政府に対する不信感を、大企業や富裕層、リバタリアン（自由至上主義者）がうまく利用した」と解説した。

アメリカ社会の政治・経済・文化的分断は深刻である。ただ、カルマンの人々の取材を通じ、希望も感じた。トランプ支持者の多くは、無知蒙昧な個人崇拝者ではない。強烈な反骨精神と独立心を持ち、ワシントンの政策エリートによる官僚支配や、一握りの企業人・投資家による富の独占が民主主義をゆがめていると怒っているのだ。その怒りは、かなりの程度、正当なものである。アメリカは、市場経済の創造性と破壊力によって前へ前へと駆動されていく社会だが、それは経済格差や極端な能力主義などの弊害を伴う。それが行き過ぎたとき、アメリカ内陸部からわき上がる草の根の声が歯止めとして働く。

トランプが指導者としてどれほど不適格に見えようと、トランプを支える草の根の人々の根底には平等化を求める民主主義の論理がある。そして、それによってアメリカ社会の病理が可視化され、政策が修正されていく意義は小さくない。実際、バイデン政権が目指した、国家の復権による中間層の底上げや国内政策の重視という方向性は、それがトランプ支持者に受け入れられているかどうかは別として、トランプが可視化した問題への対応策として選ばれたものであった。

そして、清沢が指摘したように、何よりも言論の自由が保たれていることが、アメリカのデモクラシーの強さである。一つの意見は必ず別の異論を呼び、「空気調節」をしながら民主主義が運動を始める。急激に普及したソーシャルメディアや党派色を強めたマスメディアによって、言論空間は「たこつぼ」化し、空気はよどみがちになっている。いま最も求められるのは、都市と農村のような異なる立場に暮らす人々が「塹壕戦」をやめ、互いの断層を乗り越えるための議論を交わす努力である。

地域間や経済上の格差は、日本にとっても人ごとではない。大学2年のとき、東大の蒲島郁夫(かばしまいくお)教授の「政治過程論」の講義を受けた。20年ほども前だが、戦後日本の民主主義についての鮮やかな議論をよく覚えている。一般的に経済成長で格差が広がると、政治的な安定や平等は保ちにくくなるが、高度経済成長期の戦後日本は例外だった。農村部の人々が政治に参加し、自民党を支持し、その自民党による中央から地方への富の分配を都市部の住民もおおむね許容したからだ。そんな内容だった。

朝日新聞の記事でこの思い出について触れたところ、熊本県知事となった蒲島はワシントンまで近著『政治参加論』を送ってくれた。[17] 蒲島は、最近では社会・経済的な地位の低い人ほど政治参加の度合いが低く、格差是正につながりにくくなっていると論じていた。すでに日本でも、幅広い政治参加が社会の安定に寄与し、経済発展の果実が行き渡って平等につながる好循環は崩れているのだ。日本の戦後の

「サイクル」の好循環も、驚異的な経済成長でパイが増えたから可能になっていた。

過去数十年のグローバル化を支えた市場原理偏重の流れがコロナ禍を経て反転し、アメリカでも日本でも、国家の役割はごく短い間に急激に肥大化した。それは、経済格差を是正し、教育や社会保障といった広い意味でのセーフティーネットを再構築するという観点からは有意義なことだ。ただ、強権的な政府による介入が経済の成長力を奪う危険性もつねにある。適切な「抑制と均衡」をもたらすのは、一つの民主主義国家のもとにある市民としての「社会的共同責任感」（清沢洌）のもと、立場を超えた自由闊達な議論が交わされ続けることなのである。

第6章　咆哮と興奮

——日米の虚脱を超えて

トランプ大統領との首脳会談に臨み、握手を交わす安倍晋三首相
＝2019年8月25日、フランス・ビアリッツ

トランプの咆哮

大統領の記者会見場は、大西洋に面した高台にある美しい洋館だった。2019年8月26日午後、仏ビアリッツでの主要7カ国首脳会議（G7サミット）が終わり、トランプはマクロン仏大統領とともに会議の成果を発表することになっていた。

プレスセンターからのバスを降り、会見場まで早足で歩く。トランプに質問するためには、少しでも早く部屋に入り、視界に入る前方の席をとる必要がある。トランプと日本の安倍晋三首相が前日に「大枠合意」に達したばかりの日米貿易交渉に関連して、どうしても確認したいことがあった。

ひと月後の9月下旬に署名を目指すことになっていた日米貿易交渉の合意では、米側が特に重視する牛肉や豚肉の関税を、日本側が環太平洋経済連携協定（TPP）の水準まで下げる一方、米側がかけている乗用車（2・5％）への関税は削減対象にはならないことになった。トランプはこの2・5％の関税とは別に、日本や欧州連合（EU）からの輸入車には追加の関税を発動するかもしれない、という脅しもかけていた。自動車の輸入が米国の産業基盤を脅かし、安全保障を脅かすという理屈で、鉄鋼・アルミ関税の根拠にも使った米通商拡大法232条に基づく。前日の安倍・トランプの「大枠合意」の段階では、この措置をどうするのか、両首脳の共同会見でも明確な言及がなかった。

日本側は「232条に基づく措置をとらないということは、昨年（18年）9月の日米首脳会談における首脳会談のやりとりを含め直接確認をして、そういうこと（発動）はない」（菅義偉官房長官）との認識だったが、米側はどうなのか。答えられるのは、トランプ本人しかいない。

トランプの会見場の前方の列はいつも、米メディアの「番記者」用に確保されている。そのすぐ後ろの3列目の席が取れた。隣に座ったのは、ロイター通信のホワイトハウス担当記者だ。彼が当たれば、続けて指名されやすい。そう思っていたら、質疑が始まってまもなく、トランプがこの記者を名指しした。質疑が終わり、間髪入れず手を挙げると、トランプがこちらを向き、私の挙手に応じた。

「Go ahead（質問どうぞ）」

「日本からの輸入車に対して、安全保障を理由とした２３２条の関税の適用を今もなお検討しているのですか」

トランプは答えた。

「（輸入車関税の発動は）現時点ではない。私がもしやりたいと思えば、後になってやるかもしれない。でも今は、我々はそれを考えていない。我々をフェアに扱ってほしいだけだ」

トランプはさらに、一方的にまくし立て始めた。

「日本は私がこの地位に就くよりずっと前から、長い、長い間、すさまじい貿易黒字を出し続けてきた。もう少し言わせてもらおう。我々は国を変えようとしているんだよ。いままでのどうしようもない、一方的な、ばかげた、非常に愚かな、あほくさい……とにかく悪い貿易協定を、良いものに変えようとしている。それで、アメリカは斬新で、ワクワクするような国になるんだ。じゃあ次の質問」

Horrible, one-sided, foolish, very dumb, stupid……と、従来の貿易協定を「愚かな」の形容詞を連呼してけなすトランプの反応にあっけにとられつつ、私はキモの発言を忘れてはいけないと必死になった。

「私がもしやりたいと思えば、後になってやるかもしれない（It's something I could do at a later date if I wanted to）」――。この言葉を頭に刻みつけながら席に座り、原稿にするためにパソコンを開いた。暴力団のような脅しの文句は、日米関係のありようを象徴している。

17年1月、トランプ政権が発足直後にＴＰＰから離脱すると、日本は通商戦略の抜本的な見直しを迫られた。ＴＰＰには、アジア太平洋地域の新しい通商ルールづくりを日米が先導し、台頭する中国を牽制する戦略があった。しかし、トランプは、ＴＰＰのような多国間の枠組みを嫌い、二国間交渉を好む。

経済力や軍事力といった米国のむき出しの力の優位をより生かしやすいと考えるためだ。

この局面転換は日本に不利だったとばかりは言えない。アメリカとの自由貿易協定（FTA）の破棄をちらつかされて交渉についたカナダやメキシコ、韓国などと異なり、もともと日本はアメリカとFTAは結んでおらず、あらためて貿易交渉をしなくても、従来通りの貿易が続けられるのだ。

アメリカが離脱した時点で、日本が主導する形で、「TPPは終わった」との見方も強かった。しかし、安倍政権は存続に向けて動く。18年3月、日本が主導する形で、アメリカを除く11カ国の「TPP11」が発効した。これは、日米の二国間交渉を迫る米国に対して、日本の立場を強めた。米農業界はほかのTPP加盟国に比べ日本市場で不利になり、トランプ政権は日本との交渉を早くまとめなければならなくなったためだ。焦るアメリカと、そうでない日本。通常の交渉であれば、どちらが有利かは明らかだ。

しかし、18年9月の日米首脳会談では、日本側が時間稼ぎのため設けた日米協議の枠組み「自由で公正かつ相互的な貿易取引のための協議（FFR）」を終え、本格的な貿易交渉入りに合意せざるを得なくなった。この際の日米共同声明では（1）日本としては、農産物の譲歩は過去の経済連携協定が最大限、（2）アメリカとしては、自動車の米国内での製造・雇用の増加をめざす――との立場を互いに尊重すると発表した。「農業ではTPPまで日本が譲歩しうると示しつつ、自動車で米側に配慮するというのは、日本側から見れば譲りすぎだ」（元USTR高官）との見方はあった。それでも、勝手にTPPから抜けたアメリカとの二国間交渉に日本が応じたのは、トランプが数カ月前、日本からの輸入車に追加関税をかけると脅し始めたからだった。

日米二国間交渉入りの前、ある日本政府関係者は「輸入車関税の『恒久的除外』を得ることが交渉のポイント。いちど除外されてもいつどうなるかわからない、というブラブラした状態ではいけない」と述べていた。ビアリッツの記者会見での「やりたいと思えば、後になってやるかもしれない」というトランプの発言は、「恒久的除外」という日本側の目標が果たせなかったことを明確に示していた。さらにトランプは、日本が輸入車関税の発動を避けようとしたことが「今回、我々がディール（取引）した理由の一つだ」と明確に述べた。半ば公然と、「脅しが成功した」と認めたようなものだ。

この数週間前、私は新聞のコラムで、トランプの交渉術を「反社会勢力」にたとえて批判していた。まず、貿易や安全保障で「同盟国から食い物にされた」と被害者の立場にたつ。そして自動車への関税などの「脅し」を突きつけ、落とし前として一方的な譲歩を迫る。これがトランプ外交の基本型だ。

1対1で暴力団員に脅されれば、一般市民は弱い。「何をされるかわからない」という恐怖が先に立つ。だが、「トランプ氏は脅しの天才のようにみえるが、その実態を見きわめるべきだ」と書いた。日本車への関税の上乗せは米消費者に打撃を与え、トランプの人気にもプラスにはならない。発動するなら、漫然と自動車産業やアメリカ市場に頼ってきた日本経済を見直す好機だ。データやデザインなど無形資産が重要度を増すなか、日本は対応できずに停滞してきた。新たな産業構造を模索してもいい時機だ。恐れなければならないのはトランプの脅しより、日本側の過度なおびえではないか。

しかし、そうした議論は深まらないまま、ビアリッツでの共同会見の翌月となる19年9月、安倍・トランプによる日米共同声明が出され、日米貿易交渉の「第1段階」は幕を閉じた。日本は、アメリカが勝手に抜けたＴＰＰレベルの農業アクセスを米側に与えながら、日本車への追加関税をかけないとの言質すら得られなかった。「第1段階」の交渉成果として20年1月に発効した日米貿易協定では、日本にとって最重要品目の自動車分野で、米側の関税（乗用車で2・5％）の削減の協議は先送りされた。

日本政府は、譲歩しすぎたとの批判を避けるため、米側の自動車関税については「関税の撤廃に関して更に交渉する」という日米貿易協定の「付属書」の一文を支えに、20年の大統領選が終わった後に想定される「第2段階」の交渉で「関税撤廃がなされることが前提」（安倍）と国会でも強弁した。しかし、そもそも日本側も、二国間交渉では米側に押し込まれやすい構図が分かっているだけに、「第2段階」の交渉には消極的だった。もし「第2段階」に進んだとしても、「第1段階」のように日本が農業分野で切れる強い交渉カードを持っているわけではなく、交渉を有利に進めることは難しい。20年の大統領選で生まれるのが共和党政権であれ民主党政権であれ、国内雇用を保護する観点から、アメリカ側が既存の自動車関税を撤廃することに慎重になるのは、当然のことだ。

幸か不幸か、政権基盤の弱さから積極的な通商外交を仕掛ける余裕のなかったバイデン政権も、第2段階の交渉を前に進めることはなかった。日米貿易協定後、2年近くが経とうとする21年11月、キャサリン・タイ通商代表は朝日新聞などが参加したラウンドテーブル（小規模の記者会見）での取材に、自動車分野については「1980年代以前からある積年の課題だ。我々が真に焦点としたいのは（積年の課題ではなく）今日的懸案だ」と述べ、今後の交渉の焦点にしない考えを示唆した。日本政府の「関税撤廃がなされることが前提」との日本国内向けの説明は、事実上、破綻したのだ。

21年11月、タイは訪日すると、日米間で貿易やデジタル、サプライチェーン分野での連携強化を目指す新たな「日米通商協力枠組み」を発足させた。トランプと安倍が始めた日米貿易交渉は事実上、凍結となった。タイはこの新たな枠組みが「持続可能で包摂的な、競争力を高める通商政策に資する」と強調した。「持続可能」「（格差是正を意味する）包摂的」といった言葉は、自由貿易への反発からトランプが支持を広げ、TPP離脱に至った経緯を踏まえ、バイデン政権が意識して使う用語だ。

さらにアメリカは22年5月、バイデンの訪日にあわせ、日米やインドなど13カ国で新たな経済圏構想「インド太平洋経済枠組み（IPEF）」を始動させた。TPPへの復帰が難しいなか、限定的にせよインド太平洋地域への関与を続ける姿勢を示したい、という苦しい事情を反映したものだ。緩やかな「枠組み」は対立点が顕在化しない半面で、条約として加盟国を互いに拘束しつつ、ルールの力で中国を牽制するTPPのような力は望めない。自由貿易協定を通じて中国の覇権主義的な台頭を牽制する、という戦略が頓挫したことを、あらためて示すことになった。

無条件降伏と民主主義

「反社会勢力」のような脅しと予測不可能性を強みとするトランプに対し、日本が受けるダメージを最小化するという観点からは、安倍の交渉戦略は巧みだった。問題は、トランプとの関係にあからさまな従属構造があるにもかかわらず、安倍がそれを国内向けには糊塗しなければならない構図であり、それは安倍・トランプの属人的関係に限らない。日米関係に根を張る構造的な問題であった。

19年8月25日のビアリッツでのトランプ・安倍会見で降ってわいたように出てきた話題があった。「トウモロコシ」である。「米国内の至るところでトウモロコシが余っている。中国がすると言っていたことをしていないからだ。日本はそのトウモロコシを全て購入する」。トランプが日米交渉の本筋の話を脇に置いて、唐突にそう語ったのだ。安倍はトランプに促されるように、米国産トウモロコシの輸入増について「協力できる」と述べ、「それ以外については、またよく大統領と相談したい」とまで付け加えたのだ。実態を調べてみたいと思い、翌9月、米国最大のトウモロコシ生産を誇るアイオワ州のグリーン郡に住む旧知の農家デビッド・ウィーバー（50）を訪ねた。

「大統領はいつでも、ものごとを捏造するからね」。ウィーバーは冷ややかだった。トランプはトウモロコシが余った理由に、米中貿易摩擦による中国の買い控えを示唆した。だが、これは事実ではない。中国向け輸出が多い大豆は貿易摩擦で打撃を受け、トウモロコシと大豆の双方を育てることの多い米農家の不満がたまっていたのは確かだ。大豆も手がけるウィーバーは「トランプが貿易戦争を始めたとき、多くの農家は彼なら成功すると期待した。でも何の成果もない」と憤る。ただ、中国はトウモロコシをほぼ自給しており、米国からの輸入は年数十万トンとごくわずかだ。

トランプは日本が莫大な量のトウモロコシを買うと説明したが、低迷していたトウモロコシの価格は会見後も下がり続けた。日本が追加購入すると伝えた量の上限は約275万トン。実は、7月に日本国内で初めて害虫ツマジロクサヨトウが発見されたことを受け、首脳会談とは無関係に追加購入は決まっていたのだ。この購入量は米国の生産量の1%にも満たず、需給への影響はほぼない。

事実をねじ曲げてまでトランプがトウモロコシにこだわったのは、自らによる環境政策の転換だった。アメリカでは、トウモロコシはエタノールをつくるエネルギー資源としての性格を強めており、生産量の4割がエタノールに回る。ウィーバーの住む地域のトウモロコシもほとんどがエタノール向けだ。化石燃料による二酸化炭素排出量を減らすため、石油精製業者は燃料にエタノールを混ぜなければいけない規制があるが、米政権は8月上旬にその緩和を決めた。背景には、大統領選に向けたエネルギー業界への配慮があった。トランプは、環境保護局トップに石油業界に近い人物を起用するなど、温暖化対策に消極的で、コストがかさむエタノールの混合を求める規制も、石油業界で評判が悪かった。

トウモロコシ畑に立つ農家のデビッド・ウィーバー＝2019年9月6日、アイオワ州グリーン郡（著者撮影）

この規制緩和の発表後、トウモロコシは需要が減るとの見通しから価格が急落してしまう。今度は「農家は長くトランプ氏を支えてきたが、すぐに変わるかもしれない」（ネブラスカ生産者協会のネルド会長）と、トウモロコシ業界が猛反発した。安倍との会談直前の８月19日には、前アイオワ州知事のブランスタッド駐中大使がトランプに会い、農家の支持が離れると懸念を伝えていた。

トランプが安倍との「商談」の成果としてアピールしたトウモロコシ購入は、二つの業界の板挟みになったトランプが、農家の怒りをなだめようと演出した茶番だったのだ。日本が自らの脅しに屈したとあからさまに誇り、「トウモロコシ」を巡る目先の問題を巡って日本をだしに使うトランプ。それに対し、安倍も「今後も相談したい」と述べざるを得ないのが日米関係の一つの実態であった。

ウィーバーは、日本の自治体が行う「JETプログラム」に参加して90年代に広島県で英語を教えた経験があり、国際感覚のある農家だ。トランプには批判的で、「トランプは自分とその取り巻きの蓄財を図ることにしか関心がない」という。ウィーバーは見せたい風景があると言い、農場近くのカントリーエレベーターまで案内してくれた。１人乗りのエレベーターに乗せてもらい、サイロのてっぺんで、見渡す限りトウモロコシや大豆畑が広がる大平原を眺めた。

この「グレートプレーンズ」に吹き渡る風、大河がつくる雄大な風土や、そこに根差し、営々として働く人々こそが、トランプの言葉通り、「アメリカを偉大に」させているものである。日本もまた誇るべきものを持った国であり、アメリカとの相互理解に基づく真の友好が、その日本を守る最良の戦略であると思う。だが、この両国の関係はいまだに、偉大さとかけ離れたいびつなものを内包している。トランプは、そのあけすけな言動や行動で、そのゆがみをわかりやすく体現している。

トランプは人間関係も国家間の外交も、単純な商取引のアナロジーでとらえ、相手の弱みをつかむ点では卓越した才能を持つ。「交渉で最悪なのは、何とかそれをものにしたいという必死の思いを見せてしまうことだ。相手は血の臭いをかぎ、あなたは死ぬ」[1]。そうトランプは言う。日本はアメリカ主導の自由な国際秩序の最大の受益者だった。アメリカにこのまま頼りたいという思いに、トランプは気付いている。だが、強く豊かなアメリカが日本の自動車などをいくらでも買い、安全保障面でも守ってくれるとの幻想はとうに過去のものとなった。トランプは、生き馬の目を抜く不動産業界で生き延びた男ならではの直観で、日米関係の「レシプロシチ」の欠如を突いたのだ。

トランプは18年3月22日、中国への制裁関税の根拠となる大統領令に署名した際にも、安倍に触れている。私がワシントンに到着した直後の、「貿易戦争」の幕開けを告げた際の演説だ。

「日本の安倍首相などとも話をする。きっと笑っている。その微笑は『こんなに長い間、米国（の甘さ）に付け込めていたなんて信じられない』と考えているからだ。そんな時代はもう終わった」

陰で笑っている狡猾な東洋人、というステレオタイプの人種差別主義の臭いすら漂う演説だ。このトランプの「被害者としてのアメリカ」「笑われるアメリカ」のレトリックは無数に繰り返され、ビアリッツでの記者会見に至るまで変わらなかった。驚くほど首尾一貫したトランプの世界観は、実は、大統領就任前から数十年間にわたって続いてきた。その根底に日本が深く関わっていると気付かされたのが、ダートマス大学准教授のジェニファー・ミラーが18年に出した論文であった。

「『もう笑いものになるのは止めよう』ドナルド・トランプと日本、１９８０年代から現在まで」と題したその論文で、ミラーは、経済大国化に伴う「日本たたき」がアメリカで広がっていた１９８０年代のトランプの言動を詳細に分析した。[2] 不動産王トランプは、バブルに踊る日本の投資マネーに依存しながら、激しい日本批判を続けていた。ミラーはトランプの論法を読み解き、「トランプは日米関係の所産だ（Trump was a product of U.S.-Japanese relationship）」との結論に至る。

ミラーにじっくりと話を聞くため、ニューハンプシャー州ハノーバーにあるダートマス大学のキャンパスを訪ねたのは、バイデン政権発足後、1年近くが経った21年秋である。そのころ、あまりにも整然と進むバイデン政権の政策形成を取材するにつれ、なおさら「あの混沌に満ちたトランプ時代とは何だったのか」という問題が、頭から離れなくなっていた。

「トランプは『アメリカが日本に食い物にされ、それを許すアメリカの指導者は愚かだ』という論法を展開した。アメリカを被害者と位置づけ、世界から守る守護者として自らを演出する姿勢は30年以上、変わっていない。日本への見方がトランプの世界観の基礎となった」。そうミラーは語った。

わかりやすいのが、トランプが87年、ニューヨーク・タイムズなどの米主要紙に出した広告だ。「日本は防衛を米国にタダでやらせて巨額の負担を免れ、強い経済を築いた。我々が施した防衛の対価を払わせ、米国の農民、病人、ホームレスを助けよう」。そんな言葉が踊る。

ミラーは、ビアリッツでの私の質問に対するトランプの答えを聞いて、まさに「トランプ的（Trumpy）」だと感じたという。「今回のところは大目に見てやって何もしないが、この先どうするかはわからない。いつでもひっくり返せる……。このマフィア的な論法が、いかにもトランプだ」

日本がアメリカの庇護にただ乗りしている、との不満を抱いたアメリカの指導者はトランプが初めてではない。ただ、「日米同盟が愚かであるという主張から、そもそもアメリカが同盟を持つことが愚かだという議論へと転化していった点で、トランプはそれ以前の指導者と異なる」とミラーはみる。

日本人からみれば、アメリカは被害者どころか、在日米軍基地などを通じて多大な戦略的利益を得ている。ただ、そうだとしても、日本が安全保障や経済の根幹でアメリカに深く依存していることは否定できない。アメリカへの好悪の感情は人それぞれであろうが、この依存・従属の事実じたいは変わらない。戦後の日米関係に伏流水のように流れ続けるこの構造が、アメリカの国力の相対的低下という現実と、トランプという特異な指導者を介して、あらためて明確に姿を現したのである。それを見るか、目を背けるかは、アメリカではなく、日本および日本人の問題である。

そもそもこの構造の根源には何があるのか。この問いを掘り下げるのに、最も信頼できる日本研究の大家だと確信していたのが、ワシントン大学名誉教授のケネス・パイルである。パイルは07年、『日本の台頭（未邦訳）』という、国際社会に対する日本の積極的な役割を強調する著書を出版した。[3] 当時米タフツ大学大学院フレッチャー・スクールで学んでいた私は、出版にあわせたパイルの講演をハーバード大学に聴きに行ったことがあった。以来、いつか取材に訪れたいと思っていたが、21年末、一時帰国した日本からの帰途、シアトルに寄り、パイルの自宅で取材させてもらう機会を得た。自宅には、版画家・渡辺禎雄の作品が飾られ、ぬくもりを添えていた。渡辺は、宗教哲学者・柳宗悦と民芸運動を展開した「型絵染」の巨匠、芹沢銈介に師事し、独自の聖書版画で知られる。パイルの妻アナ・パイルは渡辺の人生や作品の研究を続けており、アナからの説明を受け、渡辺の作品の不思議な魅力にも打たれた。

60年以上、日本の近代について研究してきたパイルが達した結論は、「戦後日米関係を理解する上で最も決定的な要素は、フランクリン・ルーズベルトの『無条件降伏』政策だった」というものだ。第2次世界大戦でドイツや日本に求めた無条件降伏は、アメリカの対外戦争で例がない極端な政策だった。敵国との講和交渉を拒み、存在の抹消そのものを目的とする。「ヒトラーとナチズムの悪には妥協できなかっただろうが、日本とは妥協できたはずだ。１９４４年7月のサイパン島陥落後は、日米とも日本の敗戦を認識していた。それでも無条件降伏を求めて戦い続けたのだ」

なぜ、ルーズベルトは無条件降伏を追求したのか。「アメリカの価値観や制度は普遍的だという信念のもと、米国主導の新しい世界秩序を創造しようとしたためだ」。パイルはルーズベルトのこうした姿勢を批判的にみる。無条件降伏による「大日本帝国」の崩壊がもたらしたのは、ソ連の膨張や共産中国の成立だった。「日本との交渉がなされていれば、朝鮮半島の分断もなかったかもしれない」

ボルトン元大統領補佐官の回顧録によれば、トランプは、19年7月のボルトンのアジア訪問後、日本や韓国に駐留経費の要求額を支払わせる方法は「全ての駐留米軍を撤退させる」と「脅す」ことだとボルトンに話したという。[4] 回顧録には、米側が安全保障での協力をカードに、日本に対し貿易交渉で譲歩を求めたことを示唆する記述はない。ただ、トランプが経済・安全保障の両面で「同盟国につけこまれてきた」と強調してきたことを踏まえれば、暗黙の圧力となっていたことは明らかだ。

そもそも、なぜトランプは米軍の撤退が「脅し」になると認識しているのか。東アジアの国際情勢を考えれば、日米同盟以外に生き残りの戦略はなく、一定の在日米軍の駐留は必要だと私も考える。だが、それは敗戦後の歴史的経緯や中国の台頭を踏まえた、やむを得ない選択である。安全保障は日本人の自由と民主主義の根幹に関わる。日本人の民主的統制が働かない外国の軍隊が長期にわたり駐留するのは最良ではなく、どこまでも「現実的な必要性に迫られた次善の策」にすぎない。

トランプはボルトンに、米軍撤退の「脅し」で「交渉の立場がすごく強くなる」とも語ったという。本当にそうなのか。日本側が「撤退したいという大統領のお考えを止めることはできません。どうぞお立ち退きください。日本のことは日本でやります」と原則論で切り返したらどうか。米政府や米軍が全面撤退など望んでいないのは明らかだから、米側は逆に立場に窮するのではないか。

そう問いを投げかけると、パイルは「簡単に『どうぞ』と言えない状況も、無条件降伏にさかのぼる」と答えた。「『吉田ドクトリン』のもと、日本は『どうぞ』と言えるような防衛の制度を築けなかった」。吉田ドクトリンとは、無条件降伏で生まれた従属構造を逆手にとり、当時の吉田茂首相が進めた路線だ。安全保障を米国に依存する一方、開放的なアメリカ市場に頼った輸出主導の経済回復を追い、驚異の高度成長を果たした。だが、失ったものも大きかった。民主主義の質だ。「英思想家ジョン・S・ミルは、自決の獲得こそ国民の生命線であると説いた。民主主義は施しではなく、困難な奮闘のすえに自得しなければならない、と。リベラルな憲法を書くだけでは国家は民主化しない」

転機はソ連の崩壊と冷戦終結だった。この時点で「吉田ドクトリンは効果を失った」とパイルはみる。

その後のグローバル化の時代、日本経済は長い停滞を経験した。一方で日本の民主主義は、１９９５年の阪神大震災が後押ししたボランティア活動の活発化や、２０１１年の東日本大震災や原発事故後の政府に対する異議申し立てなどを通じて進化を続けてきたという。「日本の民主主義は、共同体を重んじる点で、個人主義の行き過ぎが国の分断を招いたアメリカと比べても強みを持っている」

無条件降伏とそれに伴う対日占領政策は、アメリカにとっても不幸な教訓を残した。「その後のアメリカの他国への介入のモデルになってしまったことだ。アジアで最初の近代憲法を持ち、福沢諭吉はじめ明治の知識人がアメリカの民主主義の価値や制度を正確に理解していた日本は、中東などとは違うのに、だ」。アフガニスタン介入の失敗は、この不幸な教訓の帰結だった。

「ルーズベルトが構想したアメリカ主導の国際秩序は終わりつつある」。そして、中国の覇権主義的な台頭に伴い、吉田ドクトリンのもとでは「同床異夢」だった日米同盟は「初めて共通の目標を持つようになった」とパイルはいう。「日米は自由な国際秩序を守るため、さらに緊密に力を合わせていく必要がある。日本はいま、国際的な影響力がより高まる時期に入りつつある」

パイルはアメリカを代表する日米関係の専門家であるとともに、国際政治の権力関係を冷徹に分析するリアリストである。そのパイルが、日本人からみると停滞ばかりが目立つ日本の「国際的な影響力がより高まる」という。

目を見開かされた。トランプの心に利己的な国だとの印象を強烈に刻んだ「吉田ドクトリン」下の戦後は、日本にとって決してただ「よき時代」と振り返ることができる時代ではない。戦争をせず、平和国家として歩めたことはかけがえのない幸福だった。しかし、それは日本人の努力というより、核兵器の恐怖による力の均衡によって支えられた冷戦の構造と、アメリカの経済・軍事的覇権という国際情勢の幸運によってもたらされた面が大きかった。いま、国際環境の激変のなかで、自由と民主主義との調和を図り、積極的に守り抜くための日本の役割は高まっている。日本と同じように中国の覇権主義に直面しつつ、緊張の激化を望んでいない東南アジアの国々などにとっても、日本が内向きに萎縮することが利益にならないのは明白だ。アメリカの力の揺らぎは、「日本のデモクラシー」にとって逆風とは限らない。むしろ、その可能性が大きく開かれうる。機をとらえられるか否かは、やはり日本人の選択次第だ。

客死した民権運動家

アメリカで長く、いつか訪ねたいと思っていた場所があった。明治の自由民権運動家、馬場辰猪（たつい）（1850～1888）の墓所である。

「馬場辰猪の墓はフィラデルフィアにある」。歴史家、萩原延壽（はぎはらのぶとし）（1926～2001）が書いた馬場の評伝は、そんな書き出しで始まる。[5] その墓に立ち寄ったのは、21年9月、プリンストン大学のアンガス・ディートンの取材に向かうため、ワシントンから東海岸を北上した際だった。

馬場は土佐藩士の家に生まれ、福沢諭吉の慶應義塾で学んだ後、英国に留学した。自由民権運動の先鋭的な理論家として活躍し、日本初の全国政党・自由党の結成で幹部となる。しかし、藩閥政府の弾圧もあって運動は衰え、馬場は爆発物購入の疑いで逮捕された。無罪になったが、追われるようにアメリカに渡り、フィラデルフィアの地に至った。

20ヘクタール以上もある広大な墓地で、馬場の墓を見つけられるのか心もとなかった。ある日本の政治活動家の墓を探しているのだが——。そう問うと、墓地で木の手入れをしていた庭師のロビン・リックが作業を止め、誇らしげに「知っている」と即答した。意外な反応に、驚いた。その手引きで「大日本馬場辰猪之墓」と彫られた方尖塔に着く。リックは「この墓地には歴史の層が埋もれているからこそ、守る価値がある」と話す。その後、わざわざ記録を調べ、メールで送ってくれた。当時ペンシルベニア大学に留学中で、馬場から死後の手配を頼まれた友人の岩崎久彌が、馬場の墓を購入していたことが記録されていた。岩崎久彌は三菱財閥の創設者、岩崎彌太郎の長男である。

　馬場は、貧困と病苦のすえ孤独な死を迎えた。萩原の手になる評伝を読むと、民主主義への本質的な洞察のもと、それを日本に根付かせようとした知力と情熱に圧倒される。馬場の遺著には「頼むところは天下の輿論」と記されていた。祖国に用いられず、客死した悔しさを思うと、胸が詰まった。当時の思想家たちも「君の其残念の一語こそ、余は君の霊魂なりと思ふ」（中江兆民）、「百年の後尚ほ他の亀鑑たり」（福沢諭吉）と死を悼んだ。[6]

　馬場の墓所を訪れたころ、アメリカはアフガニスタンからの敗走劇の衝撃に揺れていた。20年に及ぶ対テロ戦争の根底に、戦後日本を「民主化させた」ように他国を民主化できる、と信じたアメリカの驕りがあったことは疑いない。多くのアメリカ人は、明治日本に馬場のような民主主義の理解者があり、戦後の民主化の土壌があったことを知る由もない。日本国内でも、馬場はおおかた忘れ去られた存在だ。

　馬場を忘れなかった日本人が、清沢洌である。ちくま学芸文庫版『暗黒日記』の「仮年譜」によると、清沢は１９３０年、「中央公論」特派員としてロンドン海軍軍縮会議を取材した帰途、欧州歴訪ののち渡米し、「五月十一日、ワシントンに馬場辰猪の墓に詣でる」と記録されている。[7]馬場の墓所はフィラデルフィアだから、「仮年譜」の「ワシントン」は誤記であろうが、清沢が多忙な旅の途中でわざわざ立ち寄るほど、馬場に惹かれていたことはたしかだ。10代で米国に渡り、苦学しながらジャーナリストとしての道を歩んだ清沢にとって、馬場の人生に共感するところが大きかったに違いない。

　無条件降伏を求めたアメリカに対する敗戦は、戦後の日本の民主主義を大きく制約した。それは、支配者として立ち現れたアメリカからある程度押しつけられたものだった面は否めない。ただ、馬場のような人物が支えた明治の民権運動や大正デモクラシーを経て、蓄積されていた民衆のエネルギーも決して見過ごすことはできない。終戦直前の45年5月、急性肺炎で急死した清沢も、敗戦後の日本のデモクラシーのあるべき姿について、思いを巡らせていたことだろう。その情熱と高揚を忘れてはいないか——。問いを投げかけられたように感じた。墓の守り人の温かさにも触れ、秋の気配が静かに漂う馬場の墓所を立ち去りがたかった。

二つの大河が交わる町で

アメリカの真ん中に位置するイリノイ州ケアロのことを知ったのは、19年8月26日のウォールストリート・ジャーナルの記事を読んだのがきっかけだった。見出しには、「全米で最も人口が減ったイリノイ州の郡」とあり、オハイオ川とミシシッピ川の二つの大河が合流する地点にある町 Cairo の現状を伝えていた。[8] 記事に言及はなかったが、カイロと読めるその町は、トクヴィルが『アメリカのデモクラシー』で触れていた場所ではないかと思い当たった。読み返すとやはり、北部の自由州と南部の奴隷州とを分かつこの地に言及していた。

「オハイオ川の真ん中をミシシッピに合流するまで流れにまかせて下る旅人は、いわば自由と隷従の境界を航海することになる。そうした旅人は周囲に目をめぐらすだけで、どちらが人間にとって有利であるか、たちどころに判断できる」

トクヴィルは、この地の「左岸（奴隷州）」では奴隷が無気力に働き、「社会はまるで眠っているようだ」という。ケアロ側の右岸では、全く違う様相を呈する。「産業の存在を遠くまで宣言する騒音が鳴り響いている。豊かな実りが畑を覆い、瀟洒（しょうしゃ）な住まいが農夫の趣味のよさと手入れのよさを窺（うかが）わせる。至るところに豊かさが滲（にじ）み出、人は裕福で満足しているように見える。彼は働いているのである」[9]。トクヴィルは人間をモノとして扱う奴隷制を、自由な創意を押し殺し、経済的にも見合わない制度なのだと喝破した。『アメリカのデモクラシー』のなかでも、最も印象的な指摘の一つだ。

この地を訪ねたいと思った。21年10月、ミズーリ州の中心都市セントルイスから車で数時間走り、イリノイ州の南端に位置するこの地――カイロではなく、住民は「ケアロ」と発音する――に入った。

そこは一見して、廃虚の町だった。昼でも人通りは少なく、更地や廃屋ばかりが目立つ。そして、岬のようにせり出した町の突端の地で、二つの大河がぶつかり合っていた。

先住民の言葉で「美しい川」を意味するオハイオ川が、ミシシッピ川へと注ぎ込む。「父なる川」の名を持つミシシッピの勢いは激しく、濁っている。オハイオ川の流れは少し押し戻され、一つの川へと溶けていく。

イリノイ、ミズーリ、ケンタッキーの3州にはさまれたこの合流地点では、穀物や石炭、化学製品などの物資を積んだ「はしけ（バージ）」が絶え間なく行き交う。人とモノとをつなぐ供給網の要衝であり、蒸気船が行き交った19世紀から栄えた古い町だ。

「この足にも水かきがあるよ（I've got webbed feet）」。合流地点まで同行してくれたラリー・クライン（63）は、川を見ながらそう言った。人生そのものといえるほどに親しんだ二つの大河への愛着を示す彼ならではの表現だと感じた。

「子どものころは、ほかの子がミシシッピで泳いでおぼれる事故が毎年のように起きた。ミシシッピはオハイオよりずっと流れが速い。泳ぐならオハイオだ」

一帯のアレクサンダー郡は、1940年には2万5000人が住んでいたが、人口は減少を続け、2010～20年の減少率は36・4％と全米一の激しさだった。ケアロも1920年代のピークの約1万5000人から、約2000人に減った。

アメリカを取材し、強く心に残るのは、ミシシッピ川の偉大さだ。牛の仲買人キム・ウルマーを訪ねた中西部サウスダコタ州ピアの河畔、東部ウェストバージニア州の炭鉱地帯を流れていたタグフォーク川、豊富な水で半導体産業が立地したミネソタ州ブルーミントン……。取材で訪ねた場所の至るところに川があり、それはすべてミシシッピの水系であった。そしてその水は、すべてこのケアロへと集まる。流域面積でアメリカ本土の4割を覆うミシシッピ。東西南北に方向を変えながら入り組んで流れる大河は、開拓時代から人やモノの移動を容易にし、農業に適した肥沃な土壌をもたらしてきた。この川がなければ、アメリカの世界に冠たる経済的繁栄はあり得なかっただろう。

シカゴやミネアポリス、ニューオーリンズなど、米国の主要都市の多くが、ミシシッピの内陸水運をてこに発展した。鉄道や道路での輸送に主役を譲ったとはいえ、はしけによる河川輸送は、今日でもアメリカの商業輸送の5％を占める重要な動脈であり続けている。

ミシシッピの上流と下流を分かつケアロは、米国の河川を行き交うはしけの80％が通過する、アメリカの「へそ」ともいえる要衝だ。アメリカだけの「へそ」ではない。米国産の輸出向けトウモロコシの50～60％、大豆の30～45％がケアロからミシシッピを下り、パナマ運河を経て日本などアジアへも運ばれる。そのケアロがなぜ衰退したのか。そんな問いを胸に町を訪ねた。実際に歩いてみると、これほどまで衰えた町で、それでも暮らそうとする人がなぜいるのかに強い興味がわいた。

クラインは地域にガスや電気を届ける「ケアロ公益事業会社」の社長を務める。「町がどう見えようが、そんなことは問題じゃない」。そしてこう続けた。

「ここには決してなくならない自然の資産がある。この二つの偉大な川が昼も夜も、一秒も休まず流れ、その流れとともにカネも動き続けている。この資産を生かすということだよ」

ケアロの往時の繁栄は、町に残る大邸宅「マグノリア・マナー（大邸宅）」にもみてとれる。戦略的要衝のケアロは南北戦争で北軍の補給基地となり、その軍需も追い風に財をなした実業家が建てた邸宅だ。ドイツからの移民だったクラインの曽祖父母は、れんが焼きで生計を立てていたが、そのれんがが「マナー」に使われているのがクラインの誇りだ。

「この町に仕事をもたらし、若者に好機を与え、その子どもたちが町に残れるようにする」。クラインは、そんな夢を抱き続けてきた。十数年前、地域再興の計画づくりで支援を求めた相手が、イリノイ州の州都スプリングフィールドでコンサルティング業を営むトッド・エリー（59）だった。

町を訪れたエリーは、「基礎的なインフラ（社会基盤）があまりにも貧弱で、町の再生は難しい」と感じた。米住宅都市開発省（HUD）の予算を得て廃屋の解体作業などを進めた後、その後の町の将来像について、クラインらと議論を重ねた。浮上したのが「河港」のアイデアだ。町がミシシッピ側の河川敷に持つ約140ヘクタールもの敷地を生かし、荷物の積み下ろし設備を備えた港をつくる、というのだ。

エリーはこう振り返る。「それまでやってきた地道な事業に比べると、途方もない飛躍としかいいようがなかった。でも、調査を進めるうちに、『やれる』と思った」。2010年、町や公益事業会社を中心に、事業主体となる「アレクサンダー・ケアロ河港地区」を設立した。新型コロナウイルス危機が覆った20年、この事業に州予算4000万ドルが充てられ、具体的に動き始めたという。

ケアロの地の利は理解できるが、いまさら河港など可能なのだろうか――。

半信半疑の私に、エリーがパネルを掲げて示したのが、カマボコ板のような台の枠のなかに、ブロックが隙間なく詰め込まれたようなイメージ図だった。

「この船がケアロに来る」

ブロックのような箱状の積み荷は、世界の物流に革命的変化を起こし、過去数十年間のグローバル化の最大の推進力となった「コンテナ」だった。グローバル化がもたらした成長からまったく取り残されてきたこの地に、この「箱」を持ち込もうというのだ。

忘れ去られた人々

ケアロを囲み、ミシシッピ川沿いに築かれた堤防の上を、クラインの運転で進む。目指すのは、動き始めた河港開発事業の予定地だ。堤防がせり出し、川との距離が近い一角に着いた。

「ここに船のドックをつくる」。エリーが言った。「船の積み荷をクレーンで引き上げ、移し替えるんだ」。堤防の内側にトレーラーを待たせ、既存の鉄路を改修すれば鉄道での搬出も可能になる。「積み荷」とは、エリーが示したカマボコ板形の船に載せることになるコンテナだ。

過去数十年間のグローバル化は、外洋でのコンテナ輸送の進化に支えられてきた。20フィート（約6メートル）と40フィートの長さで国際的に統一された「箱」は、貿易の障害になっていた輸送費用を劇的に引き下げた。近年は、20フィートのコンテナを2万個積めることを指す「2万ＴＥＵ」超の巨大コンテナ船も運航する。パナマ運河の拡張で大型コンテナ船がメキシコ湾に入りやすくなり、アジアとの結びつきはさらに増す。

この結びつきを、ミシシッピ川を通じて内陸のケアロまで引き込もうというのがエリーらの計画だ。河港事業のコスト分析を担うコンサルタントのジョン・ビッカーマンは、欧州の河川で試験を進めているカマボコ板形のコンテナ船がミシシッピ川に導入されれば、「物流を劇的に変える可能性がある」とみる。輸送量は従来のはしけが２００〜９００ＴＥＵなのに対し、コンテナ船は１隻１８２４〜３２４４ＴＥＵで、コストを大幅に削減できる。

製造業や農業が集積する米中西部から、南部のメキシコ湾岸に至る帯状の地域が、アメリカの港湾都市間の競争の「主戦場」だ。この地域の製品や農産物の供給網に、港からいかに速く、安くアクセスできるかが勝負を決める。この「主戦場」の要に位置するのがケアロだが、いまは荷物が通るのを眺めるだけで、地理的優位を生かせていない。

例えば、米国産大豆は、和食に欠かせない食材として日本に輸出される。中国に対しても、食用の豚の飼料として重要な輸出品だ。トランプ前政権が対中貿易摩擦を激化させた際、中国が米国産大豆に真っ先に対抗関税をかけたように、食料・経済安全保障上も重要な産品だ。

ケアロから見て北西に位置するノースダコタ州の大豆農家を取材した際、この地域の大豆は鉄路で西部のロッキー山脈を越え、太平洋岸北西部の港からアジアへと輸出されていた。いまは、輸出用の米国産大豆の25%がこの太平洋ルートで運ばれ、60%が、ミシシッピ川などを通じてメキシコ湾へと搬出されていく。もし、鉄路や高速道路への積み替えもしやすいケアロにコンテナ水運の施設が整えば、搬出ルートのシェアを奪うことも可能だ。カギを握るのが、日本市場などで求められる非遺伝子組み換えの大豆だ。穀物はコンテナより安い「ばら積み」で運ばれることが多いが、遺伝子組み換えの大豆の混入を防ぐうえではコンテナ船が有利だ。ケアロを拠点に輸送コストが下げられれば、大きな売りになる。

オハイオ川に面したはしけ運航大手アメリカン・コマーシャル・バージ・ライン（ＡＣＢＬ）のケアロ拠点を訪ねた。拠点責任者のマーク・グラーブ（55）は「アレクサンダー・ケアロ河港地区」の理事も務める。10代からはしけ運送の現場で働いてきた。「夏は暑く、冬は寒い。川の仕事はきついが、この川が我々を生かしてくれた。これからもそうだ」。河港設備が整っていない現状では、修理や清掃などのサービス業務が中心だ。グラーブは「これまでは、はしけとコンテナの規格が合わないために、あまり使われないできたが、もし（新型船の導入で）コンテナ輸送を増やせれば、この地は理想的な集配送の拠点になる」と話す。

先立つ資金がなく、クラインらが10年に「河港地区」を設立してからも事業はなかなか進まなかった。転機は17年、イリノイ州上院議員（共和）に当選したデール・ファウラー（64）が選挙区の状況を調べたことだった。

イリノイは州一つで北海道、四国、九州を合計したほどの広さがある。世界有数の大都市シカゴと、シカゴから見れば南の果てにあるケアロでは、経済条件や文化も大きく異なる。「ケアロの住民は全く忘れ去られてきた」。ファウラーはそう振り返る。エリーに会い、事業案を知ると「河港のアイデアにすぐほれ込んだ」という。「ここは、アメリカの内陸水運の8割が通る。水運は最も安い輸送手段だ。パナマ運河を通って運ばれてくるコンテナをもっと増やせたら、州全体の利益が増える」

イリノイ州議会でも連邦議会と同様に、都市住民に支持された民主党と農村部を基盤とする共和党との党派対立は激しい。だが、ファウラーは「事業本位」で動くことを心がけた。当時の知事ブルース・ラウナー（共和）との会食の場でケアロの事業を直訴した。その後、ラウナーが落選し、民主党のJ・B・プリツカーが知事に就いてからも、知事との直談判を重ねる。20年、州予算で4000万ドルを確保し、事業計画が動き出した。21年8月、プリツカーはケアロの合流地点で記者会見を開いた。「河港は世代を超えた投資であり、地域社会の再興に向けたイリノイの指導力の光り輝く模範となる」と、超党派の成果をアピールした。

エリーやファウラーは、時代の追い風も感じている。1980年代以降、市場競争や自由化を重視する「小さな政府」路線が主流になったこともあり、大規模なインフラ投資は進まず、アメリカの公共投資は60年代をピークに低迷が続いてきた。それを一変させたのがコロナ危機だ。アメリカ西海岸では、需給の混乱で輸入品の荷揚げ処理が追いつかず、コンテナ船が沖合に滞留していた。インフレを和らげるためにも、輸送網の整備の必要性が強く意識されるようになる。連邦議会でもインフラ投資法案は超党派の賛同があり、21年11月15日、バイデンの署名を経て成立した。

エリーは「東海岸や西海岸の港による輸送のコストや時間が著しく増えるにつれ、海運会社も従来と違うルートを探している。ケアロは絶好の選択肢になる」と期待を寄せる。民間からも出資を募り、最速で22年末に着工、24年末に稼働開始、25年からコンテナ船の導入、というシナリオを描く。

ただ、もし河港のインフラが整ったとしても、それを生かせるかどうかを決めるのは、実際にかかわる人たちや地域社会だ。事業や地域の今後の展望を探るためには、ケアロのこれまでの歩みを振り返ってみる必要がある。

ハックとジムが目指した地

「おれたちはケアロの話をして、着いたらケアロだってわかるかなあと話しあった……おおきな川がふたつそこで出あうんだからそれでわかるんじゃねえか、とジムは言った……ぜったい見えるともさ、なんてったたって見たとたんおれは自由な人げんになるんだし、見のがしたらまたドレイ州にはいって自由になるチャンスもフイになるんだから」[10]

米文学の傑作として知られる、文豪マーク・トウェインの『ハックルベリー・フィンの冒険』の一節だ。主人公の浮浪児ハックとともにいかだでミシシッピ川を下る黒人奴隷ジムは、オハイオ川との合流地点ケアロで針路を変え、蒸気船でオハイオ川を上流へとさかのぼり、自由州へ入ろうと計画していた。だが、2人はさまざまな不運からケアロを行き過ぎてしまう。

ジムの希望の地だったケアロ。だが現実には、この地では第2次世界大戦後も激しい人種差別が残り、黒人の苦難は続いた。地域の衰退も、差別の歴史と切り離すことはできない。

2011〜19年、黒人市長として2期にわたってケアロを率いたのが、タイローン・コールマン（72）

オハイオ川に臨む土手で語るケアロ前市長のタイローン・コールマン＝2021年10月5日、イリノイ州ケアロ（著者撮影）

だ。「子どものころは、週末にはこの辺に軍のパレードが来ていた。太鼓やラッパが鳴ってね。信じられないだろう?」。ケアロの中心部で懐かしそうにそう語った。

多くの白人が町を去ったいま、ケアロは人口の7割を黒人が占める。平均世帯年収は約2万6000ドルで全米水準の4割にとどまり、住民の3分の1は貧困世帯にある。大学の学士号を持つ町民は15%。家屋の半分は空き家になっている。

商業の中心として栄えた「コマーシャル・ロード」や「ダウンタウン歴史地区」も廃屋と更地が目立つ。ガソリンスタンドもなく、町に唯一残る小売店は、100円ショップにあたる「ダラーゼネラル」だけ。自家用車のない住民は、この店で生活の糧を得るしかない。

コールマンは「ケアロはアメリカの縮図だ」ともいう。だが、このような貧困をよそに、コロナ危機後1年半がたって米株式市場は史上最高値圏を推移し、都市部では人手不足が問題になるほど経済も回復している。「アメリカは世界で最も富裕な国なのでは」と問い返すと、コールマンは諭すようにこう言った。

「富裕なのはごく一握りだ。この国の圧倒的多数の国民は生きるのに精いっぱいだ。人を差別や対立に向かわせるのは、困窮だ。キング牧師は『きょうだいとして生きることを学ばなければ、みな愚か者として滅びる』と言った。我々が直面していることだ」

コールマンがケアロで生まれたのは1949年。生後4カ月のとき、22歳だった父が、オハイオ川の上をケンタッキー州へとかかる橋でトラックにはねられて事故死してしまう。母は再婚し、コールマンは父方の祖父母に育てられた。

イリノイ州は、南北戦争に勝利した大統領リンカーンを出した。しかし、その最南端のケアロでは、第2次世界大戦後も人種隔離政策が続いた。公民権運動の高揚とともに、60〜70年代、ケアロは全米に報じられるような激しい人種間の銃撃や暴動の舞台となった。米最高裁が、公立学校での人種分離を違憲とする「ブラウン判決」を出したのが54年。黒人解放運動のデモなどにもよく参加していた祖母の意向もあり、コールマンは黒人と白人がともに学ぶ学校に通ったが、黒人の級友はごくわずかだった。ある晩、祖母が血まみれで帰ってきたこともあった。人種隔離のスケート場に入ろうとした際、鎖で暴行を受けたのだという。

73年、ジャーナリストのポール・グッドが書いた「ケアロ　人種差別の満ち潮」は、「これは、大きな米国の問題を提起している、ケアロという小さな町の報告である」という印象的な一文で始まっている。コールマンと同じ視点だ。グッドは「黒人にチャンスを与えるくらいなら、ケアロの町がミシシッピ川に流されてしまえばいいと思う白人も多かった」という白人住民の声を引用する。当時から明らかだったケアロの衰退について「悲惨な人種関係がもたらす精神の貧困が、発展に欠かせない人的資源を荒廃させてきた」と指摘した。[11]

いわれなき差別が戦後も長く残り、連邦政府や州政府といった「中央」から忘れ去られたかのように貧困にあえいできたケアロ。黒人市長として、怒りや恨みを抱いたとしても不思議ではない。だが、コールマンは「ケアロは神に祝福された町だ」という。予期していなかった答えだった。

「さまざまな障害を乗り越え、まだこの町はある。それだけ、へこたれない回復力を持っているということだ。第一、世界で最も力強い二つの大河に挟まれながら、水没もせずに存続しているじゃないか。この町がどこよりも貧しいとしても、この町で生きたい」

コールマンは「人種差別にこだわっているよりも、町としてどう生き残るかだ」と語る。「だからこそ、河港建設の事業を成功させることが重要だ。この事業も神の取り計らいだから、必ず実る」

コールマンは、党派を示さなければならない市長選では民主党を選んだが、本心は「独立派」だ。地域の将来の「重要な決め手」と位置づける河港事業をめぐっては、共和党の州上院議員のファウラーらとも連携してきた。

「共和党と民主党の分断だけではなく、いまや民主党のなかでも革新派と保守派で分断が始まっている。人々をばらばらにしようとする動きを止められないのが、この国の落とし穴だ」

アメリカは民主主義国家としての統合を目指す一方、奴隷制に象徴される根深い分断を抱え込んできた。分断をあおることで台頭したのがトランプである。トランプ支持と不支持とを分ける明確な断層が、「都市と農村」「大卒か非大卒か」だ。米農村部の人々が持つ、独立や自助を重んじる草の根の保守主義や連邦政府への不信感と、「小さな政府」を志向する市場原理主義とが結びつき、トランプ支持の強固な基盤を築いている。トランプが掲げる減税や規制緩和は都市の富裕層に大きな利益をもたらすが、経済力で劣る農村部がその政策を強く支持する、という皮肉な構図が続いてきた。

この構図には、人種差別的な経済構造も関係する。全米の黒人の失業率は白人に比べ２倍程度で推移する。貧困層への支援を手厚くすれば、利益は黒人により手厚く及ぶのではないか——。社会保障を重視する「大きな政府」への反発には、そんな感情も底流にある。

「バラバラにされた大衆が権威主義的な政府を求め、民主主義が失われたら一番得をするのは誰か。金持ちと権力者ではないか」。コールマンはそう語る。ケアロの差別の歴史を身をもって知りつつ、河港事業が象徴する「未来」を見ようとするのは、分断の構図を乗り越えるカギとなると考えるからだ。

一方で、コールマンの市長としての任期中も、ケアロの苦境が変わらなかったのも事実だ。2010～20年は、ケアロを含むアレクサンダー郡が全米一の人口減少を記録した。この要因ともなったある危機は、ケアロの民主主義を改めて試す機会にもなった。

夢は続く

更地が目立つケアロの中心部にひときわ広い一角がある。ぽつりと立つ廃屋の壁には、黒人解放運動の指導者マーチン・ルーサー・キングやマルコムXの色あせた絵が描かれ、「夢は続く（THE DREAM LIVES ON）」と記されていた。キングの演説「私には夢がある」の「夢」だろう。

この一角と、少し離れた街区には19年まで、約200世帯が住む米連邦政府管轄の公営住宅が並んでいた。1940年代に建てられ、老朽化が著しい低層アパートに住んでいたのは大半が貧しい黒人だった。衛生上などの理由から米住宅都市開発省（HUD）が撤去を決め、住人は家賃補助を受けて移住を余儀なくされた。これが、ケアロ一帯の全米一の人口減を引き起こす大きな要因となった。

公営住宅ではネズミやゴキブリがまんえんし、暖房も利かない劣悪な環境が長く放置されてきた。一方、管理に責任を持つアレクサンダー郡住宅局の幹部らは公金を旅行などに不正利用していた。その実態を掘り起こしたのが、地元紙サザン・イリノイアンの記者モーリー・パーカー（39）だ。

イリノイ州カーボンデールを拠点とする「サザン」は、記者5人ほどで州南部をカバーし、部数も数万ほど。ソーシャルメディアなどに押されて苦境が続くほかの地方紙と同じように、人員や予算の削減が続く。州南端のケアロは、目を向ける余裕がない「ニュース砂漠だった」とパーカーは言う。

そんなサザンのもとに、HUDの内部資料が持ち込まれたことが転機になった。「公営住宅の実態について見て見ぬふりをしていた連邦政府への怒りから情報を寄せてくれたと思う」とパーカーは振り返る。関係者や住民への取材を重ね、15年8月以降、記事を書き続けた。報道を追い風に住宅危機の問題が全米で報じられるようになり、17年6月、米上院の公聴会で取り上げられるまでになった。

トランプ政権のHUD長官ベン・カーソンは17年8月にはケアロを訪れ、公聴会で、ケアロについて「死にひんしている町だ」と説明した。カーソンは住民ができるだけ町に残れるよう努力を尽くすと語った。しかし結局、住宅は建て替えずにすべて撤去されることになった。

住み慣れたケアロを去らなければならなかった人々に胸を痛めつつも、パーカーは地域の将来につながる手応えも感じていた。ケアロの人々が長い苦境の末に、「運命共同体（Everybody is in the same boat）」の感覚を持つようになったためという。

「ケアロの経済的苦境は、実はケアロだけの問題ではない。白人が多いイリノイ州南部の農村地帯も同じだし、全米の地方の町が直面している問題だ」

個人主義と自由競争は富をもたらすが、格差も生み、民主主義を破壊する危険をはらむ。トクヴィルが草創期のアメリカに見て取った共同体の感覚は、なぜ失われたのか。アンガス・ディートンにこの問いを尋ねた際、返ってきた答えは意外なことに「ツイッターなどの普及による地方紙の壊滅」だった。その「壊滅」の流れにあらがう一石を投じたパーカーは、あらためて地方からの報道の意義を確認している。「ローカルな視点で、同じ困難に直面する『近所』同士が結びつけば、分断は起こりにくくなる。

地方紙の使命は共同体を築くことだ」

ケアロの人々が共同体として前に進むためのシンボルとして機能しているのが、河港事業だ。ただ、町の福祉活動を担うNPO「アローリーフ」の責任者シェリー・クラブ（36）は「問題は、河港事業が生み出す雇用機会に応えられる技術や知識、経験が町に育っているかということだ」と話す。

ケアロのように地域の産業が衰退すると、住宅や水道など有形のインフラだけでなく、働く人々や次世代の子どもに対する無形の教育訓練投資も滞っていく。「ここに住まず、遠くから通う人々が多くの雇用を得ることになるのではないか」。そんな懸念から、クラブは自らが関わる地域短期大学（コミュニティー・カレッジ）で河港事業に必要な知識を教えられるよう、「アレクサンダー・ケアロ河港地区」と協議を進めてきた。

巨額の財政出動でアメリカの社会改革を目指すバイデンも21年7月7日、イリノイ州クリスタルレークのコミュニティー・カレッジで演説し、ケアロの河港事業向けの4000万ドルを含む州のインフラ投資計画を紹介した。「（プリツカー）州知事のインフラ計画はきわめて野心的で大がかりなものだ。我々（連邦政府）も超党派の合意に基づき、最大級の公共投資を進める」。バイデンはそう訴えた。

大規模な公共事業は、19世紀末から20世紀前半にかけて進んだ急激なグローバル化の弊害に対する、アメリカなりの答えでもあった。経済格差の拡大は共産主義やファシズムを生んだが、アメリカはニューディール政策以降、収縮した需要を公共事業などで補う財政政策や社会保障の導入で乗り切り、資本主義は生き残った。

アメリカの経済格差と密接に関わっているのが人種差別だ。ただ、自らも黒人としてその厳しさを知るケアロ前市長のコールマンは、かつて黒人を憎んでいた世代の白人がいまや、黒人との人種間結婚で生まれた孫を持ち、慈しむのをみて希望を持ったという。コールマンは、「『アメリカとは理念（idea）だ』という信頼が、自分の根っこにある」と語る。

バイデンも好む言葉だ。21年4月28日の施政方針演説では「アメリカとは理念だ。我々全てが平等につくられたという、歴史上最も比類のない理念だ」と述べ、アメリカの「原点」を強調した。「全ての人が平等につくられた」という文言を含む1776年の米独立宣言は、奴隷制と矛盾なく併存していた。黒人奴隷は人ではなくモノだとみなされていたからである。米国戦史上、最多の死者を出した南北戦争を経てもなお、いまに至るまで根強く残る差別や格差の構造は、米国型資本主義の課題を示す。こうした激しい対立を内包しながら、アメリカ社会は理念を軸に前へと進もうとする。

「米国民に伝えたい。アメリカは再び動き始めている（America is moving again）。皆さんの暮らしは良くなる」。21年11月15日、インフラ投資法の署名式で、バイデンはそう訴えた。アメリカのデモクラシーは、「夢」を求めて運動を続ける民主主義である。ケアロの河港のようなインフラ事業は、その夢をわかりやすく示す象徴としての意味を持つ。トクヴィルの言う「魂の絶えざる震え」のなかにおかれたアメリカ人はつねに虚無と背中合わせであるが、行きつ戻りつを繰り返しながら前へと進む。そのなかで、人々は時に驚くべき創造性や不屈の精神を示す。

「新しい国制の興奮」

200年前にトクヴィルが書き残したケアロの地を訪れ、時空を超えて、そのメッセージがあらためて生々しくよみがえってくるような感覚にとらわれた。トクヴィルを理解する上で、一つの導きの星となってくれたのが、東京大学法学部で政治学史の講座を受け持っていた故・福田有広（ありひろ）助教授の『2002年度夏学期　政治学史講義プリント（後半部）』という小冊子である。

大学4年生のとき、福田の「政治学史」を受講した。福田の名は天才肌の政治学者として学生にも知られていた。ホッブズやハリントンといった17世紀の英国政治思想を研究し、30代ですでに、本場のオックスフォード大学出版局から英語で本を出している。常人離れした峻厳なオーラを漂わせていたが、私は出身高校が一緒ということもあり勝手に親近感を感じていた。古代ギリシアから始まる講義は最終盤のトクヴィルまで行き着かず、福田は講義プリントを小冊子にしたものを配布した。

大学を卒業し、社会人になって1年目の翌03年11月、福田が39歳で夭折したことを知った。存命であればその後、どれほどの貢献を学界になし得たであろうか。以来、大学時代の講義資料のなかで、福田の「政治学史講義プリント」だけは手元に残していたのである。福田はトクヴィル、トクヴィルに学んだアーレント、そこから日本について、重要な洞察を「プリント」に残していた。

ケアロのタイローン・コールマンは、黒人としてのアイデンティティーに強く根差した敬虔な信仰を持っていた。アメリカ社会の統合の象徴であるキング牧師は、こうした信仰の系譜のなかでひときわ輝く存在である。福田はこう指摘する。

「トクヴィルの見るところ、個人の関心を社会に向ける上で大きな役割を果たしているのは宗教である。宗教は、ヨーロッパでは、デモクラシーには反対する役割を果たしてきた。ヨーロッパの宗教はアンシャン・レジームと結びついているからである。ところがアメリカでは、カトリック教会でさえ、デモクラシーに協力している。なぜなら、宗教こそ、人々を狭い自己利益の閉ざされた世界から解放するからである。宗教は、共同性という観念を人々に提供し、人間のまとまりをつくりだす」

「トクヴィルは、デモクラシー（平等化）のもたらす弊害、問題性に関心を寄せた。そして、デモクラシーを拒否するのでなく、その必然の趨勢を前にして、デモクラシーの弊害を最小限に抑えること、つまり、人間を啓蒙しデモクラシーを矯正することに関心を寄せたのである」[12]

福田によれば、トクヴィルの守ろうとする自由は、「商人階級の物質主義的な自由」ではない。「物質主義をこえる形で専制を克服し、自由を確保しようとする」姿勢そのものが真の自由主義である。それならば、翻っていま、「商人階級の物質主義的な自由」を体現したかのようなトランプが大統領に就き、人々が熱狂するという事態をどのように考えればよいのだろうか。トクヴィルが懸念したように、デモクラシーのもとでバラバラになった個人が、政府が与える物質的利益で手なずけられ、柔和な専制に絡め取られているということなのだろうか。

そういう面もあるかもしれない。ただ、ケアロでの取材を終え、少し違った視点で考える必要があるのではないかと思うようになった。そもそもトクヴィルは、『アメリカのデモクラシー』のなかで、アメリカの政治家のレベルの低さを嘆き、「アメリカの民主主義が権力を委ねるべき人間の選択をしばしば誤ることはたやすく分かる」と言っている。トクヴィルが抱いた疑問は、アメリカという国家が「どうしてそうした人間の手で繁栄するのか」という点であった。

トクヴィルがその要因として真っ先に挙げたことが「民主制の国家では為政者は他に比べて廉直と能力とに欠けるとしても、被治者は逆により知識豊かで注意深い」という事実である。そして、為政者が無能であり、被治者にも欠陥が多いとしても、自分たちの問題を自分たちで処理する民主政治の根底には、全体の繁栄のために尽くす傾向が生まれる、という。トクヴィルは、「アメリカ人の大きな特権は、失敗してもやり直しがきくということである」と言い切る。[13]

取材の実感とも符合していた。トランプへの支持者であれ批判者であれ、アメリカを取り巻く諸問題についての考えを、自らの言葉で語るごく普通のアメリカ人たちの姿勢には、感銘を受けることが多かった。私益を離れ、「全体の繁栄のため」に尽くそうとする姿勢は、ワシントンで取材する政策エリートたちよりもむしろ、コールマンのような、アメリカの草の根の人々によく見いだされた。

福田が「講義プリント」で、トクヴィルに続く項として解き進めたのは、ハンナ・アーレント（1906〜75）であった。ドイツに生まれたユダヤ人であり、アメリカに亡命したアーレントは、トクヴィルと同じように外からの目でアメリカを観察する視点を持っていた。さらに福田によれば、大衆を政治的に活性化しなければ自由を守ることはできないと考えた点で、トクヴィルとアーレントは同じ系譜に属する。

福田は、トクヴィルの母国フランスとアメリカという二つの国で、18世紀末に起きた革命を比較したアーレントの著書『革命論（革命について）』に注目する。フランス革命は悲惨なテロルに陥り失敗したが、アメリカ革命（独立革命）はそうではなかった。なぜだったのか、福田はアーレントの思考をこうたどる。

「一つには、社会条件が違ったからである。フランス革命では、貧困の問題、つまりいかにして人民を食わせるか、という経済の問題、社会の問題に革命政権が直面してしまったために、政治の問題を後回しにせざるを得なかった。ところがアメリカ革命では政治のことを考える余裕があった。それはともかく、政府形態 forms of government について考える余裕があったということであり、具体的には、フェデラリストが、古代の共和制について学んだ成果を生かして、熟慮に熟慮を重ねて、憲法を書くという形で、新しい国の国制を作り上げたということである」[14]

それではアメリカ革命は成功だったのか。この点について、アーレントはフランス革命やロシア革命のようなテロルに陥ることがなかった点は評価しつつも、結果的にはアメリカでも、硬直した二大政党制によって本来の革命精神が失われてしまったと結論づけている。特にアーレントは、村や町といった地域社会で「人民の学校」として機能していた「町の公会堂集会 townhall meetings」が連邦憲法にも州憲法にも規定されず、役割が衰えたことを問題視していた。アーレントは言う。「アメリカ共和国はなるほど人民に自由をもたらしたが、その後この自由が現実的にも行使されうるような空間を含んではいなかった。実際に政治的活動をなす機会をもっていたのは人民ではなく、人民に選ばれた代表者たちだけであった[15]」

そして、福田の「講義プリント」は、驚くべき形で幕を閉じる。古代ギリシアに始まり、西欧の政治思想史を紹介するこの講義の最終段階で、突如、話が日本に飛躍するのである。論理性を重視していた福田の文章としては、唐突な脱線とも受け止められる。少し長くなるが、引用したい。

「アレントは、フェデラリストから二百年近くたったアメリカにおいて、自分の共和政理解が周りとずれてしまっていることに気づいていた。１９６３年、『革命について』の段階で、もはや、政治機構、政府形態 forms of government の問題にアメリカでは誰も関心を持っていないとアレントは嘆いている。また、フランス革命が、憲法を書いたり消したりを繰り返したため、憲法は政治学ではすっかり馬鹿にされる存在になり、憲法を書くことによって国制を定める、つまり政治機構を作り上げるという考えは消し飛んでしまったともいう。

しかし、ヨーロッパから見て東のはずれ、日本ではいささか事情が違っていた。二十世紀の半ば、日本は戦争に敗れた結果、君主政が倒れ、共和政が成立するという国制の変化をたどった。その時、その新しい国制は、一気に書き上がった憲法によって創設されるという、政治学史の上ではきわめて古いタイプの成立経路をたどった。しかもそこには、ジョン・ロック流の信託の議論とともに、最高裁判所の独立、衆参両議院の二院制、地方自治制度といった、遠く共和政ローマに源を発する政治制度が組み込まれた。その意味で、憲法を書いて共和政を作るという十七世紀、イングランドのハリントンの夢は、二十世紀半ばの極東でも、はからずも実現することになった。それからわずか半世紀を隔てた、二十一世紀初頭の今日、憲法を書くことによって新しい国制がスタートしたという興奮は、日本にあって、未だ冷めていないように思われる[16]」

これを読んだとき、最初は違和感を覚えた。「憲法を書くことによって新しい国制がスタートしたという興奮は、日本にあって、未だ冷めていない」――。このような感覚が、同じ日本人として、私には持てなかったからである。アメリカから無条件降伏を求められた日本にとって、日本国憲法がアメリカから押しつけられたものであることは、否定できない。憲法にうたわれた崇高な理念とは裏腹に、それを自得できなかった鬱屈は、日本人に静かに根を張っている。現代の多くの日本人に「興奮」があるだろうか。ただ、福田には、虚無と寂寥に沈んだように見える戦後日本のなかにも、静かに息づく興奮の「熱」が見えていたのだ。

日本がアメリカとの戦争に突き進み、亡国の淵に追い詰められるに至った根底には、明治期以来の日本の民主主義の未成熟があった。戦後の日本は「アメリカのデモクラシー」への降伏から出発し、それは、いまに至るまで我々のありようを制約している。とはいえ、たとえ遅々とした歩みであっても、「日本の民主主義」も、前に向けて運動を続けてきた。多様な意見を尊重する言論の自由と、連帯して公共の課題にあたる共同体の精神がある限り、民主主義は誤りを修正していく復元力を持つ。軌道修正において強みを発揮する民主主義は、敗者にこそふさわしいものなのかもしれない。ただ、それは敗者が勝者への依存や甘え、従属といった心性から離れ、自らの足で立つ覚悟を持つ場合にのみ、言えることだろう。

「アメリカのデモクラシー」も短期的にみれば、頻繁に誤りを犯す。トランプのような指導者を生み出し、その政策は激しい振幅で揺れ動く。アメリカへの依存は、日本人の民主的統制の及ばないトランプのような指導者に、日本の運命を大きく委ねることだ。アメリカの覇権に支えられた冷戦終結後の「第2のグローバル化」の時代が終わり、国際環境は著しく流動化している。日米同盟を外交の基盤としつつも、日本があくまで独立自尊の軸を定めなければ、日本の民主主義の存立は危うくなる。

アメリカは第2次世界大戦に続き、冷戦の終結もアメリカの自由と民主主義の「勝利」と受け止め、グローバル化を推し進めた。その驕りはアメリカを内側からむしばんだ。しかし一方で、グローバル化の「敗者」のように見えるケアロのような地域社会の人々が、連帯を図り、民主主義を実践している。個人主義が浸透するアメリカにあっても、もしかすると「敗者」であるが故に、自らの力の限界と、他者との支え合いの必要性を肌感覚で知っているからなのかもしれない。

21年12月9日、バイデンの呼びかけで、世界111カ国・地域が参加したオンラインの「民主主義サミット」が開かれた。このサミットについては、民主主義をイデオロギーとして世界を二分するものという批判も多かった。ただ、冒頭の演説でバイデンが述べた一節には力があった。

「民主主義――人民の、人民による、人民のための政府――は、時に脆弱であるが、同時に、本質的な復元力を持っている（inherently resilient）。自己修正力、自己改善力を備えている」

アメリカは、トランプが体現するような社会の分断に苦しみ、のたうち回っている。トランプに「スリーピー」とあざけられるバイデンも、その衰退を象徴しているかのようにみえる。だが、アメリカは、まだすさまじい潜在力と復元力を持つ国である。アメリカは確かに誤る。しかし、自由と平等とを求めながら多様な国民がぶつかり合う渦のなかで、長い目で見れば、進路を補正していく力を保っている。

アメリカのデモクラシーは、日本にとって、まだ汲み尽くせないほどの学びの泉である。アメリカの大地は、虚心坦懐に学ぼうとする者には、その強さも弱さも率直にさらけ出す懐の深さをもっているからだ。その学びの過程こそが、アメリカに自らの国制を大きく規定された日本の民主主義が、真の独立と強さを得るためのカギを握っている。

終　章　ひび割れる世界に湧く泉

ホワイトハウスで行われたインフラ投資法の署名式で演説するバイデン大統領
＝2021年11月15日、ワシントン

トランプの警鐘と限界

大統領選の投票日を目前にした2020年10月24日、トランプの選挙集会を取材するため、中西部オハイオ州の空港から農村地帯を車で走った。沿道の農家が庭に立てるヤードサイン（宣伝板）が、車窓に映っては消えていく。やはり、トランプ支持を呼びかけるものが圧倒的に多かった。

農村地帯でのトランプの集会はいつも、日本の夏祭りのような雰囲気だ。普段は閑散としているのであろう野外会場に、ワゴンの出店が並び、人々は何時間も前から開場を待つ。トランプが現れると、虚実がないまぜの「ショー」が始まり、静かな田舎町はその数時間、喧噪と興奮に包まれる。

サークルビルの会場に来ていた電気技師ロニー・マーロウ（51）は、14歳のころから祖父の農場を手伝ってきたという。この地域の多くの労働者と同じように、トランプ登場までは一貫して民主党を支持していた。父親も電気技師で、投票先は決まって民主党だった。その父が16年の大統領選挙でトランプを応援する、と言い出したときは、マーロウも最初は「頭がおかしくなったのか」と感じた。父や母は、17年1月のトランプの大統領就任式の際には、ワシントンに直接赴くほどの熱心な支持者に変貌していく。そして、トランプの主張を知るにつれ、マーロウ自身も共鳴するようになっていったという。

何が人々をそれほどトランプに惹き付けるのか。マーロウは言う。「トランプの『アメリカを再び偉大に（Make America Great Again）』だよ。アメリカはあまりに中国に依存しすぎた。雇用を取り戻し、ごくふつうのブルーカラーの人々が働けるようにしなければならない。トランプはそれを成し遂げた」

マーロウには、海兵隊員で沖縄から戻ってきたばかりの息子がいる。民主党やオバマ民主党政権が、身命をなげうってアメリカや同盟国を守る米軍や軍人を軽視した、と感じてきた。トランプが逆に、軍人や警察官などを大切にする姿勢を強調するのにも好感を持ったという。

マーロウの話を聞きながら、複雑な思いにとらわれた。いま日本の安全保障は、アメリカとの同盟なしには成り立たなくなってしまっている。在日米軍基地による米軍の前方展開は、もちろん米国にも多大な戦略的利益をもたらしているが、日本の経済的繁栄を支える海上交通の自由や法の支配を、実力面で担保してきたのも事実だ。マーロウの息子は、そのために家族と離れ、日本で軍務についている。戦後日本は、軍事面でも経済面でも、アメリカにあまりに多くを依存しすぎた。そのアメリカとは、突き詰めれば、マーロウの家族のようなひとりひとりの人々の献身である。

もちろん、大方の日本人は、そうしたアメリカ人に感謝の思いを抱くことなどない。それどころか、在日米軍基地はおおむね迷惑施設の扱いだ。ほんらい独立国である日本に、日本人の民主的統制が及ばない外国の軍事基地がある以上、やむを得ない心情だと思う。特に沖縄では、国土面積の1％に満たない県土に、全体の7割の在日米軍施設が集中している。県民が塗炭の苦しみをなめた沖縄戦から続く重い基地負担を踏まえれば、日本の国民にまず必要なのは、安全保障の責任を国全体で分かち合う当事者意識である。

ただ、沖縄に若い息子を送るアメリカ人の父親からすれば、せめてアメリカという国やその国民には、息子の献身に対して敬意を払ってほしいと願うのは当然のことだろう。ニューヨークの富裕な家庭に生まれ、たびたび徴兵免除を受けたトランプがほんとうに愛国者なのかは疑わしい。それでもトランプは、無数にいるマーロウのような親たちの思いを理解し、支持を取り付けるだけの政治的直観は持ち合わせていたのだ。

アメリカの「ごくふつうのブルーカラーの人々」の窮状をよそに、なぜ富裕な外国を守るために若い米兵の身を危険にさらさなければならないのか。アメリカは「アメリカ・ファースト」を貫くべきだ――。トランプの訴えには、一つの真理がある。日本人の多くはトランプの「アメリカ・ファースト」を批判する。ただ、そのアメリカは少なくとも、若い兵士が遠い同盟国に赴き、地域の安定のため有事の際には命をなげうつ覚悟を求められている国である。翻って、アメリカの庇護のもと通商国家としての物質的繁栄を追求してきた日本が、偏狭な「ジャパン・ファースト」にとらわれてこなかったと、自信を持って言い切れるだろうか。

第2次世界大戦後、国土や産業基盤が荒廃した他の主要国を尻目に、アメリカは圧倒的な覇権国として世界に君臨した。しかし、幅広い米国民に豊かさをもたらした例外的な時代は70年代で終わる。81年に発足したレーガン共和党政権は、減税と規制緩和による「小さな政府」で市場経済の活力をより積極的に引き出す方向へと転換し、その路線は冷戦のアメリカの「勝利」によってさらに支配的な潮流となった。世界はグローバル化をひた走り、企業は国境をまたいだサプライチェーンの効率化を前提として経済成長を追求した。

市場原理に重きを置く自由化は国を富ませるが、各国内や世界の経済構造に不均衡を生み出す。広大な国土をもつアメリカでは、製造業などの産業が特定の地域に偏在する。急速なグローバル化で一握りの富裕層は膨大な富を得た。一方で、中国などとの競争にさらされた地域社会は安定した雇用を失い、その社会基盤（social fabric）は弱まっていった。自由な市場経済への過信は、エリート層が「道徳を外部委託」し、個人の私利私欲を正当化するためのイデオロギーへと転じた。

トランプという異形の指導者は、アメリカが抱えた病理の症状である。グローバル化や技術革新の活力に沸騰する半面、社会基盤が弱まり、行き過ぎた個人主義の弊害が顕わになる。それは、国家としての草創期から「アメリカのデモクラシー」につねに内在する危機であった。地域の支え合いや教育、宗教といった公共性の「ふた」が外れれば、アメリカ社会は「深刻でほとんど悲しげ」（トクヴィル）な虚無の影にたちまち覆われてしまう。問題は、トランプは病理を可視化し、ダロン・アセモグルの言う「警鐘」を与える存在ではあるが、人々の苦悩に真に寄り添い、治療し、いやす医者や宗教家の役割は果たせなかったことだ。

その限界を垣間見たのは、コロナ危機が起きる直前、20年1月下旬のことだった。「世界経済フォーラム」の年次総会（ダボス会議）の取材のため、雪景色のスイス・ダボスを訪れていた。

会議の取材が一段落し、プレスセンターにいた私に1通のメールが届いたのは、1月22日の昼ごろ。ホワイトハウスから、ダボス会議に参加したトランプが記者会見を開くと知らせる内容だった。集合時間は10分後。トランプのダボス会議訪問は2年ぶりだったが、当初、記者会見は予定されていなかったこともあり、何を語るのか期待が高まった。会見場までの雪道を文字通り、走った。

毎年開かれるダボス会議は、金融界など自由化路線を支持する「グローバリスト」の総本山だ。この年は「ステークホルダー資本主義」がテーマだった。規制緩和や人員削減などを追求する株主資本主義を修正し、社会全体の利益を目指そうとする潮流を指す。主要国の経済界がこうした問題意識を持った背景には、世界で噴出した反グローバリズムの動きに対する危機感があった。その危機感に火を付けたのはトランプであり、その「警鐘」には意味があった。トランプが自分の主張を正当化するなら、これほど絶好の機会はない。

トランプは、ムニューシンら政権高官や、会談したばかりのWTOのアゼベド事務局長などを連れ、会見場に姿を現した。「ダボスで我々は見事な歓迎を受け、とてつもない成功だった。誰も彼も口にするのは、米経済の前代未聞の成功のことばかり。町中がその話で持ちきり、って感じだったよ」。会見では、米経済の好調さを棒読みのように繰り返した。前日、数百人を前に講演をしていたが、そのときも同じような調子で、アメリカ経済が減税と規制緩和でどれだけ潤ったかを強調していた。「未来にはさらにすさまじい可能性がある。『懐疑の時代』は終わった」とも豪語していた。

あきれるほど一方的で、退屈なトランプだった。16年の米大統領選で大方の予想を裏切って当選したとき、トランプには確かに、現状を突き動かすエネルギーがあった。賛否は別として、その主張には強烈な問題提起が含まれていた。それから3年が経つ。トランプ政権の経済政策には、ウォール街出身のムニューシンらを通じて米金融界の意向も強く反映され、アーサー・ラッファー流の「減税と規制緩和」が強く打ち出された。これは、通商代表ライトハイザーが指揮した、関税による国家統制志向の通商政策とはベクトルが逆で、トランプの経済政策「トランポノミクス」は全体としてちぐはぐで中途半端なものになっていた。大規模減税は確かにアメリカの消費を大きく刺激し、トランプはダボスに来る直前の1月15日、米中通商協議で「第1段階の合意」にも署名していた。米中の「休戦」に沸く米株式相場は史上最高値圏を推移する。そして、ホワイトハウスで開かれた米中合意の署名式でトランプを取り巻いたのは、アメリカを代表する多国籍企業や金融界の幹部らであった。

アメリカ経済の際だった特徴は、金融界（Wall Street）と、非金融の実体経済を支える中小企業や非富裕層（Wall Street と対照して Main Street と呼ばれる）の著しい乖離である。金融と関係が深い不動産業でのし上がったトランプは、「メーン・ストリート」とかけ離れた暮らしを送りながら、この二つの世界を巧みに遊泳する才能を持っていた。

08年のリーマン・ショック後、危機の根源となった「ウォール街」のエリートたちが本来の責任を取らなかったことは、アメリカ社会に激しい幻滅をもたらし、トランプが大統領に就く遠因にもなった。だがトランプ自身の腐敗も、ウォール街の堕落と変わりはしない。政権内では、ダボスでも登壇した娘のイバンカや、ニューヨークの不動産業界出身の娘婿クシュナー大統領上級顧問らが巨大な権力を持ち、「ステークホルダー資本主義」どころか「クローニー資本主義」に近い。発展途上国でよく見られる、指導者の家族や取り巻きの財閥が政治・経済の利権を一手に握る体制のことだ。

それでも、ダボスに集うような企業の経営者らがトランプに対し、公の場で異論を唱えることは少なかった。減税と規制緩和、そのもたらした好調な米株式市場の最大の受益者であったからだ。自らが拠って立つ内なる倫理を失い、「道徳の外部委託」に陥りがちになったエリート層と、「偽善のなさ」とニヒリズムを政治的武器とするトランプとは、奇妙な共生関係に立っていた。

トランプのダボスでの演説後、世界経済フォーラムの創設者クラウス・シュワブはトランプに向かって、「あなたが米経済、社会に成し遂げたことを祝福したい。あなたのすべての政策が確かに、米国民の包摂をさらに深めることに向けられてきた」とたたえた。だが、「包摂」とは裏腹の激しい経済格差などが生み出すひずみは、その数カ月後に起きたコロナ危機で如実に現れることになる。

「懐疑の時代は終わった」。ダボスでトランプはそう言い切った。トランプの退屈な演説の中で、最も印象に残った言葉だ。かつて福沢諭吉は、あるものの存在を無批判に受け入れる態度を「惑溺」と呼んで繰り返し批判した。政治学者の丸山眞男は、この言葉は、英語の「credulity」[1]という言葉に影響を受けたのではないかと指摘している。「信じやすさ、軽信性」という意味の単語だ。民主主義国家の発展には、健全な懐疑精神が欠かせない。世界の経済エリートが集まるダボスで、「懐疑の時代は終わった」と述べたトランプは、民主主義に勝った、と宣言したかのようだった。

この時期が、トランプの権勢の絶頂であっただろう。しかし、ダボス訪問からわずか1カ月余りの後、世界を席巻した新型コロナウイルスの感染拡大は、トランプとアメリカの運命を大きく変えた。コロナ禍がなければ、かなり高い確率で再選されていたであろうが、アメリカは世界大恐慌以来の混乱に陥り、経済が最大の鍵を握る20年11月の大統領選で、トランプはバイデンに敗れたのだ。

偽善と生きがい

21年1月6日、大統領選の結果を正式に承認する連邦議会上下両院合同会議の最中に、トランプの再選を訴える支持者が議事堂に乱入した。民主主義の根幹を揺さぶる事態に世界は震撼した。事件の翌朝、ニューヨーク・タイムズの1面には「トランプがモッブを扇動（TRUMP INCITES MOB）」の見出しが躍った。

モッブ（暴徒）という言葉は、ハンナ・アーレントが『全体主義の起原』で使ったことで知られる。ナチズムや共産主義体制を分析した『全体主義の起原』は、トランプ台頭の背景を探る古典としてアメリカなどで再び注目を集め、多くの新たな読者を得ている。この本でアーレントは、列強や植民地を取り巻く世界経済の相互依存が進み、安定的な成長が続いた「第1のグローバル化」の時代を考える上で、モッブを重要な概念としてとらえていた。現代と同じように一握りの富裕層に集まった過剰資本のはけ口を海外に求め、生まれたのが「資本とモッブの同盟」だったとアーレントは説明する。

「資本主義の発展のもう一つの副産物として、余った富よりもっと古くから生まれていたものがあった。人間の廃物がそれである。彼らは、工業拡大の時期のあとを必ず襲った恐慌ごとに生産者の列から引き離され、永久的失業状態におとしいれられてきた。無為を強いられたこれらの人々は過剰資本の所有者と同じく社会にとって余計な存在だった。……過剰となった資本と過剰となった労働力のこの両者をはじめて結びつけ相携えて故国を離れさせたのは、帝国主義だった」[2]

モッブは海外植民地へと「輸出」され、圧制の担い手になるとともに、本国では反ユダヤ主義や人種主義の信奉者ともなった。こうした事態に対し、先進的な左派思想としてもてはやされがちだったマルクス主義は役に立たなかった。モッブと資本家との「新しい同盟」が、労働者と資本家とを対置するマルクス主義の階級闘争の教義に反するものだったためだ。

議事堂を襲撃し、暴力に訴えた「モッブ」たちは、トランプ支持者のなかでも極端な例だろう。ただ、共和党支持者の過半が、大統領選挙がバイデンによって「盗まれた」とウソをつくトランプの主張を受け入れている現実がある。生活を取り巻く厳しい現実に直面しつつ、コモンセンス（常識）に依拠して生きる米内陸部のごく普通の人々は、「偽善のなさ」を強みとするトランプの率直さに引き込まれやすい。そしてトランプを媒介して、富と名声以外の価値尺度を失い、「道徳を外部委託」した経済エリートたちと奇妙に結びついている。

アーレントによれば、19世紀に資本家と結びついたモッブの世界観も、「偽善を拭い去った市民（ブルジョワ）社会の政治的世界観と驚くべき類似を示している」[3]という。「偽善を拭い去った市民社会の政治的世界観」とは、まるでトランプの世界観を形容しているかのような言葉である。アーレントは『革命論』で、欧州の階級社会の社会規範が解体していくなか、旧支配層の「偽善と偽善の暴露にたいする情熱」がいかに恐るべき力を生み、恐怖政治をもたらしたか、フランス革命を例にとって明快に論じている。

アーレントの慧眼（けいがん）が見通すように、「偽善のなさ」を武器に資本家と国民とを惹き付けるトランプも危険な指導者である。ただ、それ以上に問題なのは、社会が急激に変化し、課題や矛盾が噴き出すときに、ひとりひとりの人間やそのつくる地域社会・共同体の対抗力が弱まり、トランプのような人物に付け込まれることだ。身近な人々との触れ合いや具体的な行動を通じて、地域社会を基盤とするひとりひとりの人間が新しい公共性や倫理の体系を打ち立てる必要がある。

20年の大統領選はバイデンが勝利したが、トランプも約47％の票を得て、票数（7400万票）では当選した前回の4年前を1000万超も上回った。最も過疎の農村地帯をみると、前回の民主党候補ヒラリー・クリントンとの間よりも大きな差でバイデンに勝っている。アメリカの都市と農村との分断に詳しいブルッキングス研究所副所長のダレル・ウェストはこう受け止めたという。「農村地帯でのトランプへの支持は、きわめて堅かった。東海岸や西海岸のエリートへの怒りを核とする『トランピズム』は、トランプが消えても残り続ける」

小の虫と大の虫

19年10月、中西部ミズーリ州の酪農地帯を取材したときのことだ。トランプの貿易戦争が始まり、農家は中国の報復関税で打撃を受けていたが、彼らのトランプ支持は一向に動じていなかった。

フォード製のピックアップトラックに乗せてもらい、なだらかな丘陵に広がる牧草地を上がっていった。牧場主のビリー・ブルース（34）は電気柵の前に着くと、クラクションを鳴らした。林の奥から30頭あまりの牛の群れが姿を現した。

「この牛にどんな人工授精を施せば、最高等級の子牛が生まれるか？　農家はいつも、先を読みながら動く。守るより攻める」

多くのアメリカの農家は自らを「ビジネスピープル」（企業家）とみなす。広大な土地で最新鋭の農機を駆使し、世界市場をにらんで農業を展開する。その企業家としての目線から、ブルースはトランプに共鳴していた。「（貿易戦争で）米国民の仕事が増えるなら、多少のコストは受け入れる。トランプは少ない投資で多くを得ようとして、積極的に攻めている。我々農家と同じだ」と語った。

ミズーリ州北部レイ郡のトム・ウォーターズ（55）は、大豆とトウモロコシの畑3500エーカーを妻と従業員の3人で耕作し、1500エーカーを人に貸していた。所有農地は計5000エーカーと、東京都港区なみの大きさだ。倉庫には、GPS（全地球測位システム）で自動運転する農薬噴霧機など、1台で何千万円もする巨大農機が並ぶ。

中国が報復関税で真っ先に標的にしたのが大豆やトウモロコシだ。大豆の先物相場は暴落し、ウォーターズにも大きな打撃があった。農家は年が明けると、農機購入などで借り入れた費用の返済が待っている。それでも、ウォーターズからトランプへの恨み節は聞かれなかった。「大統領のやり方をじっと見守るつもりだ。干ばつや洪水、虫害など、農家は常に戦わなければならないものがある。それが今年は関税戦争だっただけだ。粘り強いのがアメリカの農家だ」

ただ、さまざまな農家に出会ううち、アメリカの農家の「ビジネスピープル」という自己規定にも限界があるのではないかと思うようになった。農業は確かにビジネスの側面を持つが、その論理を突き詰めてしまえば、農業も農民も、グローバルな「自己調整的市場」のいち要素に過ぎなくなり、すべては市場の論理に絡め取られてしまう。なるほど、圧倒的な競争力をもつアメリカ農業は「自己調整的市場」の優等生かもしれない。その競争力は、潜在的に他国の農業や地域社会を破壊しかねないほどの力を持つ。ではなぜ、それにもかかわらず、アメリカの農村でも苦境は続いているのか。その折り合いのつかない現状に対し、トランプは何ら答えを出していない。

そのことに自覚的な農家もいた。ミズーリ州の有力農業団体「ミズーリ・ファーム・ビューロー」会長のブレーク・ハースト（61）もその一人だった。

ハーストの農地は東京都品川区より大きい6000エーカー。IT化が進んだおかげで、携帯電話で農機の稼働状況を確認できるようになり、人手は少なくても済むようになった。その一方で、ハーストは廃れてゆく故郷に憂いを募らせていた。ハーストが暮らす州北西部のターキオは、1970年に約2500人だった人口がいまでは1500人以下に減った。

「農業技術の進歩は農家の競争力を強くした。でも人は減り、昔は大にぎわいだった目抜き通りの建物も、今じゃ数えるほどだ。『忘れられた土地』にいると思ってしまう」

なぜ、米農村部の人々がトランプを支持したのか。それが単なるポーズに過ぎないにせよ、「忘れられた土地」に暮らす人々の価値をわかっている、というメッセージを打ち出したからだ。ハーストは語る。「医者から『診断結果はよくないが、苦しくないようにできるだけのことはする』と言われるか、

『ああ、これはだめだ。死にますね』と言われるか、同じ病気でも全然違う。農家たちは、これまで『死にますね』と言われているように感じていた。そう軽んじられるのが嫌だったんだ」

だが、トランプの貿易政策で、ファームベルト（アメリカの農場地帯）の街の活気まで本当に取り戻せるのだろうか。そう問うと、ハーストは即答した。「トランプ支持者だって、誰一人、昔のように戻れるとは思っちゃいない」

民俗学者・宮本常一（つねいち）は1973年の著書で、日本の老いた農家たちの「農業が村における人と人とを結ぶ紐帯にはならなくなる」という痛恨の思いに触れている。「いったいどこが狂っているのか。一つだけ言えることは『小の虫を殺して大の虫を生かす』という官僚思想が世の中をまかり通っていることである。しかし一寸の虫にも五分の魂があり、その生きていることの存在の意味を持っている。本来はそうした民衆の声を聞き、これを政治に反映せしめるのが民主主義の常道である」[4]

かつて訪ねた、日本の中国山地の谷間に小さく点在する農家たちと、アメリカの大平原の農家たちとは、グローバル市場での競争力だけをみれば雲泥の差だ。しかし、宮本がくみ取った思いや悩みには、共通する点が多かった。

「『小の虫を殺して大の虫を生かす』という官僚思想」は、グローバル化を推し進める市場原理と相性が良く、結局は国内経済の格差を広げ、社会の分断を深める。さらに、例えば21世紀の中国が典型的であるように、「大の虫」の「競争力」を生かした輸出攻勢を通じて他国との摩擦も招く。逆に、平等に比重を置いた民主主義の理念を軸に、公正な競争に誰もが参加できるようにすることは、経済の競争力を強め、外国との交際や貿易において信頼を高める。国内の統治体制や経済・安全保障政策は対外関係と地続きであり、強靱な外交は国内の民主主義に支えられるのだ。

「在所」のパトリオティズム

22年2月24日、ロシアがウクライナに侵攻した。冷戦終結後、数十年間続いた「第2のグローバル化の時代」は、ウクライナ戦争を嚆矢（こうし）とする新たな戦時までのつかの間の「戦間期」に過ぎなかったのかも知れない。国家が統制を緩め、安価な金融と物資がなめらかに世界をめぐった時代は反転した。世界は数十年ぶりのインフレに直面し、米中2大国を軸にひび割れ、データやAIがカギを握る新しい覇権闘争の時代に突入している。そのひび割れは、アメリカなど民主主義社会の内側の亀裂と連動しながら、さらに世界を揺さぶっていく。

冷戦終結後に続いてきた「国家」と「市場」との蜜月も、大きな転機を迎えた。グローバル化による経済的な相互依存が進めば、中国などの権威主義国家も民主化し、平和に至る——。90年代、アメリカの指導層が抱いたそんな楽観とは裏腹に、中国は自由で開放的な国際経済秩序を利用しながら経済成長を遂げる一方、逆に国内外で専制主義的な傾向を強めていった。本来、自由な経済活動や競争は、公正さをめぐる価値観を共有して成り立つ。突き詰めると、「ルール」を決める政治体制の問題と切り離すことはできない。自国民にすら説明責任を負わず、専制的な政治体制を一向に変えない国との間で、あまりにも急激に経済関係を深めようとすれば、対立を避けるのは難しくなる。中国との経済関係はもちろん重要であるが、経済統合のペースは性急に過ぎた。

2001年、9・11同時多発テロが起き、その3カ月後、アメリカの支持を支えに中国はWTOに加盟した。泥沼化していく対テロ戦争も、巨大な多国籍企業を擁するアメリカの「国益」や、自由な国際経済秩序を守る観点から正当化された。問題はその国益が、米労働者など多くの中間層の利益とは重ならなかったことだ。権威主義国家との経済統合は、先進民主主義国内部での経済格差を増幅し、民主主義の基盤を弱める副作用ばかりが目立つようになった。グローバル化は今後も続くが、勢いは弱まり、質も変わっていく。一定の相互依存を前提としつつ、相手国が自国に頼る戦略物資やネットワークの力を「武器」として覇権を争う、狐と狸の化かし合いのような戦略的競争が続く。

「アメリカ・ファースト」を掲げたトランプ路線をバイデン政権もおおむね引き継ぎ、覇権国家としての生き残りをかけた国内重視の政策転換を急ぐ。主要国は、半導体やデータなど軍事と密接に関わる産業分野では安全保障の論理を強く打ち出し、市場経済への介入を図っている。日本を取り巻く地政学的状況も、再び1920～30年代と似通う。この時期、蔣介石の中国国民革命軍が北伐を終えて中国本土を統一し、台頭するソ連とあわせてユーラシア大陸勢力が勃興した。これに加えてアメリカ発の世界大恐慌という大きな変動に見舞われ、日米英などが主導したワシントン体制が崩壊した。中国の覇権主義的な台頭が続き、ロシア、北朝鮮にも取り巻かれるなか、日本が今後も再び冷戦終結後の30年間のような漂流を続ければ、国家の命運は揺らぎ、将来の世代を大きなリスクにさらすことになる。

現代世界で、生き残りをかけて他国と競う主権国家の論理と、資本主義を駆動力として経済成長や技術革新を追求する市場の論理から逃れることはできない。この競争から脱落すれば、民主主義の根底となる経済力と安全保障の基盤が損なわれるためだ。ただ、国家と市場の論理だけで突き進むこともまた、民主主義を脅かす。国家の政策への過度な信頼は、少数の政治・経済エリートや専門家に権力を集中させることにつながるが、こうした人間ももちろん誤る。効率性と富の追求を旨とする市場の論理は、人間や自然を商品に置き換え、そのかけがえのない価値を圧迫する。人々の自由を守るためには、人間を内側から支える倫理や共感を育む地域社会・共同体の対抗力が欠かせない。

経済学者ラグラム・ラジャンが「第3の支柱」と呼ぶコミュニティーの再建について、日本の大地に根差した論理で考えることの可能性と重要性について教えてくれたのが、農の思想家、宇根豊である。

22年3月末に4年間のワシントン勤務を終え、論説委員補佐となった。朝日新聞1面コラム「天声人語」のメーン著者を支える記者業務だ。7月11日、小説『減反神社』などで知られる農民作家の山下惣一が前日に86歳で亡くなったとの訃報に接したとき、真っ先に思い出したのが、山下と交流が深かった宇根のことだった。ワシントン在勤中、グローバル化と民主主義の問題について考えるための文献として宇根の著作を読み、非常に強い印象を受けて、いつかぜひ取材したいと考えていたのだ。天声人語で山下の訃報を取り上げるのを機に会いたいと考え、すぐに宇根と連絡を取り、取材に向かった。

宇根の田んぼは、福岡県糸島市の小さな川がつくる谷に沿って開かれている。宇根は田んぼのあぜの木陰で、数時間にわたってインタビューに答えてくれた。トンボが飛び交い、田に張った水のなかを無数のオタマジャクシが泳ぎ、バッタの鳴き声が交響する。この場こそが、「農の本質は市場経済や近代化精神と相いれない」と断言する「農本主義者」宇根が拠って立つ小さな宇宙である。

宇根は福岡県の農業改良普及員だった1979年から稲作の減農薬運動に取り組み、2000年に県を退職して「農と自然の研究所」を設立する。以来、山下惣一との半世紀にわたる交流や、百姓仕事の実践を通じて、カネにならない農の価値の理論化に取り組んできた。近代化されない、近代化してはならない農の価値とは何か。宇根は田んぼの上を飛ぶ虫を「ウスバキトンボ（薄翅黄蜻蛉）」だと教えてくれた上で、「例えばこのトンボだ」という。

「ほとんどの人は田んぼで生まれていることすら知らない。『農と自然の研究所』で生き物調査を進めたのは、知られていない価値を知らせ、守るためだった。オタマジャクシに『今年も生まれてきたな』と目を向けると、向こうもこちらをみているような気になる。いちど、田んぼの水を干上がらせてしまったときには、何万匹ものオタマジャクシを殺してしまったと感じ、すごく寂しかった。そんなとき、あらためて、自分という百姓と生き物との間はそういう関係だったのだと気づく。生き物どうし一緒に暮らしている、そういう感覚があるからこそ自然の価値が守られる」

宇根は、「百姓仕事のなかで生まれる自然への没入感」も重視する。「没入していた仕事を終え、我に返ったとき、自分はこの田んぼのなかで、『ああ、稲と空気と風景に包まれて仕事をしていたのだなあ』と気づく。人間として働いているという意識すらないことが百姓の幸福なのだ。自分が人間であると感じているときよりも、自然と同化し、人間であることを忘れているときの方が幸福なのだ」

宇根に強い影響を与えた山下惣一も、「近代化では問題は解決しない、近代化されないものだけが未来に残る」と考えた。日本農業の「成長産業化」が叫ばれる昨今だが、「私はまだ、日本農業というものをみたことはない」というのが山下の持論だった。あるのは目の前の田んぼ、山、家族、村。それだけだ、と。そこに、近代化や市場経済と本質的に相容れないかけがえのない価値がある、と感じた点で、宇根と山下は同志であった。

この生きとし生けるものへの情感に満ちた「在所の天地有情の世界」が瀕死状態にある。そんな危機感を強く抱く宇根は、ふるさとの山河をいとおしく思う「愛郷心（パトリオティズム）」と、国民国家を支える「愛国心（ナショナリズム）」を明確に区別し、対置することの必要性を説く。宇根の『愛国心と愛郷心』から引く。

「グローバルな自由貿易（TPPなど）を推進する政府の態度を新聞などで知るときに、国家と在所の関係に否が応でも思いが至ります。在所が荒れてきたほんとうの原因がこれまでの『国策』（ナショナルな価値を追求してきた政治）にあることに、気づいてしまうのです。……どうやらこの日本という国家が、明治以降ずっとたどってきた道筋である『近代化』『資本主義化』『経済成長』『国民国家の国益追求』『社会の発展』などという路線が、根本的に在所の農という営みとは、相容れないものではなかったのかという気づきなのです」[5]

農本主義者である宇根は近代化そのものについて疑いを抱き、「在所の天地有情の世界」を脅かす市場経済・自由貿易や国民国家の動きに対しては、果敢に抵抗しようとする。宇根の話を聞いていて、宇根のいう在所の愛郷心も、日本の「第3の支柱」の一つの中核なのだと感じた。

宮本常一は、日本文化の根幹をなしたのは水田の小規模経営であり、それを成り立たせた要因は、水田を開きやすい一方、雑草が茂りやすい日本の国土・気候条件にあったと指摘する。日本は「雑草の茂る国であり、農業とは雑草とのたたかい」であった。[6] ただ、宇根によると、経験豊かな老農は、つらい単純労働に見える草刈りや草取りの仕事を愛するようになるという。「百姓は意識的、無意識的に、草刈りの際に草や生き物と会話をしているからだ」。そんな話を晩年の山下にも伝えると、山下は「おれも最近そう思う」と返したという。

木陰と田に張られた水、稲の葉の蒸散作用による気化冷却の効果なのだろう、日が照っているのに、田んぼのあぜはそれほどには暑くない。風を感じながら聞く宇根の言葉が、バッタの鳴き声や草のこすれる音と混じり合う。宇根が山下の思い出話を語る間、道端の石の上で、カナヘビがずっと動かないでこちらを見ていた。宇根の世界観に引き込まれていくうち、まるでカナヘビが宇根の話を聞いているかのように、あるいは山下がカナヘビになって一緒にいるかのような気がしてきた。

アメリカと日本

民主主義国家をつくるひとりひとりの民衆は、国家に政策的に庇護され、市場が生み出す商品やサービスであやされるだけの受動的存在ではない。福沢は、トクヴィルから学んだ「公共精神」について「我邦人ノ義気（パブリックスピリット）」と訳した。決してひとりでは学べない、人と自然、人と人との間の触れ合いや教育を通して醸成され、伝えられていくものが「義気」である。

福沢は『分権論』のトクヴィルの議論を紹介した箇所で、政権（国政全体に関わる権限）と治権（地方自治の権限）とをできるだけ分かつ必要があると述べている。逆に「中央に政権を集合して又これに治権を集合するとき」には、大きな弊害があるという。「若し不幸にしてこの事あるときは、人をして平常毎事、自己の意思を捨て〻他の鼻息を仰ぐに至らしむべし。故に二権の集合は啻に人を脅服するのみならず、又人の常習を変更し人を孤立せしめて個々に就て之を威服するものなり」[7]。地域社会が中央集権的な国家への抵抗力を失えば、「義気」が失われてしまう。「在所の義気」を再興し、国家と市場との3者の間で抑制と均衡を効かせつつ、前に進んでいかなければならないのだ。

そして、国家と市場にはない民衆の究極のよりどころは何か。それは、国家や企業とは違い、突き詰めれば人間は「死すべき定め」を持っているということだ。アメリカ独立宣言や、その影響を受けた日本国憲法は幸福追求権を定める。ただ、もしそれが、個人の欲求の赴くまま狭い自己利益の最大化を図り続けるということであれば、その権利の実現の可能性は最初から閉ざされている。人はいつか、死ななければならない。トクヴィルは、身分制の枷から解き放たれたはずのアメリカ人が、「まるで死ぬはずがないと確信しているかの如く」にこの世の財産に執着し、その魂は「一種の絶えざる震えの中」に置かれているとみた[8]。人は死すべき定めのなかに、自らの意思と無関係に生まれ、ある土地に放り出される。そこで手触りの感じられる自然や人々とともに生き、苦しみや悲しみを引き受けるなかで、虚無に耐える「意味」を探ることを学んでいくのだ。

アーレントは、「新しく始めることの精神」すなわち「革命精神」が、アメリカでも硬直した二大政党制によって失われたと指摘し、「この失敗は、想起し出来事をつくづく考えることによって、その喪失が最終決定的となることをたえず繰り返し阻止すべく試みるのでなければ、もはや何物によっても埋め合わせることができない」という。そして、人間が抱える「重苦しい悲哀、大地の重さ、生きとし生けるものの奇妙な悲しみ」といったものを晴らしてくれる「宝物」を探っていくと、古代ギリシアの詩人ソポクレス（ソフォクレス）が、晩年に残した『コロノスのオイディプス』のなかでコロス（合唱隊）に語らせた「戦慄すべき言葉」に行き着く、という。

> 生まれてこなかったほうが、どう考えても
> 優っている。だが、生まれ出てしまったなら、
> 次善は、とにかくこれ、
> 生まれてきたところへ、急いで赴くこと。

『コロノスのオイディプス』は、このコロスの唱和のあと、都市国家アテナイの英明な創設者テーセウスとの劇的な対話の後、オイディプスが神への畏れを説きつつ死の途に就く場面に移る。アーレントは、厭世的にも映る「戦慄すべき言葉」を引く理由についてこう語り、『革命論』を終える。

「まさにこの場面でソフォクレスは、都市国家アテナイの伝説上の創設者にして代弁者であったテーセウスの口を通して、アテナイの人びとが何を拠りどころにして、生き永らえている者に付きまとう悲しみに圧倒されず、生き物の陰鬱さを脱して人間的なものの明朗さへ至ったか、そのよすがを明言してもいるからである。『生に輝きを作り出した』……のは、ポリス、つまり自由な行ないと生き生きした言葉の舞台たる、垣で囲われた空間であった」[9]

日本に帰国後、トクヴィル研究の日本の第一人者である東京大学の宇野重規（しげき）教授にも取材することができた。宇野が重視する「空間」は、福沢諭吉が慶應義塾という学校もその範疇に入れて呼んだ「社中」である。宇野はこの「社中」について、トクヴィルが米東部ニューイングランドのタウンシップ（基礎自治体）を巡り、その可能性をみた「結社（アソシエーション）」に近い、という。「上下のヒエラ

ルキーに縛られるのではなく、自由で平等な個人が横につながって社中をつくり、社会を支えていこうというダイナミックな感覚。福沢はそれをトクヴィルから読み取ったと思う。日本の空気をよくするためには、現代版『社中』のようなものが要る」

トクヴィルは、「合衆国の住民は、人生の禍や悩みと戦うのに自分しか頼りにならぬことを生まれときから学ぶ」にもかかわらず、「発足するのも発展するのも諸個人の意志次第である結社が無数」にあり、「諸個人が力を合わせて自由に活動することでは達成できない、と人間精神があきらめるようなことは何一つない」という。[10] 日本にいま必要なのも、この「社中」の精神であると宇野は言う。

そしていま宇野は、外部からの若い人材の力を生かしながら活性化に取り組んできた隠岐諸島の島根県海士町のように、「日本の地域社会で起きつつある民主主義の実験のような動き」に注目している。「国全体では30年にわたる停滞が続き、自由闊達な精神が失われているようにみえる。だが、地域社会をみれば、日本の各地にトクヴィル的な『社中』が生まれ、東京にはみられないダイナミズムや変化の兆しがある」

民主主義は何のためにあるのか。突き詰めれば、人々が身近な自然や「在所」「社中」の人々と心を通わせあい、日々の暮らしのなかで生の輝き、生きがいを感じられるような社会をつくるためだろう。国家や市場が生み出す権力や富はその手段であって、目的ではない。

英思想家J・S・ミルは、「自由の名に値する唯一の自由とは、他人の幸福を奪ったり幸福を得ようとする他人の努力を妨害したりしない限り、自分自身のやり方で自分自身の幸福を追求する自由である」という。[11] 自由とは、幸福とは何かという問いと切り離すことはできない。

幸福や生きがいは、国家によって与えられるものでも、市場経済によってあてがわれるものでもない。その幸福の具体的なありようは、人それぞれに多様であるべきだ。ただ、生きがいとは、死によって区切られてしまう人間の生の限界の認識や、それに対する謙譲の感覚なしには得られないものではないか。与えられた宿命のなかで、自らを空しくし、弱い存在である人間どうし、助け合っていこうとする公共性の自覚がなければ、人はたちまち物質的、即物的な欲望の奴隷になってしまう。人々は虚無に陥り、その構成する地域社会や共同体の基盤は揺らぐ。

ロシアの独裁者プーチンは「自由という思想は時代遅れになった」と言った。そのプーチンや取り巻きのオリガルヒ（新興財閥）が、腐敗した富を高級ヨットに費やし、ウクライナに侵略戦争を仕掛けたさまは醜悪である。時代遅れどころか、人間がいまだ自由という思想に追い付けていないのだ。

ハンセン病患者に寄り添い、著作を多く残した神谷美恵子は、主著『生きがいについて』で「生きがいということばは、日本語だけにあるらしい」と書いている。[12]だが、似た言葉は英語にもある。バイデンが好んで使う「ディグニティー（dignity）」という言葉を耳にするたび、しばしば「尊厳」と訳されるこの言葉は、日本語の「生きがい」が含む重層的なニュアンスの一端をとらえているのではないかと考えていた。手元の英英辞典には、「a sense of your own importance and value」とある。いつか必ず死ななければならないという「陰鬱な枠」のなかで、それでもなお、自らのかけがえのない価値を信じられるという感覚は「生きがい」にほかならないだろう。

アダム・スミスは「自然の女神は……我々を、自己愛という妄想の手に完全に委ねることもなかった」という。[13]自らの価値を信じる感覚は、ひとりでは持ち得ない。我々は他者との関わりのなかで、自らを律し、支え合う「義務の感覚」を学ぶ。選挙で投票したり、広壮な議事堂で議論を闘わせたりするばかりが民主主義ではない。身近な家族、組織、地域社会、そのリアルな人間関係のなかで交わす愛情やあつれきのすべてに、民主主義はある。

ロシアがウクライナに侵攻した22年2月24日、バイデンはホワイトハウスで演説に立ち、こわばった表情で訴えた。「自由と民主主義、人間のディグニティー（dignity）は、恐怖と抑圧よりもはるかに強い力だ。プーチンのような暴君やその軍隊が消し去ることはできない」

バイデンは、演説は巧みではない。朴訥な語り口は、トランプのつけた「スリーピー・ジョー」のあだ名がぴったりくる。アフガニスタンから不名誉な形でアメリカが撤退し、インフレが問題化した21年夏以降、米国民のバイデンに対する支持率は一向に高まらなかった。

だが、フランクリン・ルーズベルトに範を取り、冷戦終結後のグローバル化や市場主義の行き過ぎを是正しようとするバイデンの社会改革のビジョンは、「スリーピー」どころか相当に野心的なものだった。トランプが訴えた国内重視の政策路線をおおむね引き継ぎつつ、同盟国との関係修復を図り、アメリカの国力の相対的な低下を補う方向で外交の修正も図った。バイデンは、若いころ妻と娘を交通事故で失い、さらに病で息子を亡くした経験を持つ。神谷美恵子の言葉を使えば「生きがい喪失者」の苦難を経た人間であろう。不器用で愚直なメッセージは、挫折や苦難を経験した人間ならではの真実さを感じさせることがあった。

連邦議会議事堂の襲撃事件から1年後の演説で、バイデンは「我々は歴史の変曲点に生きている」と語った。「中国もロシアも、民主主義は終わりに近づいていると考えている。私は実際にこうした国々の指導者たちから、急速に変化し、複雑さを増す現代世界では、民主主義はあまりに動きが遅く、分断に足を取られていると直接、言われたこともある。だが私は絶対にそれを信じない」。さらにアメリカの「建国の父」に触れ、続けた。「彼らも不完全な人間たちだったが、文字通り世界を変える実験を始めた（set in motion）。ここ米国では、人民（the People）が統治するのだ、と」

アメリカの覇権は確かに衰え、社会は分断に悩み、人々は虚無の影に覆われがちだ。日本にとっても、強く富裕なアメリカに頼っていれば日本の安全や繁栄も保たれるというような時代は、とうに終わった。

それでも、アメリカのデモクラシーの復元力を侮るべきではない。

アメリカは、民主主義という理想を追い、止まると倒れてしまう車輪のように回り続ける運動体だ。恐竜のような動きで自国や世界を巻き込み、時に行き過ぎる。だが、デモクラシーの理念を支えに自己修正を繰り返し、前へと進む。議事堂の襲撃事件は、確かにアメリカのデモクラシーの危機を明確に告げるものであった。ただ逆に言えば、アメリカが抱えるこれほど大きな経済格差や社会的不公正にもかかわらず、民主主義という国制が守られたところに、デモクラシーの強靱さをみることもできるかもしれない。

モッブたちの異常な行動で問題は可視化され、時間がかかっても修正が図られていく。トクヴィルはアメリカにおける「無制限の結社の自由」は、「人民を無政府状態の中に投げ込みはしないとしても、いわばいつでもその縁（ふち）に立たせる」と述べる。しかし、この危険な自由は、アメリカではある種の安全弁ともなっていることを見抜いている。「結社が自由な国には秘密結社が見られぬ」「アメリカに徒党を組む者はあるが、陰謀家はいない」というのがトクヴィルの観察である[14]。

そして、アメリカの民主主義のありようはいまも、日本の針路を考える上で深い教訓を与える鏡である。日本の戦後はアメリカへの降伏で始まり、いまに至るまで我々のありようを規定してきた。アメリカの実像を知ることは、自らについて学ぶことに他ならないからだ。

なぜ日本は、亡国の淵に自ら陥るような対米戦争に突入していったのか。高校3年のときに初めてアメリカを訪れ、大学生で日米学生会議に参加して以来、この問いは私につきまとって離れず、記者としての原点となった。アメリカとの戦争は一面で、日本が幕末以来、「第1のグローバル化」と帝国主義の時代を生き抜くために選んだ対外政策の挫折であった。だが、より根源的な「答え」は、近代化の過程で日本を内側から腐食していった驕りと、その民主主義の未成熟にあったといまは思う。

自由民権運動や大正デモクラシーなど、民主主義を求める運動は一定の達成をみた。だが、「我が国は明治維新の鴻業を果たしたとは言え、その態度は、物質文明の吸収と富国強兵の達成に急であって、西洋文明の上層建築を移入せしめながら、その精神的基礎を探求することを閑却した」[15]。高木八尺が「トックヴィルの民主政論の現代的意義」でそう述べたように、日本のデモクラシーは、草の根の人々の「義気」を伸び伸びと発展させ、国家と市場が持つ暴力的な力を抑えることはできなかった。そして、民主主義の未成熟は、日本の指導者や国民の、世界やアメリカに対する理解の甘さとも一体をなしていた。それは戦後も、アメリカに対する卑屈と追従という形をとって続いている。戦前と戦後の対米姿勢は外形的には全く違うようだが、実際のところ地続きであろう。

戦後日本には、民主主義を自得できなかった苦さと虚脱感がつきまとう。ただ、だからといって、それは三島由紀夫が言う「日本の風土に何も根ざさないやうな外国から来たデモクラシー」では決してない。国民の計り知れない犠牲と、敗戦の灰燼のなかから生まれた「新しい国制の興奮」が確かに存在し、日本の民主主義もまた、その興奮を支えに歩みを続けていく運動体なのである。日本が民主主義において負けたのであれば、その民主主義をより強靱なものにする。それが、塗炭の苦しみをなめ、死んでいった無数の日本人に対する後世の世代の責務であろう。もはや声をあげられない死者への追悼は、感傷ではなく、進取の精神を通してなされなければならない。

コーデル・ハルの生家で

アメリカのデモクラシーを探る取材の中で、忘れがたいものの一つが、19年12月、コーデル・ハルの生地を訪ねた思い出である。米南部テネシー州のナッシュビルから、隣のケンタッキー州との境に近い山間部まで車で数時間走ると、バーズタウンにある小さな記念館に着いた。ほかに訪れる人は全くない。

コーデル・ハル元国務長官の生家跡＝2019年12月19日、テネシー州ピケット郡（著者撮影）

入り口にあった番号に電話すると、しばらくして係員が着き、建物のカギを開けてくれた。

米国務長官コーデル・ハル（1871〜1955）は、日本では何より、東条英機内閣が最後通牒と受け止め、対米戦争の決断につながった強硬な要求「ハル・ノート」で知られる。傲岸な大物政治家をイメージしていたが、何より驚かされたのは、生家のあまりの簡素さだった。

掘っ立て小屋風の家屋と小さな井戸。ハルは、南北戦争の直後、「敗戦国」となった米南部で生まれた。貧しい白人の小作人（シェアクロッパー）だった父が養う一家の貧しい暮らしを思い、粛然とした。圧倒的な強者の論理で日本を打ちのめしたハルもまた、「敗戦国」の国民であった。

戦後、ハルはきわめて理想主義的な戦後構想を打ち立て、ノーベル平和賞を受けた。その心象風景に触れ、アメリカに対して抱いていたわだかまりが少し解けたような気がした。弱者が強者の弱さを見いだすときに慰藉（いしゃ）される、いじましい感情にすぎなかったのかもしれない。しかし、勝者と敗者との二分法を超え、曇りのない目で世界と日本のいまを見通す必要性を教えられたように感じたのだ。

記念館ではハルの歩みが展示されていた。目を引いたのは、真珠湾攻撃に至るまで駐米大使としてハルとの最終交渉を担った野村吉三郎（きちさぶろう）が、戦後の52年3月、ハルに宛てた手紙だ。海軍出身でプロの外交官でなく、英語が得意でなかったとされる野村だが、達筆で正確な英語で真情をつづっていた。

「貴国海軍と我が国の旧海軍の軍人たちは友好関係にある。共産勢力の侵攻を食い止める共通の目的のため協力できると信じる」

野村が手紙を書いたのは、旧海軍を母体に52年4月26日、海上警備隊（海上自衛隊の前身）を発足させる直前の時期だ。2日後の4月28日、サンフランシスコ講和条約が発効し、日本は主権を回復する。

その後の日本は、アメリカが構想したリベラルな国際秩序の最大の受益者であった。戦前の日本では農村部などで多くの国民が困窮し、生きるために領土拡大が必要だとの軍国主義的主張が力を持った。戦後、海外植民地を失ったうえ人口はほぼ倍増したが、国民は飢えるどころか貿易を通じた豊かさを享受する。それを可能にしたのは、アメリカ主導の西側域内の自由貿易体制であった。アメリカは国際機関や法秩序など自由貿易のインフラを米軍の前方展開によって支え、日本やドイツなど旧敵国に対しても、自国の国内市場を比較的広く開放した。

戦後の日本の平和と繁栄は、冷戦構造が生んだ幸運と、アメリカへの依存に支えられたひ弱なものだった。80年代、欧米を追走する段階を終えるとともに冷戦が終わり、中国や旧共産圏を取り込む形でグローバル化が本格的に始まると、追われる立場となった日本は長い停滞にはまり込んでいく。それは、中国の覇権主義的な台頭などの変化に対応できなかった経済通商政策の失敗を反映しているが、目指すべき国家像を構想し、政府を使いこなせなかった国民の責任でもあった。

野村は敗戦直後の46年、回顧録にこう記していた。

「孫子に、『兵は国の大事死生の地存亡の道なり、察せざるべからず』とあるが、我々は此の国の大事たる戦争を余りに軽く取り扱った。新しい日本は広く世界の空気に触れ、世界の動きを客観的に見るの明を持ち、世界とともに共存共栄の途を辿らねばならぬ[16]」

21年8月には、01年の9・11同時多発テロから20年を目前に、武装勢力タリバンの攻勢でアフガニスタンの親米政権が崩壊した。米国史上最長の戦争は、惨憺（さんたん）たる敗走劇に終わった。22年2月には、ロシアが、米欧による経済制裁の可能性を十分に認識した上で、ウクライナを侵略した。非道な侵略の全責任が、一義的にプーチンにあることは疑いがない。ただ、ジョージ・ケナンは1997年の時点で、NATOの東方拡大を「冷戦後のアメリカの政策で最も致命的な誤りになりうる」と断じ、「ロシア世論の国家主義的、反西側、軍国主義的傾向に火をつけ、民主主義の発展を阻害し、冷戦期の東西関係を復活させることになるかもしれない」と予言していた[17]。こうした事態を生んだ背景には、冷戦の「勝利」に対するアメリカの驕りがあったことも疑いない。第2次世界大戦の勝者として日本の民主化を成功させたという認識も手伝い、アメリカの圧倒的な富と軍事力で世界を自らのイメージするように改変できる、と誤信したのだ。

日本にとっては、冷戦終結も自覚的な「勝利」と受け止められるようなものではなかった。多くの日本人は、グローバル化の波があまりにも強く、なすすべがないものだというあきらめの感覚を持ちすぎていたようにみえる。非正規雇用の若者や、過疎に悩む中山間地域などの問題を挙げるまでもなく、アメリカでトランプを生んだ経済・社会的格差の問題は、程度の差はあれ日米に共通する問題である。トランプのような政治家が現れていないことは日本にとって幸いだが、一方で、人々の声なき声が可視化されてこなかったことで、グローバル化の負の側面に対する問題意識が高まっていない面もある。

覇権主義的な台頭を続ける中国はアジアの安定に大きなリスクをもたらしており、希望的観測に基づいて備えを怠ることはできない。「戦争」はリアルな戦場だけではなく無形のデータやＡＩに移り、技術開発や情報戦などを含めた包括的な「ハイブリッド戦争」を戦う技術力や経済力が勝負になる。

野村も引いた『孫子』は、「上兵は謀を伐つ。其の次は交を伐つ。其の次は兵を伐つ。その下は城を攻む（最上の戦争は敵の陰謀を〔その陰謀のうちに〕破ることであり、その次ぎは敵の軍を討つことであり、最もまずいのは敵の城を攻めることである）」と喝破する。[18]「はかりごと」といえば穏やかではないが、中国やロシアのような権威主義国家からみれば、最大の「謀」は、民主主義という統治体制の正統性、信頼性を失わせ、内側から国の力を溶かしていくことであろう。日本の経済と安全保障の両輪を確固たるものにする基盤は、どこまでも日本自らの民主主義の質なのである。

米中の貿易戦争やコロナ禍、ウクライナ戦争を経験し、冷戦終結後のグローバル化の時代は明確な転機を迎えた。中国やロシアといった権威主義国家の力による現状変更の動きが強まり、アメリカの覇権は相対的に衰えていく。日本の退潮はアジアの力の均衡を大きく崩し、民主主義の後退に直結するだけに、世界の民主主義国家から日本に寄せられる期待は強まっていくだろう。この新しい時代を日本にとっての好機に変えることはできる。

日本に暮らすひとりひとりが、身近なかけがえのない人との関係をあらためて見つめ直し、友人、恋人、家族、学校、自治体といった幾重もの地域社会・共同体をより「義気」にあふれた、強靱なものへと織り上げていく。統治機構としての国家を使いこなし、市場のダイナミズムを引き出しつつもその暴走には歯止めをかける。こうした課題は、世界の情勢にただ流されるだけの、受け身の対応としてではなく、ひとりひとりがそれぞれの「在所」で能動的に取り組むことができるものだ。

『アメリカのデモクラシー』での、トクヴィルの結語が響いてくる。

「神は人類を完全に独立した存在にも、根っからの奴隷にも創られなかった。たしかに、神は、人間一人一人の周りに、脱することのできない決定的な囲いをめぐらされた。だがその広い限界の中では、人は強力で自由である。諸国の人民も同じである」[19]

民主主義への祈り

日本に帰国した後、この国の民主主義に対する、人々の奔流のような思いに触れるできごとがあった。22年7月8日、安倍晋三元首相が参院選の応援演説中、奈良市で銃撃されて死亡する事件が起きた。「天声人語」で取り上げるため、翌9日に事件現場の近鉄大和西大寺駅前を訪ねたときのことである。

9日午後、大和西大寺駅に着くと、雨になっていた。事件現場の駅北口には献花台が設けられ、人々が順番待ちの長い列をなしていた。驚かされたのはその長さである。夕方には、約400メートルはあろうかという距離に延びていた。雨のなか、赤ちゃんを抱っこした若い母親や、スーツ姿の男性など、文字通りの老若男女が、雨のなか粛然と並んでいる。供花の脇に置かれた色紙には、安倍と父の安倍晋太郎・元外相、祖父の岸信介・元首相の似顔が描かれ、「ご冥福を。日本は託されました」という言葉が添えられていた。

整然と列をなし、黙々と順番を待つ人々の多彩さと、その表情ににじむ真剣さは、強く胸を打つものだった。このなかには、元首相を政治的に支持していた人も、そうでなかった人もいるだろう。ただ、41歳の銃撃犯による孤独な凶行がもたらした衝撃の大きさを受け止めきれず、いても立ってもいられずに献花台へと向かったのだろう。事件直後で、旧統一教会への恨みが引き金になったとされる事件の背景についても、まだほとんどわかっていなかった。ただ、動機が何であれ、このような殺人は決して許されない。粛々と順番を待つ人々の表情には、ひとりの代議士の死を悼み、民主主義を大切に継承していきたいというメッセージが痛切に感じられた。

その3日後の12日、私は朝日新聞のカメラマンらが乗った取材ヘリに乗せてもらい、遺体を運ぶ車の列を見守った。東京・芝の増上寺を出た車は、自民党本部から首相官邸、国会議事堂へと、権力の回廊をめぐっていく。行く先々で、追悼の黒い人波が見えた。東の方角には、19年5月、安倍・トランプの日米首脳が並んで大相撲を観戦した、両国国技館が視界に入った。国賓としてトランプを招き、蜜月を演出したあの日は、安倍外交の一つの象徴ともいえる局面であった。それから3年、あまりにもはかない最期を、誰が予測し得ただろうか。

遊説中の非業の死を誰しも悼む。ただ、その追悼とは切り離したところで、憲政史上最長の政権を率いた首相の評価が客観的、実証的に進められるべきだろう。旧統一教会との癒着を含めた内政上の問題点はもちろん、日米関係など外交上の課題も冷静な検証が必要である。想いは国技館から、レシプロシチの欠如を痛烈に感じさせられた「マール・ア・ラーゴ」へと飛んだ。

葬列は国会の前で視界から消えた。一つの時代が終わったのだ。それでも何事もなかったかのように人や車が行き交い、巨大都市東京が脈動している。空しく、残酷な都市のありように慄然としながら、献花台に並んでいた人々の姿とも思い合わせ、この国が前に進むエネルギーも強く感じた。

人口減で寂れる郷土、広がる経済格差、米中を軸にひび割れる世界……。日本を取り巻くのは「内憂外患」そのものである。そのなかで、日本列島に生きる人々が少しでも生の輝きを感じ、それぞれの場所で泉を湧かせるには何が必要なのか。我々の宿命的な限界を見つめ、まずはこうべを垂れよう。けれども、「その広い限界の中では、人は強力で自由である」。そして、人間は決して一人ではない。人がつくる地域社会・共同体は、「social fabric（社会基盤）」という英語の言い回しのとおり、織物（fabric）のようなものだ。

深い宗教的知見に根差して「民芸」の概念を追求した柳宗悦は、織物について考察した小論でこう語っている。「優れた模様を見ると、それが勝手な人間の振る舞いによるものではないことが分る。寧ろ厳しく人間の誤りを封じる道で、現わされているのである。不思議にも自然には人間に或不自由さを与えることによって、初めてよい模様を得る自由を人間に許している」[20]。心を空しくして不自由を受け止め、支え合うことで、我々は自由になる。

国際環境の僥倖に支えられた高度成長期も、停滞に沈んだ冷戦終結後の数十年間も、日本は内向きで利己的な論理に支配されがちであった。卑屈とアメリカへの追従、小さな物質的繁栄に対する自己満足がこの時代の精神であった。大地に根差しかつ開かれた、謙抑と強靱で織りなされた民主主義国家の「模様」を世界に示す。日本には、新たな立国の可能性が開かれている。

あとがき

２０２１年10月、秋が深まるニューイングランド地方を車で走り、マサチューセッツ州の海辺の町、グロースターへと向かっていた。私が２００６～08年、学んだタフツ大学大学院フレッチャー・スクール名誉教授、ジョン・C・ペリー（91）に会うためだった。

１９３０年に生まれ、イエール大学を卒業後、ハーバード大学大学院に進んだペリーは、駐日大使を務めた学者エドウィン・ライシャワーに師事した歴史家である。[i] 日米関係や東アジア史、海洋史などの研究を重ねてきた。

フレッチャー1年目で受講したペリーの「海洋史」の講義は衝撃であった。地中海、インド洋、大西洋、太平洋などを舞台とする海洋国家の興亡を、講壇から史劇を演じるように語っていく。私はペリーの講義を通じて、世界に占める日本の独特の位置と、地政学的な運命について多くを学んだ。毎週、ペリーの「オフィスアワー」には研究室を訪れ、議論を重ねた。国際関係論を本格的に学びたいと共同通信社を退職し、フレッチャーからの奨学金とわずかな蓄えで暮らしていた私は、学べるものは何でも学ばなければならないと、とにかく必死だったのだ。

ペリーは生活のことも含め、いつも温かく私を励ましてくれた。大学院2年目には、「ジョン・カーティス・ペリー・フェローシップ」という、ペリーの名を冠した奨学金も受けることができ、妻と2人の暮らしはようやく落ち着いた。

米国は、いち記者としての私の人生も大きく規定してきた。初めて渡米したのは１９９８年、高校3年の夏だった。首都ワシントンのジョージタウン大学で開かれた教育事業に参加した。全米や国外から高校生を集め、米議会政府機関、国際機関を巡り、実地に学ばせるプログラムだった。

私は、覇権国の権力の殿堂を前に、ただ衝撃を受けた。「日本はなぜ、このような大国と戦争をしなければならなかったのか」。その答えを知りたいと考え、大学では「日米学生会議」に参加し、日本政治外交史を専攻する北岡伸一教授のゼミで学んだ。北岡先生の導きでおぼろげに浮かんだ一応の答えは、陸海軍を含む官僚機構を統治できなかった日本の民主主義の脆弱性にあった。危機の時代に大局観のある政治指導者を生み出せなかったことも、民主主義の欠陥に由来するものであった。民主主義の質において、日本は負けたのである。それならば、民主主義の基層となる生の日本社会を深く知ってみたい。そう願い、新聞記者になった。そして、記者として数年間、日本社会を見た目でアメリカに学び、問いを突き詰めてみたいと感じた。それが、フレッチャーに留学した理由だった。

いつも柔和なペリーだが、オフィスアワーでの議論の合間に時折、深く思考を巡らせ、瞳に歴史家の鋭い光が宿ることがある。ペリーの博学と重厚な歴史観に圧倒されながら、私はその光を見るのが好きだった。グロースターのペリーの自宅は大学院時代にも何回か訪れていた。大西洋に臨む小高い丘に立つ一軒家である。留学を終え日本に帰ってからも、すぐそばに小さな灯台のあるその家で、静かに本を読むペリーの姿を思い浮かべ、心を励まされることがしばしばあった。

ペリーとの再会はコロナ禍を挟み、約2年ぶりだった。91歳のペリーは相変わらず健やかで、温かく迎え入れてくれた。私は特派員としての勤務が最終盤に近づいていることを思い、コロナ禍で国境をまたぐ移動が難しくなっていることもあって、これがもしかしたらゆっくりと会って話せる最後の機会になるかも知れないと感じていた。膨大な本が置かれたペリーの書斎で、コーヒーを飲みながら思い出話に花を咲かせた。

1930年生まれのペリーがアジアに興味を持ったのは、ワシントンの高校でできたガールフレンドが、当時、中国国民政府の駐米大使として赴任していた宋子文の娘、キャサリンだったことだ。宋子文は蔣介石夫人、宋美齢の兄であり、国民政府で要職を歴任した重要人物であった。さらに大きな転機になったのが、終戦後の54年、米海軍に志願して日本に赴任した経験だった。帰国後、ハーバードで博士号を取得したペリーは、勤務先となったミネソタ州カールトン大学で、ボブ・ラッセルという図書館の管理人に出会う。ミネソタ州の農村部の小さな町から進駐軍の兵士として日本にわたったラッセルは、全く知らなかった異文化に出会った日本滞在を、「人生最高の経験だった」と語ったという。「彼は占領期に日本で過ごした200万人の米国人のたった一人にすぎない。この膨大なアメリカ人たちにとって、日本との出会いが深遠な人生経験となり、日本人の美意識や文化に対する関心を掻き立てたのだ」。そうペリーは振り返った。これをきっかけに、ペリーは80年、『鷲の翼の下で――占領期日本のアメリカ人（未邦訳）』という本を出版する。

この本の最終章で、ペリーは「日本人は命令による民主主義のなかで、アメリカ人が享受していたよりも進歩的な憲法を与えられた」と触れ、続けて、こう締めくくっている。「アメリカ人の自民族中心主義は激しく、日本社会や文化についていては恐ろしく無知であった。アメリカ人が定めた目標が、失敗に終わる理由はいくらでもあった。最大の逆説は、それにもかかわらず、日本の占領がきわめて成功したものとなり、人類史においても画期的な出来事となったことである」[ii]

アメリカに対する降伏や、民主主義を自得できなかったという感覚は、日本人に自らの民主主義に対するシニシズムと諦観の感情を抱かせてきた。しかし、ペリーのいう「最大の逆説」が可能になったのはなぜだろうか。日本人の側でも、福田有広のいう「新しい国制の興奮」に支えられた、民主主義を求める情熱があり、それが敗戦による旧体制の瓦解とともに花開いたからではなかっただろうか。

自国を世界の中で例外的な、宗教的使命を帯びた国だととらえる伝統が強いアメリカにとっても、戦後の日本の民主主義の定着は大きな成功体験となった。そこには、支配者としての圧倒的な権力と鼻持ちならない優越感があったことは疑いがない。ただ、アメリカのエリート層にも草の根の人々にも、民主主義という原則に向けて社会を前向きに動かそうとする一定の善意と熱意があり、日本人もそこに、十分学ぶべき価値されたのだろう。

があるものを見いだした。だからこそ、ペリーのいう「成功」「人類史においても画期的な出来事」が実現

ワシントン特派員として過ごした4年間、私はアメリカの実像をできるだけ深く知り、報じたいと願ってきた。しかし根底では、アメリカという鏡を通して、日本という国の姿を見たいと思っていたのかもしれない。

数時間に及んだ書斎での会話のなかで、私はペリーに、念願だった本をまとめる作業に取りかかっていることを告げた。ペリーは別れ際に、「奇妙なものを出すと思うかもしれないけど……」と切り出した。「ここに絵がある。よかったらもらってくれないか」

それは、浮世絵風のアメリカ人の絵であった。開国期に絵師が米国人の男を描いたものであろうか、男の上にははためく星条旗と「アメリカ人面」という注記が付いている。私は、フレッチャーでのオフィスアワーでペリーの研究室を訪れるたび、いつもこの絵が飾られていたのを思い出した。

「ナオ、トクヴィルの古典を21世紀に上書きし、日本人の視点で『アメリカのデモクラシー』とグローバリズムの姿を描くんだ。この絵の男は、日本にいたアメリカ人だ。アメリカ人について書く君の関心と何だか重なり合うような気がしてね。かさばるけれど、もらってくれたらとてもうれしい」

私はトクヴィルなどとはまったく比べようもない、一介の新聞記者にすぎない。しかし、ペリーの言葉にただ胸が詰まった。絵の裏をみると、「JOHN CURTIS PERRY AUGUST 6 1967 NAGASAKI」とあった。ペリーが旅先の長崎で買い求めたものであった。

「アメリカ人面」と書かれた絵の男は、あのオフィスアワーの研究室で、ペリーの「生きている言葉の空間」で、私たちが毎週語り合っていたのを、いつも見守っていたのである。あの研究室は、私にとって、アーレントのいう「ポリス」のようなものであったのかもしれない。

玄関まで見送ってくれたペリーと目を合わせれば、涙があふれてしまいそうな気がして、私は目をそらし、

家の外へ出た。この絵とともに、再び日本へ帰ろう。そう思い、車を走らせた。

「在所」の大地に根を張り、汗を流しつつ、地域社会や日本、ひいては世界の針路を考える。日本には、そんな市井の哲人が数多くいることを、私はこれまでの取材で強く感じてきた。特派員として書き綴った記事や連載を本にし、まとまった形で読んで頂くということには、身がすくむような思いしかなかった。トクヴィルのような天才でさえ、『アメリカのデモクラシー』を書くのに「あまりに大きな対象を前に、視界がかすみ理性が揺らぐのを感じ」たという。ならば私のような非才の身がすくむのは当然だ、と考え、心を奮い立たせるのが精いっぱいだった。

取材や執筆にあたりお世話になった人々はあまりにも多い。ただ、まずもってこの本は、みすず書房の編集者、三村純さんの導きがなければ決して形にならなかった。執筆の作業を通じ、灯台のように航路を示して下さった三村さんへの謝意は言い尽くせない。朝日新聞社の春日芳晃・国際報道部長は、シリア内戦などで自ら卓抜したルポ報道を手がけ、元ニューヨーク特派員としてアメリカのことも熟知しておられた。今回の本の出版に際し、励ましや助言を頂いたことにあらためて心からお礼を申し上げたい。五十嵐大介・サンフランシスコ支局長も、当時経済部デスクとして、この本のもとになった連載「断層探訪」の企画開始にあたり尽力してくれた。アメリカ在勤中に取材や仕事でお世話になった無数の人々、この本を手にとって下さる読者の方々への思いとあわせ、いまは感謝の念ばかりが募る。

読んで下さった人々にとって、この本が、日々を暮らし、世界を見つめる上での「手がかり」を少しでも示せていたとすれば、望外の幸せである。最後になるが、生活の安定しないフレッチャー時代を含め、ともに歩んでくれた妻文子の存在がなければ、この本はおろか、記者としての私の人生そのものがなかったように思う。妻と2人の子どもたちにも、「ありがとう」と伝えたい。

注

序 章　マール・ア・ラーゴの王

1. Laurence Leamer, *Mar-a-Lago: Inside the Gates of Power at Donald Trump's Presidential Palace* (Flatiron Books, 2019), 3.
2. ドナルド・トランプ、トニー・シュウォーツ『トランプ自伝——不動産王にビジネスを学ぶ』相原真理子訳、ちくま文庫、2008 年、77 ページ。
3. 同、215 ページ。
4. Edward Luce, "Tickling Trump: World leaders use flattery to influence America," *Financial Times*, May 5, 2018.
5. 福沢諭吉『学問のすゝめ』岩波文庫、1942 年、25 ページ。
6. 大岡昇平『俘虜記』新潮文庫、1967 年。
7. 三島由紀夫「果たし得てゐない約束——私の中の二十五年」、『決定版 三島由紀夫全集 36 巻・評論 11』新潮社、2003 年、212〜215 ページ。
8. 三島由紀夫「我が国の自主防衛について」、『決定版 三島由紀夫全集 36 巻・評論 11』新潮社、2003 年、333 ページ。
9. トクヴィルと福沢の「義気」については、松田宏一郎「義気と慣習——明治期政治思想にとってのトクヴィル」松本礼二・三浦信孝・宇野重規編『トクヴィルとデモクラシーの現在』所収、東京大学出版会、2009 年、247〜269 ページ、柳愛林『トクヴィルと明治思想史——〈デモクラシー〉の発見と忘却』白水社、2021 年、191〜196 ページを参考にした。
10. 高木八尺「トックヴィルの民主政論」、東京大学アメリカ研究センター編『高木八尺著作集　第四巻　民主主義と宗教』東京大学出版会、1971 年、50 ページ。
11. Raghuram Rajan, *The Third Pillar: How Markets and the State Leave the Community Behind* (Penguin Press, 2019), xiv.〔邦訳『第三の支柱——コミュニティ再生の経済学』月谷真紀訳、みすず書房、2021 年〕
12. 木島始編『対訳ホイットマン詩集——アメリカ詩人選（2）』岩波文庫、1997 年、118〜119 ページ。

第 1 章　3 月の砲声

1. Darrell M. West, *Divided Politics, Divided Nation: Hyperconflict in the Trump Era* (Brookings Institution Press, 2019).
2. トクヴィル『アメリカのデモクラシー　第二巻（上）』松本礼二訳、岩波文庫、2008 年、233〜239 ページ。
3. Emmanuel Saez and Gabriel Zucman, "Trends in US Income and Wealth Inequality: Revising After the Revisionists," NBER Working Paper 27921, October 2020; The Federal Reserve, "Distribution of Household Wealth in the U.S. since 1989" available from https://www.federalreserve.gov/releases/z1/dataviz/dfa/distribute/chart/
4. Michael J. Sandel, *The Tyranny of Merit: What's Become of the Common Good?* (Farrar

Straus and Giroux, 2020).〔邦訳『実力も運のうち——能力主義は正義か？』鬼澤忍訳、早川書房、2021 年〕

5. クラウゼヴィッツ『戦争論（上）』篠田英雄訳、岩波文庫、1968 年、58 ページ。

6. Henry Farrell and Abraham L. Newman, "Weaponized Interdependence: How Global Economic Networks Shape State Coercion," in *The Uses and Abuses of Weaponized Interdependence*. Ed. Daniel W. Drezner, Henry Farrell, and Abraham L. Newman (Brookings Institution Press, 2021), 19–66.

7. コーデル・ハル『ハル回顧録』宮地健次郎訳、中公文庫、2014 年、281 ページ。

8. Douglas A. Irwin, *Clashing over Commerce: A History of US Trade Policy* (The University of Chicago Press, 2017), 10–21.

9. Rana Foroohar, "Made in the USA: inside one company's all-American supply chain," *Financial Times*, February 21, 2019.

10. Sven Beckert, *Empire of Cotton: A Global History* (Vintage Books, 2015).

11. David H. Autor, David Dorn and Gordon H. Hanson, "The China Shock: Learning from Labor Market Adjustment to Large Changes in Trade," in *Annual Review of Economics*. 8, no. 1 (2016): 205–40. Gordon H. Hanson, "Economic and Political Consequences of Trade-Induced Manufacturing Decline," in *Meeting Globalization's Challenges: Policies to Make Trade Work for All*. Ed. Luís Catão and Maurice Obstfeld (Princeton University Press, 2019), 121–128. Gordon H. Hanson, "The China Shock's Lessons for the Green Economy: How to Limit the Damage of Localized Job Losses", *Foreign Affairs*, November 8, 2021, online at https://www.foreignaffairs.com/articles/united-states/2021-11-08/china-shocks-lessons-green-economy

12. Robert E. Lighthizer, "The Era of Offshoring U.S. Jobs Is Over," *The New York Times*, May 11, 2020.

13. Robert E. Lighthizer, "A Deal We'd Be Likely To Regret," *The New York Times*, April 18, 1999.

14. Robert E. Lighthizer, "How to Make Trade Work for Workers: Charting a Path Between Protectionism and Globalism," *Foreign Affairs*, July/August 2020: 78–92.

15. Thomas Frank, *The People, No: A Brief History of Anti-Populism* (Metropolitan Books, 2020).

16. Matthew C. Klein and Michael Pettis, *Trade Wars Are Class Wars: How Rising Inequality Distorts the Global Economy and Threatens International Peace* (Yale University Press, 2021).〔邦訳『貿易戦争は階級闘争である——格差と対立の隠された構造』小坂恵理訳、みすず書房、2021 年〕

17. Dani Rodrik, *The Globalization Paradox: Democracy and the Future of the World Economy* (W.W. Norton, 2011).〔邦訳『グローバリゼーション・パラドクス——世界経済の未来を決める三つの道』柴山桂太・大川良文訳、白水社、2013 年〕

18. Dani Rodrik, "A Better Globalization Might Rise from Hyper-Globalization's Ashes," May 9, 2022 online at https://www.project-syndicate.org/commentary/after-hyperglobalization-national-interests-open-economy-by-dani-rodrik-2022-05

19. Joseph R. Biden, Jr., "Building on Success: Opportunities for the Next Administration," *Foreign Affairs*, September/October 2016: 46–57.

第2章　ひび割れる世界

1. Peter Rand, *China Hands: The Adventures and Ordeals of the American Journalists Who Joined Forces with the Great Chinese Revolution* (Simon & Schuster, 1995).
2. James Mann, *The China Fantasy: Why Capitalism Will Not Bring Democracy to China* (Penguin Books, 2008).
3. ジョージ・F・ケナン『アメリカ外交50年』近藤晋一・飯田藤次・有賀貞訳、岩波現代文庫、2000年、65〜66ページ。
4. 同、78ページ。
5. The White House, *National Security Strategy of the United States of America* (December 2017), 25
6. The U.S.-China Economic and Security Review Commission, *2018 Report to Congress*, (November 2018), 25.
7. ロシアとハイブリッド戦争については、廣瀬陽子『ハイブリッド戦争――ロシアの新しい国家戦略』（講談社現代新書、2021年）や小泉悠『現代ロシアの軍事戦略』（ちくま新書、2021年）が参考になる。
8. 喬良・王湘穂『超限戦――21世紀の「新しい戦争」』坂井臣之助監修、劉琦訳、角川新書、2020年、76〜77ページ。
9. The Commission on the Theft of American Intellectual Property, *Update to the Report of the Commission on the Theft of American Intellectual Property* (February, 2017).
10. Mark Wu, "The 'China, Inc.' Challenge to Global Trade Governance," *Harvard International Law Journal* 57, no.2 (Spring 2016): 261–324.
11. ケナン『アメリカ外交50年』147ページ。
12. Branko Milanovic, *Capitalism, Alone: The Future of the System That Rules the World* (Belknap Press, 2019).〔邦訳『資本主義だけ残った――世界を制するシステムの未来』西川美樹訳、みすず書房、2021年〕
13. Branko Milanovic, *Global Inequality: A New Approach for the Age of Globalization* (Belknap Press, 2016).〔邦訳『大不平等――エレファントカーブが予測する未来』立木勝訳、みすず書房、2017年〕
14. Eswar S. Prasad, *The Future of Money: How the Digital Revolution Is Transforming Currencies and Finance* (Belknap Press, 2021)
15. The U.S.-China Economic and Security Review Commission, *2021 Report to Congress*, (November 2021), 12.
16. The National Security Commission on Artificial Intelligence, *The Final Report* (March 2021), 7.
17. ヘロドトス『歴史（上）』松平千秋訳、岩波文庫、1971年、176ページ
18. 高坂正堯『文明が衰亡するとき』新潮選書、2012年、290ページ。
19. 同、296〜297ページ。

20.『中公バックス　世界の名著21　マキアヴェリ』会田雄次編、中央公論社、1966年、328〜330ページ。
21. ケナン『アメリカ外交50年』、98ページ。

第3章　超大国の蹉跌

1. Carmen M. Reinhart and Kenneth S. Rogoff, *This Time Is Different: Eight Centuries of Financial Folly* (Princeton University Press, 2009; reprint, 2011).〔邦訳『国家は破綻する――金融危機の800年』村井章子訳、日経BP、2011年〕
2. Walter Scheidel, *The Great Leveler: Violence and the History of Inequality from the Stone Age to the Twenty-First Century* (Princeton University Press, 2017; reprint, 2018).〔邦訳『暴力と不平等の人類史――戦争・革命・崩壊・疫病』鬼澤忍・塩原通緒訳、東洋経済新報社、2019年〕
3. トクヴィル『アメリカのデモクラシー　第一巻（下）』松本礼二訳、岩波文庫、2005年、228ページ。
4. 同、224〜225ページ。
5. Anne Case and Angus Deaton, *Deaths of Despair and the Future of Capitalism* (Princeton University Press, 2020).〔邦訳『絶望死のアメリカ――資本主義がめざすべきもの』松本裕訳、みすず書房、2021年〕
6. ディートンが言及した本は、James Bloodworth, *Hired: Six Months Undercover in Low-Wage Britain* (Atlantic Books, 2018)〔邦訳『アマゾンの倉庫で絶望し、ウーバーの車で発狂した――潜入・最低賃金労働の現場』濱野大道訳、光文社、2019年〕である。
7. J・S・ミル『代議制統治論』水田洋訳、岩波文庫、1997年、50〜51ページ。
8. Lionel Barber, Henry Foy, Alex Barker, "Vladimir Putin says liberalism has 'become obsolete'," *Financial Times*, June 27, 2019.
9. Patrick J. Deneen, *Why Liberalism Failed* (Yale University Press, 2018).〔邦訳『リベラリズムはなぜ失敗したのか』角敦子訳、原書房、2019年〕
10. 堂目卓生『アダム・スミス――「道徳感情論」と「国富論」の世界』中公新書、2008年、274〜276ページ。
11. Glenn Hubbard, *The Wall and the Bridge: Fear and Opportunity in Disruption's Wake* (Yale University Press, 2022)
12. アダム・スミス『道徳感情論』高哲男訳、講談社学術文庫、2013年、273〜274ページ。
13.『文語訳　旧約聖書　Ⅲ　諸書』岩波文庫、2015年、279〜295ページ。
14. Chuck Collins, "U.S. Billionaire Wealth Surged by 70 Percent, or $2.1 Trillion, During Pandemic," online at https://ips-dc.org/u-s-billionaire-wealth-surged-by-70-percent-or-2-1-trillion-during-pandemic-theyre-now-worth-a-combined-5-trillion/

第4章　「物語」を取り戻す

1. 小野塚知二『経済史――いまを知り、未来を生きるために』有斐閣、2018年、438ページ。
2. Kevin H. O'Rourke and Jeffrey G. Williamson, *Globalization and History: The Evolu-*

tion of a Nineteenth-Century Atlantic Economy (The MIT Press, 1999), 287.

3. Karl Polanyi, *The Great Transformation: The Political and Economic Origins of Our Time* (Beacon Paperback, 2001), 31.〔邦訳『[新訳]大転換——市場社会の形成と崩壊』野口建彦・栖原学訳、東洋経済新報社、2009 年〕
4. Ibid., 44.
5. Daron Acemoglu and James A. Robinson, “The Upside of Populism: The Same Impulse That Brought Trump to Power Could Save U.S. Democracy,” *Foreign Policy*, October 24, 2019: 28–31.
6. Daron, Acemoglu and James A. Robinson, *The Narrow Corridor: States, Societies, and the Fate of Liberty*, 2019.〔邦訳『自由の命運——国家、社会、そして狭い回廊(上・下)』櫻井祐子訳、早川書房、2020 年〕
7. Raghuram Rajan, *The Third Pillar: How Markets and the State Leave the Community Behind* (Penguin Press, 2019).〔邦訳『第三の支柱——コミュニティ再生の経済学』月谷真紀訳、みすず書房、2021 年〕
8. Richard Baldwin, *The Globotics Upheaval: Globalization, Robotics, and the Future of Work* (Oxford University Press, 2019).〔邦訳『GLOBOTICS(グロボティクス)——グローバル化+ロボット化がもたらす大激変』高遠裕子訳、日本経済新聞出版、2019 年〕
9. アーサー・コナン・ドイル『新訳シャーロック・ホームズ全集　恐怖の谷』日暮雅通訳、光文社文庫、2008 年、155 ページ。
10. William Peduto, Jamael Tito Brown, Nan Whaley, Andrew Ginther, John Cranley, Steve Williams, Ron Dulaney Jr. and Greg Fischer, “Eight Mayors: We Need a Marshall Plan for Middle America,” *The Washington Post*, November 22, 2020.

第 5 章　半導体と空気調節

1. Kurt Andersen, *Fantasyland: How America Went Haywire: A 500-Year History* (Random House, 2017).〔邦訳『ファンタジーランド——狂気と幻想のアメリカ 500 年史(上・下)』山田美明・山田文訳、東洋経済新報社、2019 年〕
2. Kurt Andersen, *Evil Geniuses: The Unmaking of America: A Recent History* (Random House, 2020).
3. Ben Steverman and Alexandre Tanzi, “The 50 Richest Americans Are Worth as Much as the Poorest 165 Million,” *Bloomberg*, October 8, 2020.
4. Lawrence H. Summers, “The Left’s Embrace of Modern Monetary Theory is a Recipe for Disaster,” *The Washington Post*, March 4, 2019.
5. ルイス・ハーツ『アメリカ自由主義の伝統』有賀貞訳、講談社学術文庫、1994 年。
6. トクヴィル『アメリカのデモクラシー　第二巻(下)』松本礼二訳、岩波文庫、2008年、258 ページ。
7. Tara Westover, *Educated: A Memoir* (Random House, 2018).〔邦訳『エデュケーション——大学は私の人生を変えた』村井理子訳、早川書房、2020 年〕
8. Lawrence H. Summers, “The Biden Stimulus Is Admirably Ambitious. But It Brings

Some Big Risks, Too," *The Washington Post*, February 4, 2021.
9. Atif Mian, Ludwig Straub, and Amir Sufi, "Indebted Demand," *The Quarterly Journal of Economics*, vol. 136 (4) (2021), 2243–2307.
10. Kenneth Scheve and David Stasavage, *Taxing the Rich: A History of Fiscal Fairness in the United States and Europe* (Princeton University Press, 2016)〔邦訳『金持ち課税——税の公正をめぐる経済史』立木勝訳、みすず書房、2018年〕.
11. Jennifer Harris and Jake Sullivan, "America Needs a New Economic Philosophy. Foreign Policy Experts Can Help.," *Foreign Policy*, February 7, 2020, online at https://foreignpolicy.com/2020/02/07/america-needs-a-new-economic-philosophy-foreign-policy-experts-can-help/
12. T.J. Rodgers, "Government Won't Fix Chip Shortage," *The Wall Street Journal*, April 29, 2021; John Neuffer, "Government Should Help U.S. Chip Industry," *The Wall Street Journal*, May 6, 2021.
13. 清沢洌『現代世界通信』中央公論社、1938年、240〜242ページ（引用は現代仮名遣いに改めた）。
14. 同、242ページ。
15. Elise Gould, *State of Working America Wages 2019*, Economic Policy Institute Report, February 20, 2020, 25.
16. Mark Muro, Eli Byerly-Duke, Yang You, and Robert Maxim, "Biden-voting counties equal 70% of America's economy. What does this mean for the nation's political-economic divide?," November 10, 2020, online at https://www.brookings.edu/blog/the-avenue/2020/11/09/biden-voting-counties-equal-70-of-americas-economy-what-does-this-mean-for-the-nations-political-economic-divide/
17. 蒲島郁夫・境家史郎『政治参加論』東京大学出版会、2020年。

第6章　咆哮と興奮

1. ドナルド・トランプ、トニー・シュウォーツ『トランプ自伝——不動産王にビジネスを学ぶ』相原真理子訳、ちくま文庫、2008年、71ページ。〔この箇所の引用は原書 *Trump: The Art of the Deal*（Ballantine Books, 2015）より著者が訳出〕
2. Jennifer M. Miller, "Let's Not be Laughed at Anymore: Donald Trump and Japan from the 1980s to the Present," *Journal of American-East Asian Relations*, 25 (2018): 138–168.
3. Kenneth B. Pyle, *Japan Rising: The Resurgence of Japanese Power and Purpose* (Public Affairs, 2007).
4. John Bolton, *The Room Where It Happened: A White House Memoir* (Simon & Schuster, 2020), 359.〔邦訳『ジョン・ボルトン回顧録——トランプ大統領との453日』梅原季哉監訳、関根光宏・三宅康雄訳、朝日新聞出版、2020年〕
5. 萩原延壽『馬場辰猪　萩原延壽集1』朝日新聞社、2007年、3ページ。
6. 同、325〜327ページ。
7. 清沢洌『暗黒日記3』橋川文三編、ちくま学芸文庫、2002年、413ページ。

8. John McCormick, "This Illinois County Is Losing People Faster Than Anywhere in the U.S.," *The Wall Street Journal*, August 26, 2021.
9. トクヴィル『アメリカのデモクラシー　第一巻（下）』松本礼二訳、岩波文庫、2005年、307ページ。
10. マーク・トウェイン『ハックルベリー・フィンの冒けん』柴田元幸訳、研究社、2017年、161ページ。
11. Commission on Civil Rights, *Cairo, Illinois: Racism at Floodtide*, report prepared by Paul Good, October 1973, 5.
12. 福田有広『政治学史講義プリント（後半部）2002年度夏学期』、119ページ。
13. トクヴィル『アメリカのデモクラシー　第一巻（下）』松本礼二訳、岩波文庫、2005年、114ページ。
14. 福田有広『政治学史講義プリント（後半部）2002年度夏学期』、124ページ。
15. ハンナ・アーレント『革命論』森一郎訳、みすず書房、2022年、308ページ。
16. 福田有広『政治学史講義プリント（後半部）2002年度夏学期』、127ページ。

終　章　ひび割れる世界に湧く泉

1. 丸山眞男「福沢における『惑溺』」、松沢弘陽編『福沢諭吉の哲学　他六篇』岩波文庫、2001年、219〜270ページ。
2. ハンナ・アーレント『[新版] 全体主義の起原2　帝国主義』大島通義・大島かおり訳、みすず書房、2017年、54ページ。
3. 同、65ページ。
4. 宮本常一『宮本常一著作集15　日本を思う』未來社、1973年、311ページ。
5. 宇根豊『愛国心と愛郷心――新しい農本主義の可能性』農山漁村文化協会、2015年、41〜42ページ
6. 宮本常一『宮本常一著作集15　日本を思う』未來社、1973年、49〜55ページ。
7. 福澤諭吉『福澤諭吉著作集7　通俗民権論　通俗国権論』（「分権論」）寺崎修編、慶應義塾大学出版会、2003年、54ページ。
8. トクヴィル『アメリカのデモクラシー　第二巻（上）』松本礼二訳、岩波文庫、2008年、234〜235ページ。
9. ハンナ・アーレント『革命論』森一郎訳、みすず書房、2022年、369〜371ページ。
10. トクヴィル『アメリカのデモクラシー　第一巻（下）』松本礼二訳、岩波文庫、2005年、38〜39ページ。
11. J・S・ミル『自由論』関口正司訳、岩波文庫、2020年、34ページ。
12. 神谷美恵子『神谷美恵子コレクション　生きがいについて』みすず書房、2004年、10ページ。
13. アダム・スミス『道徳感情論』高哲男訳、講談社学術文庫、2013年、290ページ。
14. トクヴィル『アメリカのデモクラシー　第一巻（下）』松本礼二訳、岩波文庫、2005年、45ページ。
15. 高木八尺「トックヴィルの民主政論の現代的意義」、前掲書、92ページ。
16. 野村吉三郎『米国に使して――日米交渉の回顧』岩波書店、1946年、203ページ。

17. George F. Kennan, "A Fateful Error," *The New York Times*, February 5, 1997.
18. 『新訂　孫子』金谷治訳注、岩波文庫、2000 年、46〜47 ページ。
19. トクヴィル『アメリカのデモクラシー　第二巻（下）』松本礼二訳、岩波文庫、2008年、282 ページ。
20. 柳宗悦『柳宗悦コレクション 2　もの』ちくま学芸文庫、2011 年、234 ページ。

あとがき

i. ペリーの主著に、*Facing West: Americans and the Opening of the Pacific*（Praeger Publishers, 1994）〔邦訳『西へ！——アメリカ人の太平洋開拓史』北太平洋国際関係史研究会訳、PHP 研究所、1998 年〕がある。
ii. John Curtis Perry, *Beneath the Eagle's Wings: Americans in Occupied Japan*（Dodd, Mead & Company, 1980), 21

著者略歴

（あおやま・なおあつ）

朝日新聞記者．1981年横浜生まれ．2003年東京大学法学部卒業．共同通信記者をへて米タフツ大学大学院フレッチャー・スクール修了．2008年に朝日新聞社入社．山口総局，GLOBE編集部，経済部をへて，18年～22年，アメリカ総局（ワシントン）にて，貿易戦争やコロナ危機の激動に揺れたトランプ・バイデン政権期を取材．取材班の一員として執筆に関わった本に『ルポ 税金地獄』（朝日新聞経済部，文春新書，2017年），『分極社会アメリカ』（朝日新聞取材班，朝日新書，2021年）などがある．本書が初の単著．現在は国際報道部次長．

青山直篤
デモクラシーの現在地
アメリカの断層から

2022年10月17日　第1刷発行

発行所 株式会社 みすず書房
〒113-0033 東京都文京区本郷2丁目20-7
電話 03-3814-0131(営業) 03-3815-9181(編集)
www.msz.co.jp

本文組版 キャップス
本文印刷所 精文堂印刷
扉・表紙・カバー印刷所 リヒトプランニング
製本所 東京美術紙工
装丁 仲條世菜・鈴木大輔（ソウルデザイン）

Printed in Japan
ISBN 978-4-622-09545-3
[デモクラシーのげんざいち]